Korte metten

Eerder verschenen van dezelfde auteur:

De leugenaar

Verdwenen

Spaar het meisje

Lisa Gardner

KORTE METTEN

the house of books

Oorspronkelijke titel
Love you more
Uitgave
Published by

Vertaling
Ralph van der Aa
Omslagontwerp
marliesvisser.nl
Omslagfoto
Hollandse Hoogte/Arcangel Images Ltd
Foto auteur
© Deborah Feingold
Opmaak binnenwerk
ZetSpiegel, Best

ISBN 978 90 443 3499 9
D/2012/8899/70
NUR 332

www.lisagardner.com
www.thehouseofbooks.com

Proloog

Van wie hou je?

Iedereen zou die vraag moeten kunnen beantwoorden. Het is een vraag die een leven definieert, die een toekomst schept, een vraag waar je het grootste deel van je leven door geleid wordt. Eenvoudig, elegant, allesomvattend.

Van wie hou je?

Toen hij de vraag stelde, voelde ik het antwoord in het gewicht van mijn politieriem, in de beklemming van mijn kogelvrije vest, in de strakke rand van mijn hoed, die ik diep over mijn voorhoofd had getrokken. Langzaam liet ik mijn arm zakken, en mijn vingers streken lichtjes over de bovenkant van de Sig Sauer in de holster aan mijn heup.

'Van wie hou je?' schreeuwde hij opnieuw, doordringender nu.

Mijn vingers gleden langs mijn dienstwapen en bereikten het zwarte leren sluitstuk waarmee mijn riem vastzat om mijn middel. Het klittenband maakte een hard raspend geluid toen ik de eerste band losmaakte, en de tweede, en de derde, en de vierde. Ik opende de metalen gesp en toen kwam mijn tien kilo zware riem, inclusief revolver, taser en uitschuifbare metalen wapenstok, van mijn middel en bungelde tussen ons in.

'Doe dit nou niet,' fluisterde ik, in een laatste poging hem op andere gedachten te brengen.

Hij glimlachte alleen maar. 'Te laat en te weinig.'

'Waar is Sophie? Wat heb je gedaan?'

'Je riem. Op de tafel. Nu.'

'Nee.'

'JE PISTOOL. Op de tafel. NU!'

Ik reageerde door daar midden in de keuken wijdbeens te gaan staan en me breed te maken, terwijl mijn riem nog altijd in mijn linkerhand hing. Vier jaar lang had ik op de snelwegen van Massachusetts gesurveilleerd, en ik had gezworen dat ik de inwoners van de staat zou verdedigen en beschermen. Ik had mijn training en ervaring aan mijn zijde.

Ik kon proberen mijn Sig Sauer te pakken en erop los te schieten.

Het pistool zat in een onhandige hoek in mijn holster en dat zou me kostbare seconden kosten. Hij hield me nauwlettend in de gaten, bedacht op een onverwachte beweging. Als ik niet snel genoeg was, zou dat onmiddellijk en meedogenloos worden afgestraft.

Van wie hou je?

Hij had gelijk. Daar ging het uiteindelijk allemaal om. Van wie hield je en hoeveel risico was je bereid voor diegene te nemen?

'Je WAPEN!' brulde hij. 'Nu, verdomme!'

Ik dacht aan mijn dochtertje van zes, aan de geur van haar haar, aan hoe het voelde als ze haar tengere armen stevig om mijn nek sloeg, aan de klank van haar stem als ik haar instopte, elke avond weer. 'Ik hou van je, mama,' fluisterde ze altijd.

Ik hou ook van jou, schatje. Ik hou van je.

Hij maakte een beweging met zijn arm, zijn eerste voorzichtige poging om de bungelende riem en het pistool in mijn holster te pakken te krijgen.

Eén laatste kans…

Ik keek mijn man aan. De tijd die ik nog had duurde niet langer dan een hartslag.

Van wie hou je?

Ik nam mijn besluit. Ik legde mijn riem op de keukentafel.

En hij greep mijn Sig Sauer en schoot.

1

Brigadier-rechercheur D.D. Warren ging prat op haar voortreffelijke onderzoekstalent. Na een loopbaan van meer dan twaalf jaar bij de politie van Boston was ze ervan overtuigd dat het afhandelen van een plaats delict in een moordzaak nooit een routineklus was, maar iets waar je volledig en met al je zintuigen in opging. Ze voelde aan het gladde gaatje dat door een hete, rondtollende .22 kogel in een gipsplaat was geboord. Ze luisterde aandachtig of ze aan de andere kant van de muur de buren kon horen roddelen, want als ze hen kon horen, dan hadden zij zonder twijfel het grote onheil gehoord dat zich hier kort daarvoor had afgespeeld.

D.D. lette er altijd op hoe een lichaam was gevallen: naar voren, naar achteren of een beetje opzij. Ze snoof of ze de scherpe geur van kruit kon ruiken, die wel twintig tot dertig minuten na het laatste schot kon blijven hangen. En het was meer dan eens voorgekomen dat ze het tijdstip van overlijden had vastgesteld op basis van de geur van bloed, die net als de geur van vlees in eerste instantie relatief vaag was maar met het uur sterker en doordringender werd.

Vandaag was ze echter niet van plan om ook maar een van deze dingen te doen. Vandaag bracht ze een luie zondagochtend door in een grijze joggingbroek en een rood flanellen overhemd van Alex, dat haar veel te groot was. Ze had zich aan zijn keukentafel geïnstalleerd, met een kloeke koffiemok tussen haar handen geklemd, en was langzaam tot twintig aan het tellen.

Ze was bij dertien. Alex had eindelijk de voordeur bereikt. Nu bleef hij weer staan om een blauwe sjaal om te doen.

Ze telde door tot vijftien.

Hij was klaar met de sjaal. Nu deed hij een zwarte wollen muts op en trok leren handschoenen aan. De buitentemperatuur was net boven de min zes uitgekomen. Op de grond lag twintig centimeter sneeuw, en aan het einde van de week werd nog eens vijftien centimeter verwacht. In New England hoorde maart niet bij de lente.

Alex onderwees onder andere plaats-delictanalyse aan de politieacademie. Vandaag moest hij de hele dag lesgeven. Morgen hadden ze allebei een vrije dag en aangezien dat niet zo vaak voorkwam zouden ze samen iets leuks gaan doen, al hadden ze nog niet bedacht wát precies. Misschien konden ze gaan schaatsen in de Boston Commons. Of naar het Isabelle Stewart Gardner Museum gaan. Of een dagje lekker niksen en bij elkaar op de bank kruipen en met een grote schaal vette popcorn oude films kijken.

D.D. klemde haar mok zo stevig mogelijk vast. Goed, geen popcorn.

D.D. telde tot achttien, negentien, twin…

Alex was klaar met zijn handschoenen, pakte zijn versleten zwartleren tas en kwam naar haar toe lopen.

'Je moet me niet te erg missen, hoor,' zei hij.

Hij gaf haar een kus op haar voorhoofd. D.D. sloot haar ogen, sprak in gedachten het getal twintig uit en begon toen terug te tellen naar nul.

'Ik zal de hele dag liefdesbrieven aan je schrijven, met hartjes op de i's,' zei ze.

'In de multomap van je middelbare school?'

'Zoiets ja.'

Alex stapte naar achteren. D.D. was bij veertien. Haar mok trilde, maar Alex scheen het niet te zien. Ze haalde diep adem en telde moedig verder. *Dertien, twaalf, elf…*

Alex en zij hadden nu ruim een halfjaar een relatie. Ze hadden het punt bereikt dat zij in zijn boerderijtje een hele la voor zichzelf had en hij in haar flat in North End een strookje kastruimte. Op de dagen dat hij lesgaf, was het makkelijker als ze bij hem thuis waren. Als zij werkte, was het makkelijker om in Boston te zijn. Ze hadden geen vast schema. Dat zou impliceren dat ze plannen maakten en een relatie aan het verdiepen waren die ze allebei vooral niet te vast wilden omlijnen.

Ze vonden het fijn om bij elkaar te zijn. Alex respecteerde haar absurde werktijden als rechercheur Moordzaken. Zij respecteerde zijn culinaire talent als Italiaan van de derde generatie. Voor zover ze wist, verheugden ze zich allebei op de avonden dat ze bij elkaar konden zijn, maar wisten ze de avonden waarop dat niet mogelijk was prima te overleven. Ze waren twee onafhankelijke, zelfstandige volwassenen. Zij was net veertig geworden, Alex was die grens een paar jaar geleden al gepasseerd. Niet echt twee blozende tieners die alleen maar aan elkaar konden denken. Alex was al eens eerder getrouwd geweest. D.D. wist gewoon wel beter.

Ze leefde voor haar werk, iets wat andere mensen ongezond vonden, maar dat kon haar geen moer schelen. Door hard te werken had ze haar huidige positie bereikt.

Negen, acht, zeven…

Alex opende de voordeur en zette zich schrap voor de bittere kou. Een ijzige windvlaag schoot door het halletje en streek langs D.D.'s wangen. Ze rilde en klemde de mok steviger vast.

'Ik hou van je,' zei Alex terwijl hij over de drempel stapte.

'Ik ook van jou.'

Alex trok de deur dicht. D.D. wist net op tijd de gang door te komen om over te geven.

Tien minuten later lag ze nog steeds languit op de badkamervloer. De decoratieve tegels kwamen uit de jaren zeventig: tientallen en nog eens tientallen kleine beige, bruine en gouden vierkantjes. Ze kreeg weer zin om over te geven als ze ernaar keek, maar het was best een aardige meditatieve oefening om ze te tellen. Dus dat deed ze, terwijl ze wachtte tot haar brandende wangen waren afgekoeld en de kramp in haar maag was verdwenen.

Haar mobieltje ging. Ze keek ernaar, maar gezien de omstandigheden was ze niet bijster geïnteresseerd. Toen ze echter zag wie het was, besloot ze met de hand over het hart te strijken.

'Wat?' vroeg ze kortaf – haar gebruikelijke begroeting voor haar ex-vriend, Bobby Dodge, de inmiddels getrouwde rechercheur van de staatspolitie van Massachusetts.

'Ik heb weinig tijd. Luister goed.'

'Ik heb geen dienst,' zei ze werktuiglijk. 'Voor nieuwe zaken moet je Jim Dunwell lastigvallen.' Toen fronste ze haar voorhoofd. Bobby kón haar helemaal niet over een zaak bellen. Zij werkte voor de BPD, de politie van Boston, en nam geen bevelen aan van rechercheurs van de staatspolitie.

Bobby ging verder alsof ze niks had gezegd. 'Het is een puinhoop, maar ik ben er vrij zeker van dat het ónze puinhoop is, dus ik wil dat je naar me luistert. De hoge omes zitten hiernaast en aan de overkant zit de pers. Kom binnen via het steegje achter het huis. Neem de tijd en neem álles in je op. Ik ben het overzicht nu al kwijt, en geloof me, D.D., in deze zaak mogen we echt niets over het hoofd zien.'

D.D.'s frons verdiepte zich. 'Wat bedóél je allemaal, Bobby? Ik heb geen idee waar je het over hebt, en bovendien ben ik vrij vandaag.'

'Niet meer. De BPD zal deze zaak door een vrouw willen laten leiden terwijl de staat ook invloed zal willen hebben, het liefst door een voormalige agent van de staatspolitie. De hoge piefen willen het zo, dus komen onze koppen op het hakblok.'

Ze hoorde nu een nieuw geluid en het kwam uit de slaapkamer. Haar pieper ging af. Shit. Ze werd opgeroepen en dat betekende dat Bobby niet uit zijn nek kletste. Ze hees zich overeind, al stond ze te trillen op haar benen en had ze het gevoel dat ze weer moest overgeven. Uit pure wilskracht zette ze de eerste stap en daarna ging het makkelijker. Ze liep naar de slaapkamer. Haar vrije dag kon ze op haar buik schrijven – iets wat haar wel eerder was overkomen en wat nog wel vaker zou gebeuren.

'Wat moet ik weten?' vroeg ze. Haar stem klonk nu krachtiger en ze klemde haar mobieltje tegen haar schouder.

'Sneeuw,' mompelde Bobby. 'Op de grond, de bomen, de ramen... godver. Er banjeren overal agenten rond...'

'Haal ze weg! Als het mijn plaats delict is, haal ze daar dan allemaal als de sodemieter weg.'

Ze vond haar pieper op het nachtkastje – ja hoor, een oproep van de meldkamer van de BPD – en begon haar grijze joggingbroek uit te trekken.

'Ze zijn niet in het huis. Geloof me, zelfs de bazen halen het niet in hun hoofd om een plaats delict te verpesten. Maar we wisten niet dat er een meisje werd vermist. De geüniformeerde politie heeft het huis afgezet maar is de tuin vergeten. En nu zijn alle sporen daar vertrapt en krijg ik geen overzicht. We moeten overzicht hebben.'

D.D. had haar broek uit en ging nu in de weer met Alex' overhemd.

'Wie is er dood?'

'Een tweeënveertigjarige blanke man.'

'Wie wordt er vermist?'

'Een zesjarig blank meisje.'

'Is er een verdachte?'

Nu viel er een lange, lange stilte.

'Kom hierheen,' zei Bobby kortaf. 'Jij en ik, D.D. Onze zaak. Onze klerezooi. We moeten heel snel aan de slag.'

Hij verbrak de verbinding. D.D. keek kwaad naar haar mobieltje en gooide het toen op het bed, zodat ze haar witte bloes aan kon trekken.

Goed. Een moord en een vermist kind. De staatspolitie was al ter plaatse, maar de zaak viel onder de jurisdictie van de Bostonse politie. Waarom zou de staatspolitie in godsnaam...

Toen viel bij D.D., die niet voor niets een voortreffelijk rechercheur was, het kwartje.

'O shit!'

D.D. was niet langer misselijk. Ze was nijdig.

Zo snel ze kon pakte ze haar pieper, politiepenning en winterjack. Toen maakte ze zich, met de instructies van Bobby nog nagalmend in haar achterhoofd, op om haar eigen plaats delict te overvallen.

2

Van wie hou je?

Ik leerde Brian kennen op een barbecue op Onafhankelijkheidsdag bij Shane thuis. Normaal gesproken sloeg ik dat soort uitnodigingen af, maar de laatste tijd was ik me gaan realiseren dat ik mijn mening daarover misschien moest herzien – als het niet in mijn eigen belang was, dan toch wel in dat van Sophie.

Er waren niet zo heel veel mensen op het feestje, een man of dertig, allemaal agenten van de staatspolitie plus aanhang die bij Shane in de buurt woonden. De luitenant-kolonel had zijn gezicht ook even laten zien, wat een aardig succesje was voor Shane. Ik zag vier jongens van het bureau bij de barbecue staan. Ze dronken bier en treiterden de gastheer, die zich zenuwachtig stond te maken om een nieuwe lading vlees. Voor hen stonden twee picknicktafels, waar een groep lachende echtgenotes tussen de zorg voor verschillende kinderen door nu al margarita's aan het mixen was.

Andere mensen bevonden zich in het huis, waar ze pastasalades klaarmaakten en naar de slotfase van de wedstrijd keken. Overal stonden mensen onder het genot van een hapje en een drankje met elkaar te kletsen. Kortom: iedereen deed wat mensen op een zonnige zaterdagmiddag zoal doen.

Ik stond in de schaduw van een oude eik. Op Sophies verzoek droeg ik een zomerse jurk met oranje bloemen en had ik mijn enige chique paar goudkleurige slippers aangetrokken. Ik stond nog steeds met mijn voeten een beetje uit elkaar, met mijn ellebogen strak langs mijn onbeschermde zijdes en met mijn rug tegen de boom. Ik was dan wel niet aan het werk, maar dat betekende niet dat ik het werk kon loslaten.

Ik zou me onder de mensen moeten begeven en een gesprek moeten aanknopen, maar ik wist niet waar ik moest beginnen. Moest ik bij de vrouwen gaan zitten, van wie ik er niet één kende, of kon ik beter gaan rondhangen bij de jongens, bij wie ik me meer op mijn gemak voelde? Het klikte zelden met de echtgenotes, maar ik kon me niet veroorloven de indruk te wekken dat ik me vermaakte met hun mannen – als dat gebeurde, zou het lachen de vrouwen vergaan en zouden ze me vernietigende blikken toewerpen.

Dus stond ik in mijn eentje bij de boom en hield ik me afzijdig, met een bierflesje in de hand dat ik nooit leeg zou drinken. Ik wachtte tot het feestje ver genoeg over zijn hoogtepunt heen was om te kunnen vertrekken zonder onbeleefd te zijn.

Ik keek vooral naar mijn dochter.

Een meter of honderd verderop giechelde ze uitgelaten terwijl ze samen met een paar andere kinderen van een grasheuveltje rolde. Haar knalroze jurkje zat al helemaal onder de groene vlekken en haar gezicht onder de kruimels van chocoladekoekjes. Als ze aan de voet van de heuvel weer opstond, pakte ze de hand van het meisje naast haar en dan renden ze puffend en zo snel hun drie jaar oude beentjes hen dragen konden weer naar boven.

Sophie maakte altijd heel makkelijk vrienden. In lichamelijk opzicht leek ze op mij, maar haar karakter had ze helemaal van zichzelf. Spontaan, vrijmoedig, avontuurlijk ingesteld. Als het aan haar lag, zou ze altijd mensen om zich heen hebben. Misschien was charme een dominant gen dat ze van haar vader had geërfd, want ze had het zeker niet van mij.

Sophie bereikte samen met de andere peuter de top van de heuvel. Ze ging als eerste liggen. Haar donkere haar stak scherp af tegen de gele paardenbloemen. Vervolgens was er één grote wirwar van mollige armen en wild heen en weer zwaaiende benen toen ze begon te rollen. Haar gegiechel schalde door de blauwe lucht.

Aan de voet van de heuvel kwam ze duizelig overeind en toen zag ze dat ik naar haar stond te kijken.

'Ik hou van je, mama,' schreeuwde ze en ze dartelde weer de heuvel op.

Ik keek toe hoe ze wegrende en wilde, niet voor het eerst, dat ik niet alles hoefde te weten wat een vrouw als ik weten moest.

'Hallo.'

Er kwam een man naar me toe lopen die zich had losgemaakt uit de menigte. Achter in de dertig, één meter vijfenzeventig, iets van tachtig kilo, blond stekeltjeshaar en brede, gespierde schouders. Gezien de plaats van handeling was het heel goed mogelijk dat hij ook van de politie was, maar ik herkende hem niet.

Hij stak zijn hand uit. Te laat stak ik mijn eigen hand uit.

'Brian,' zei hij. 'Brian Darby.' Hij knikte in de richting van het huis. 'Ik woon verderop in de straat. En jij?'

'Eh... Tessa. Tessa Leoni. Ik ken Shane van het bureau.'

Ik wachtte op de onvermijdelijke opmerking die mannen maakten wanneer ze een vrouwelijke agent tegenkwamen. *Ben je van de politie? Dan kan ik me maar beter goed gedragen.* Of: *Oeh, waar is je pistool?*

En dat waren dan nog de aardige gasten.

Maar Brian knikte alleen. Met één hand hield hij een flesje Bud Light vast en de andere had hij in de zak van zijn beige korte broek gestoken. Hij droeg een blauwe polo met een gouden embleem op de borstzak, maar vanuit mijn positie kon ik het niet thuisbrengen.

'Ik moet je iets bekennen,' zei hij.

Ik zette me schrap.

'Shane heeft me verteld wie je bent. Maar wat voor me pleit is dat ik er eerst zelf naar gevraagd heb. Het leek me wel een goed idee om navraag te doen naar een knappe vrouw die in haar eentje bij een boom staat.'

'Wat zei Shane?'

'Dat je veel te hoog gegrepen bent voor mij. Ik hapte natuurlijk meteen.'

'Shane kan ongelooflijk uit zijn nek lullen,' zei ik.

'Vaak wel, ja. Je drinkt niet van je bier.'

Ik keek omlaag, alsof ik het flesje voor de eerste keer zag.

'Dat was me opgevallen,' vervolgde Brian soepeltjes. 'Je hebt een bierflesje vast maar drinkt er niet van. Heb je liever een margarita? Zal ik er een voor je halen? Alhoewel,' zei hij terwijl hij naar de snaterende echtgenotes keek, die aan hun derde ronde bezig waren en evenredig lachten, 'ik vind het wel een beetje eng.'

'Laat maar.' Ik ontspande een beetje en schudde mijn armen los. 'Ik drink eigenlijk niet.'

'Ben je oproepbaar?'

'Vandaag niet.'

'Ik werk niet bij de politie, dus ik doe niet of ik weet hoe het is, maar ik ga nu al meer dan vijf jaar met Shane om, dus ik mag graag geloven dat ik de hoofdlijnen wel begrijp. Een agent van de staatspolitie doet méér dan op snelwegen surveilleren en bonnen uitschrijven. Toch, Shane?' riep Brian, die de gebruikelijke klacht van elke staatsagent door de tuin had laten schallen. Bij de barbecue reageerde Shane door zijn rechterhand op te steken en een obsceen gebaar naar zijn buurman te maken.

'Shane is een zeikerd,' zei ik, en ook ik zorgde ervoor dat iedereen me kon horen.

Ook naar mij stak Shane zijn middelvinger op. Verscheidene jongens lachten.

'Hoe lang zijn jullie al collega's?' vroeg Brian.

'Een jaar. Ik werk er nog maar net.'

'Echt? Waarom wilde je bij de politie?'

Ik haalde mijn schouders op en voelde me weer ongemakkelijk. Echt zo'n vraag die iedereen stelde en waarvan ik nooit wist wat ik erop moest antwoorden. 'Leek me een goed idee toen ik ermee begon.'

'Ik werk in de koopvaardij,' zei Brian. 'Hoofdzakelijk op olietankers; ik moet ervoor zorgen dat ze zonder problemen op hun bestemming arriveren. We zijn steeds een paar maanden onderweg, dan weer een paar maanden thuis en dan weer een paar maanden onderweg. Het sociale leven lijdt er nogal onder, maar ik vind het fijn werk. Het is nooit saai.'

'Jij moet ervoor zorgen dat tankers goed aankomen? Wat doe je dan, schepen beschermen tegen piraten en zo?'

'Nee, wij varen heen en weer van Puget Sound naar Alaska. Daar zitten niet zoveel Somalische piraten. Ik ben machinist. Ik moet ervoor zorgen dat het schip blijft varen. Ik hou van kabels en machines en schroeven. Wapens vind ik doodeng.'

'Ik hou er zelf ook niet van.'

'Grappig om dat uit de mond van een agent te horen.'

'Nee hoor.'

Mijn blik was automatisch weer afgedwaald naar Sophie. Even kijken hoe het ging. Brian zag waar ik naar keek. 'Shane zei dat je een dochtertje van drie hebt. Jemig, wat lijkt ze op je. Jij komt straks vast niet met het verkeerde kind thuis.'

'Shane zei dat ik een kind heb en toch hapte je?'

Hij haalde zijn schouders op. 'Kinderen zijn leuk. Ik heb zelf geen kinderen, maar dat betekent niet dat ik er iets tegen heb. Is de vader in beeld?' vroeg hij terloops.

'Nee.'

Hij keek niet zelfgenoegzaam toen hij dat hoorde, eerder peinzend. 'Dat zal wel zwaar zijn, om een fulltime baan bij de politie te hebben en een kind op te voeden.'

'We redden ons wel.'

'Daar twijfel ik niet aan. Mijn vader is gestorven toen ik nog klein was. Mijn moeder bleef achter met vijf kinderen die ze in haar eentje moest opvoeden. Wij redden ons ook, en ik heb ontzettend veel respect voor haar.'

'Wat is er met je vader gebeurd?'

'Hartaanval. En met die van haar?' Hij knikte naar Sophie, die nu tikkertje leek te doen.

'Die kon wat beters krijgen.'

'Mannen zijn eikels,' mompelde hij, en hij leek het zo serieus te menen dat ik eindelijk lachte. Hij bloosde. 'Had ik al gezegd dat ik vier zussen heb? Dat soort dingen gebeuren je als je vier zussen hebt. Bovendien moet ik dubbel respect hebben voor mijn moeder, omdat ze niet alleen haar hoofd boven water heeft gehouden als alleenstaande moeder, maar ook nog eens als alleenstaande moeder van vier meiden. En ik heb haar nooit iets sterkers zien drinken dan kruidenthee. Wat zeg je me daarvan?'

'Ze lijkt me een kei,' zei ik instemmend.

'Ben jij misschien ook een kruidentheemeisje, aangezien je niet drinkt?'

'Koffie.'

'Aha, mijn favoriete drug.' Hij keek me aan. 'Nou, Tessa, misschien mag ik je een keer 's middags op een kop koffie trakteren. Bij jou in de buurt of bij mij, laat maar weten.'

Ik bekeek Brian Darby opnieuw aandachtig. Warme, bruine ogen, een gulle lach, stevige schouders.

'Oké,' hoorde ik mezelf zeggen. 'Dat lijkt me leuk.'

Geloof je in liefde op het eerste gezicht? Ik niet. Ik ben te berekenend voor zulke onzin, te behoedzaam. Of misschien weet ik gewoon beter.

Ik ging een keer met Brian koffiedrinken. Hij vertelde me dat hij alle tijd van de wereld had als hij thuis was. Dus konden we makkelijk 's middags samen een wandeling maken nadat ik was bijgekomen van mijn nachtdienst en voordat ik om vijf uur Sophie ging ophalen bij het kinderdagverblijf. Toen gingen we op mijn vrije avond naar een wedstrijd van de Red Sox, en voordat ik het wist ging hij samen met mij en Sophie picknicken.

Voor Sophie was het wél liefde op het eerste gezicht. Binnen een paar seconden was ze op Brians rug geklommen en liet ze hem als een paard rondjes rennen. Gehoorzaam galoppeerde Brian door het park met een krijsend driejarig meisje achter op zijn rug dat zo hard ze kon 'Sneller!' gilde. Toen ze klaar waren, liet Brian zich op het picknickkleed vallen terwijl Sophie met wankele stapjes wegliep om paardenbloemen te gaan plukken. Ik dacht dat ze voor mij waren, maar ze gaf ze aan Brian.

Brian nam de bloemen in eerste instantie aarzelend aan, maar begon te stralen toen het tot hem doordrong dat het verwelkte boeketje helemaal voor hem alleen was.

Daarna werd het makkelijker om de weekends bij hem thuis door te brengen: hij woonde in een huis met een echte tuin en ik in een krappe flat met één slaapkamer. We maakten samen het eten klaar terwijl Sophie rondrende met zijn hond, een bejaarde Duitse herder die naar de naam Duke luisterde. Brian kocht een plastic kinderzwembadje voor op het terras en hing een peuterschommel aan de oude eik.

Toen ik me een weekend helemaal niet lekker voelde, kwam hij naar onze flat en stopte mijn koelkast helemaal vol, zodat Sophie en ik de week zouden doorkomen. En toen ik op een middag thuiskwam nadat ik te maken had gehad met een motorongeluk waarbij drie kinderen waren omgekomen, las hij Sophie voor terwijl ik naar de muur van de slaapkamer staarde en uit alle macht probeerde weer een beetje tot mezelf te komen.

Later zat ik tegen hem aan genesteld op de bank en vertelde hij me verhalen over zijn vier zussen, zoals die keer dat ze hem slapend op de bank hadden aangetroffen en hem zwaar hadden opgemaakt. Hij had twee uur lang door de buurt gefietst met blauwe glitteroogschaduw en knalroze lippenstift op voordat hij bij toeval een glimp van zichzelf opving in een raam. Ik moest lachen. Toen moest ik huilen. Hij hield me nog steviger vast en we zeiden allebei niets.

De zomer ging langzaam voorbij. Het werd herfst, en toen moest hij zomaar opeens vertrekken, de zee op. Hij zou acht weken weg zijn, maar hij verzekerde me dat hij op tijd terug zou zijn voor Thanksgiving. Een goede vriend van hem zorgde altijd voor Duke, maar als we wilden…

Hij gaf me de sleutel van zijn huis. We konden er blijven. We mochten het huis zelfs vrouwvriendelijker maken – misschien konden we de tweede slaapkamer roze schilderen, voor Sophie. Een paar posters aan de muren hangen. Rubberen prinsesseneendjes in de badkamer leggen. Waar we ons ook maar door thuis zouden voelen.

Ik gaf hem een kus op zijn wang en stopte de sleutel weer in zijn hand.

Sophie en ik redden het prima samen. Dat was altijd zo geweest en dat zou altijd zo blijven. Tot over acht weken.

Sophie was echter ontroostbaar en huilde tranen met tuiten.

Het zijn maar een paar maanden, probeerde ik haar voor te houden. Dat stelt bijna niks voor. Een paar weken maar, eigenlijk.

Het leven was saaier zonder Brian. Een eindeloze sleur van om één uur 's middags opstaan, Sophie om vijf uur uit het kinderdagverblijf halen, haar bezighouden tot ze om negen uur ging slapen, mevrouw Ennis die om tien uur arriveerde zodat ik van elf tot zeven kon surveilleren. Het leven van een alleenstaande werkende moeder. Het kostte me de grootste moeite om de eindjes aan elkaar te knopen, ik moest talloze boodschappen doen op dagen die toch al overvol waren en ik moest alle zeilen bijzetten om mijn bazen tevreden te houden terwijl ik ook moest voorzien in de behoeften van mijn dochtertje.

Ik hield mezelf voor dat ik het aankon. Ik was een taaie. Ik was in mijn eentje de zwangerschap doorgekomen, ik had in mijn eentje een kind ter wereld gebracht. Ik had vijfentwintig lange, eenzame weken op de politieacademie doorstaan, waar ik tijdens de opleiding ook had gewoond en waar ik Sophie bij elke ademhaling had gemist. Ik was echter vastbesloten geweest om niet op te geven, omdat een baan bij de staatspolitie de beste optie was die ik had om mijn dochter een toekomst te geven. Ik had toestemming gekregen om elke vrijdagavond naar huis te gaan, naar Sophie, maar ik moest haar ook elke maandagochtend huilend achtergelaten bij mevrouw Ennis. Week in week uit, tot ik dacht dat ik zou gaan gillen van de enorme druk. Maar het lukte me. Alles voor Sophie. Altijd voor Sophie.

Toch begon ik vaker mijn mail te checken omdat Brian ons snel even een berichtje stuurde als zijn schip ergens in een haven lag, of een melige foto van een eland die midden in een hoofdstraat in Alaska stond. Na zes weken realiseerde ik me dat ik gelukkiger was op de dagen dat hij mailde en gespannener op de dagen dat hij dat niet deed. Voor Sophie gold hetzelfde. Elke avond kropen we samen achter de computer, twee mooie meiden die wachtten op nieuws van hun vent.

Toen kwam eindelijk het telefoontje. Brians schip was afgemeerd in Ferndale, in de staat Washington. Hij zou overmorgen vrij zijn en dan de nachtvlucht naar Boston nemen. Kon hij ons mee uit eten nemen?

Sophie koos haar favoriete donkerblauwe jurk uit. Ik droeg de oranje jurk die ik tijdens de barbecue had gedragen, met een vestje erover om de novemberkou te trotseren.

Sophie, die bij het raam op de uitkijk stond, zag hem het eerst. Ze gaf een gilletje van verrukking en rende zo snel de trap af dat ik dacht dat ze zou vallen. Brian kon haar op het pad naar het trottoir maar net opvangen. Hij greep haar in zijn armen en zwaaide haar in het rond. Ze kwam niet meer bij van het lachen.

Ik deed het rustiger aan. Voordat ik naar hem toe liep nam ik de tijd om nog een laatste keer mijn haar goed te doen en mijn vestje dicht te knopen. Ik stapte de voordeur van het flatgebouw uit en sloeg die stevig achter me dicht.

Toen draaide ik me om en nam hem van drie meter afstand eens goed in me op. Drónk hem op.

Brian zette Sophie neer. Hij stond nu stil aan het einde van het pad, met mijn kind nog steeds in zijn armen, en hij bekeek mij ook.

We raakten elkaar niet aan. We zeiden geen woord. Dat was ook niet nodig.

Later, na het etentje, nadat we naar zijn huis waren gereden, nadat ik Sophie in het bed aan de andere kant van de gang had ingestopt, liep ik zijn slaapkamer in. Ik ging voor hem staan en liet hem het vestje van mijn schouders en mijn armen halen, de jurk van mijn lichaam. Ik legde mijn handen tegen zijn blote borst. Ik proefde het zout op zijn keel.

'Acht weken was te lang,' mompelde hij met dikke stem. 'Verdomme, Tessa, ik wil je bij me hebben. Ik wil altijd weten dat jij er bent als ik thuiskom.'

Ik legde zijn handen tegen mijn borsten en duwde mezelf naar voren om zijn vingers beter te kunnen voelen.

'Trouw met me,' fluisterde hij. 'Ik meen het, Tessa. Ik wil dat je mijn vrouw wordt. Ik wil dat Sophie mijn dochter wordt. Kom hier bij mij en Duke wonen. Laten we een gezin worden.'

Ik proefde zijn huid weer. Liet mijn handen langs zijn lichaam glijden en duwde mijn blote huid tegen de zijne. Ik rilde bij de eerste aanraking. Maar het was niet genoeg om hem te voelen, te proeven. Hij moest tegen me aan komen, hij moest op me komen, hij moest in me komen. Hij moest overal zijn, hier, op dit moment.

Ik trok hem mee naar het bed en sloeg mijn armen om zijn middel. Toen gleed hij bij me naar binnen en ik kreunde, of misschien kreunde hij, maar dat maakte eigenlijk niet uit. Hij was waar ik hem wilde hebben.

Op het laatste moment pakte ik zijn gezicht tussen mijn handen zodat ik hem aan kon kijken toen de eerste golf over ons heen spoelde.

'Trouw met me,' herhaalde hij. 'Ik zal een goede man voor je zijn, Tessa. Ik zal goed voor jou en Sophie zorgen.'

Ik voelde hem in me bewegen en zei: 'Ja.'

3

Brian Darby overleed in de keuken. Hij was drie keer in het midden van zijn borst geraakt. Het eerste wat D.D. dacht, was dat Tessa Leoni haar schiettraining zeer serieus had genomen, aangezien de kogels perfect dicht bij elkaar in het lichaam waren geschoten. De agente had precies gedaan wat nieuwe rekruten op de politieacademie leren: nooit op het hoofd schieten en nooit schieten om alleen te verwonden. Als je op de borst richt, is de kans op een voltreffer het grootst, en als je je pistool gebruikt kan maar beter je eigen leven of dat van een ander in gevaar zijn, want dat betekent dat je schiet om te doden.

Leoni had de klus geklaard. Maar wat had de agent van de staatspolitie er in godsnaam toe bewogen haar man dood te schieten? En waar was het meisje?

Tessa Leoni werd momenteel in afzondering gehouden in de serre aan de voorkant van het huis, waar ambulanceverpleegkundigen een lelijke jaap in haar voorhoofd en een nog lelijker blauw oog behandelden. Haar vakbondsvertegenwoordiger was al bij haar, en er was een advocaat onderweg.

Buiten stonden een stuk of tien andere agenten van de staatspolitie op de stoep bij elkaar. Ze staarden verdwaasd naar hun collega's van de Bostonse politie en naar de mensen van de pers, die opgewonden verslag deden.

De meeste kopstukken van de BPD en van de staatspolitie waren aan het bakkeleien in het witte mobiele commandocentrum dat nu voor de aangrenzende basisschool geparkeerd stond. Het hoofd van de afdeling Moordzaken van het Openbaar Ministerie speelde waarschijnlijk voor scheidsrechter. Ongetwijfeld herinnerde hij de hoofdcommissaris van de staatspolitie van Massachusetts eraan dat de staat echt geen onderzoek kon leiden waar een van zijn eigen agenten bij betrokken was, terwijl hij de hoofdcommissaris uit Boston eraan herinnerde dat het niet meer dan redelijk was dat de staat ook een vertegenwoordiger bij het onderzoek wilde hebben.

Terwijl ze druk bezig waren hun territorium af te bakenen waren de bonzen erin geslaagd een Amber Alert uit te geven voor de zesjarige Sophie Leoni. Het meisje had donkerbruin haar en blauwe ogen, was ongeveer één meter zestien, woog twintig kilo en miste twee voortanden. Hoogstwaarschijnlijk droeg ze een roze pyjama met gele paardjes en lange mouwen. Ze was rond half elf de vorige avond voor het laatst gezien, toen Leoni naar eigen zeggen bij haar dochter was gaan kijken voordat ze zich meldde voor haar surveillancedienst van elf uur.

D.D. had heel veel vragen voor Tessa Leoni. Helaas kon ze niet bij haar komen, want volgens de bijna hysterische vakbondsman verkeerde de agente in shock en had ze dringend medische verzorging nodig. Tessa Leoni had recht op fatsoenlijke juridische bijstand. Ze had al een verklaring afgelegd aan de eerste agent die ter plaatse was geweest. Alle andere vragen zouden moeten wachten tot haar advocaat het een geschikt moment achtte.

Tessa Leoni had een heleboel problemen, dacht D.D. Zou ze één probleem niet kunnen oplossen door samen te werken met de politie van Boston om haar kind te vinden?

D.D. had voorlopig ingestemd. Met zo'n drukke plaats delict waren er genoeg andere zaken die haar directe aandacht vereisten. Overal liepen rechercheurs uit Boston rond en werd bewijs verzameld, verscheidene agenten van de geüniformeerde politie deden onderzoek in de buurt, en aangezien Leoni haar man met haar dienstwapen had doodgeschoten, was het team dat onderzoek deed naar wapengebruik automatisch in actie gekomen, zodat het kleine perceel overspoeld werd door nóg meer politiemensen.

Bobby had gelijk gehad: er werkten véél te veel mensen aan deze zaak.

En de zaak was helemaal van haar.

D.D. was een halfuur geleden gearriveerd. Ze had haar auto een paar honderd meter verderop geparkeerd, in de drukke Washington Street in plaats van in een rustige zijstraat. Allston-Brighton was een van de dichtstbevolkte buurten van Boston, en omdat het er tjokvol zat met studenten van Boston College, Boston University en de Harvard Business School, woonden er hoofdzakelijk docenten, jonge gezinnen en andere universiteitsmedewerkers. Wonen was er duur, wat ironisch was gezien het feit dat studenten en docenten vaak geen geld hadden. Dat resulteerde in de ene na de andere straat vol oude, vervallen appartementencomplexen van drie verdiepingen die in zo veel mogelijk wooneenheden waren opgedeeld. Hele gezinnen zaten op elkaar gepropt en de supermarkten, avondwinkels en wasserettes schoten als paddenstoelen uit de grond om in de aanhoudende vraag te voorzien.

Voor D.D. was dit de stadsjungle. Hier had je geen smeedijzeren balustrades of decoratief metselwerk zoals je dat in andere wijken van de stad zag. Hier moest je een fortuin neerleggen om een sobere flat te kunnen huren die amper groter was dan een schoenendoos. Voor het parkeren gold: wie het eerst komt, wie het eerst maalt, wat betekende dat de meeste mensen de helft van hun tijd kwijt waren aan rondrijden op zoek naar een parkeerplek. Je vocht je een weg naar je werk, je vocht je een weg naar huis en je sloot de dag af door een magnetronmaaltijd op te eten in een keukentje waarin je alleen maar kon staan, voordat je in slaap viel op de kleinste slaapbank ter wereld.

Maar voor een agent van de staatspolitie was het helemaal geen slechte buurt. Je zat zo op de Mass Pike, de verkeersslagader die de staat doorsneed. Binnen een paar minuten had Leoni toegang tot de drie belangrijkste werkterreinen van een surveillerende staatsagent. Slim.

Ook het huis stond D.D. aan: een eenvoudige gezinswoning midden in Allston-Brighton, met aan de ene kant een rij keurige appartementencomplexen van drie verdiepingen en aan de andere kant een grote basisschool van rode baksteen. Gelukkig was het zondag en was de school dicht, zodat de massaal toegestroomde wetsdienaars de parkeerplaats in bezit konden nemen zonder dat ze te maken hadden met paniekerige ouders die de plaats delict onder de voet liepen.

Het was een rustige dag in de buurt. Tot nu toe tenminste.

Het appartement van Tessa Leoni had twee slaapkamers en maakte deel uit van een gebouw met een witte dakkapel dat boven een grote garage lag. Vanaf het trottoir op straatniveau liep een betonnen trap naar de voordeur en een van de grootste tuinen die D.D. ooit in de stad had gezien.

Een prima woning voor een gezin. Net groot genoeg om er een kind groot te brengen, en met een perfect grasveld voor een hond en een schommel. Zelf nu, hartje winter, kon D.D. de barbecues, de speelafspraakjes en de luie avonden op het achterterras voor zich zien.

Er waren zoveel dingen die goed konden gaan in een huis als dit. Dus wat was er verkeerd gegaan?

Misschien bood de tuin het antwoord op die vraag – groot, uitgestrekt en volledig onbeschut, midden in een dichtbevolkte buurt.

Als je de parkeerplaats van de school overstak liep je hier zo naar binnen, of anders kon je opduiken vanachter vier verschillende appartementencomplexen. Je had toegang tot Leoni's woning via het steegje aan de achterkant, de optie die D.D. had gekozen, of door vanaf de straat aan de voorkant de betonnen trap op te lopen, zoals de meeste agenten van de staatspolitie gedaan leken te hebben. Zowel van de achterkant als van de voorkant, van links als van rechts was het een koud kunstje om hier binnen te komen en nog makkelijker om er weg te komen.

Kennelijk hadden alle agenten van de geüniformeerde politie dat ook bedacht, want in plaats van ongerepte sneeuw zag D.D. de grootste verzameling voetafdrukken die ooit op honderd vierkante meter was achtergelaten.

Ze dook dieper weg in haar winterjas en ademde gefrustreerd een ijzig wolkje uit. Stomme sukkels.

Bobby Dodge verscheen op het achterterras. Waarschijnlijk was hij nog steeds zijn overzicht kwijt. Gezien de manier waarop hij met gefronste wenkbrauwen naar de omgewoelde sneeuw keek, dacht hij er hetzelfde over als zij. Hij zag haar, verschoof zijn zwarte gerande hoed en liep het trapje van het terras af, de tuin in.

'Jouw agenten hebben mijn plaats delict vertrapt,' riep D.D. hem toe. 'Dat zal ik niet vergeten.'

Hij haalde zijn schouders op en stopte zijn handen diep in de zakken van zijn zwarte wollen jas terwijl hij naar haar toe kwam lopen. Als voormalig sluipschutter bewoog Bobby zich nog altijd op dezelfde ingetogen manier, die het gevolg was van uren achter elkaar volkomen stilzitten. Zoals veel sluipschutters was hij niet al te groot en had hij een stevig en pezig postuur, wat paste bij zijn verweerde gezicht. Niemand zou zeggen dat hij knap was, maar er waren genoeg vrouwen die hem onweerstaanbaar vonden.

Vroeger was D.D. een van die vrouwen geweest. Bobby en zij hadden een relatie gehad, maar waren tot de ontdekking gekomen dat ze als vrienden beter functioneerden. Toen had Bobby twee jaar geleden Annabelle Granger ontmoet en hij was met haar getrouwd. D.D. had het daar moeilijk mee gehad, en de geboorte van hun dochter was een nieuwe klap voor haar geweest.

Maar nu had D.D. Alex. Haar leven zat in de lift. Toch?

Bobby kwam bij haar staan. 'Agenten beschermen levens,' zei hij. 'Rechercheurs beschermen bewijs.'

'Jouw agenten hebben mijn plaats delict verpest. Ik vergeef niet en ik vergeet niet.'

Eindelijk glimlachte Bobby. 'Ik heb jou ook gemist, D.D.'

'Hoe gaat het met Annabelle?'

'Goed, dank je.'

'En met de baby?'

'Carina kruipt al. Ik kan het bijna niet geloven.'

D.D. ook niet. Shit, ze werden oud.

'En Alex?' vroeg Bobby.

'Prima, prima.' Ze maakte een ongeduldig gebaar. Genoeg over koetjes en kalfjes. 'Wat denk jij dat er gebeurd is?'

Bobby haalde opnieuw zijn schouders op. Hij dacht even na over zijn antwoord. Daar waar sommige rechercheurs de behoefte hadden om meteen aan de slag te gaan op de plaats delict van een moord, nam Bobby liever de tijd om een plaats delict te bestuderen. En waar veel rechercheurs de neiging hadden erop los te kwebbelen, zei Bobby meestal alleen maar iets als hij iets zinvols te melden had.

D.D. had diep respect voor hem, maar dat ging ze hem mooi niet aan zijn neus hangen.

'Op het eerste gezicht lijkt het een kwestie van huiselijk geweld,' zei hij na een tijdje. 'De echtgenoot viel Leoni aan met een bierflesje, zij verdedigde zich met haar dienstwapen.'

'Is er vaker melding gedaan van huiselijk geweld?' vroeg D.D.

Bobby schudde zijn hoofd en zij knikte instemmend. Het feit dat er geen meldingen waren, betekende niets. Politiemensen vonden het vreselijk om om hulp te vragen, en al helemaal aan andere politiemensen. Als Brian Darby zijn vrouw had geslagen, dan had ze dat hoogstwaarschijnlijk in stilte ondergaan.

'Ken je haar?' vroeg D.D.

'Nee. Ik ben kort nadat zij begon gestopt met surveilleren. Ze werkt pas vier jaar bij ons.'

'Wat wordt er over haar gezegd?'

'Goed en betrouwbaar. Jong. Ze werkt vanuit het bureau in Framingham. Ze rijdt meteen na haar nachtdienst naar huis, naar haar dochter, dus ze legt niet veel contact.'

'Werkt ze alléén nachtdiensten?'

Hij trok een wenkbrauw op en keek geamuseerd. 'Voor onze agenten zijn roosters een prestigieuze kwestie. Nieuwelingen moeten een heel jaar nachtdiensten draaien voordat ze in aanmerking komen voor andere werktijden. Maar dan nog worden de roosters gemaakt op basis van het aantal dienstjaren. Was ze vier jaar in dienst? Dan gok ik dat ze nog een jaar te gaan had voordat ze het daglicht te zien kreeg.'

'En ik maar denken dat het zwaar is om rechercheur te zijn.'

'Allemaal huilebalken bij jullie in Boston,' deelde Bobby haar mee.

'Kom op zeg, in elk geval weten wij dat we op een plaats delict de sneeuw niet moeten verknallen.'

Hij trok een gezicht. Ze gingen verder met het bestuderen van de vertrapte tuin.

'Hoelang waren ze getrouwd?' vroeg D.D.

'Drie jaar.'

'Dus ze zat al bij de politie en had het kind al toen ze hem leerde kennen.'

Aangezien het geen vraag was, gaf Bobby geen antwoord.

'In theorie moet hij hebben geweten waar hij aan begon,' ging D.D. hardop verder, in een poging een eerste indruk van de dynamiek van het gezin te krijgen. 'Een vrouw die de hele nacht weg was, een meisje voor wie 's avonds en 's morgens gezorgd moest worden.'

'Als hij er was.'

'Hoe bedoel je?'

'Hij zat bij de koopvaardij.' Bobby haalde een notitieboekje tevoorschijn en keek er even in. 'Hij was steeds twee maanden van huis. Twee maanden op zee, twee maanden thuis. Een van de jongens wist dat door dingen die Leoni aan collega's had verteld.'

D.D. fronste haar wenkbrauwen. 'Dus de vrouw heeft een absurd rooster en de man heeft een nog absurder rooster. Interessant. Was hij groot?' Vanwege haar zwakke maag was D.D. niet lang bij het lichaam blijven kijken.

'Eén meter vijfenzeventig. Woog vijfennegentig à honderd kilo,' antwoordde Bobby. 'Allemaal spieren, geen vet. Ik vermoed dat hij aan gewichtheffen deed.'

'Iemand die een flinke klap kon uitdelen.'

'Leoni daarentegen is iets van één meter zestig en weegt vijfenvijftig kilo. De echtgenoot was dus duidelijk in het voordeel.'

D.D. knikte. Natuurlijk waren agenten van de staatspolitie getraind in man-tegen-mangevechten, maar tegen een grotere man maakte een kleine vrouw nog steeds weinig kans. En dan ook nog eens haar eigen man. Er waren zat vrouwelijke agenten die tijdens hun werk vaardigheden leerden die ze thuis niet in praktijk brachten en Tessa Leoni was niet de eerste vrouwelijke collega die D.D. met een blauw oog had gezien.

'Het is gebeurd toen Leoni thuiskwam van het werk,' zei Bobby. 'Ze had haar uniform nog aan.'

Dat moest D.D. even verwerken. 'Droeg ze haar kogelvrije vest?'

'Onder haar bloes. Standaardprocedure.'

'En haar riem?'

'Ze trok haar Sig Sauer in één keer uit de holster.'

'Shit,' zei D.D. hoofdschuddend. 'Wat een puinzooi.'

Het was geen vraag, dus gaf Bobby weer geen antwoord.

Het feit dat Leoni haar uniform had gedragen, veranderde alles, om nog maar te zwijgen over de aanwezigheid van de politieriem. Om te beginnen betekende het dat de agente tijdens de aanval haar kogelvrije vest had gedragen. Zelfs een man van honderd kilo zou het moeite kosten om een agent met een kogelvrij vest ernstig te verwonden. Daarnaast bevatte een politieriem veel meer hulpmiddelen dan alleen een Sig Sauer waarmee een agent zich kon verdedigen. Een uitschuifbare wapenstok bijvoorbeeld, of een taser, of pepperspray, of zelfs de handboeien.

Cruciaal voor de opleiding van elke agent was het vermogen om snel te kunnen inschatten hoe groot de dreiging was en daar met proportioneel geweld op te reageren. Als er iemand tegen je schreeuwde, trok je niet je pistool. Zelfs als iemand je sloeg, betekende dat niet automatisch dat je je wapen tevoorschijn haalde.

Maar Leoni had dat wel gedaan.

D.D. begon te begrijpen waarom die vakbondsman zo graag wilde dat Tessa Leoni juridische bijstand kreeg, en waarom hij erop stond dat ze niet met de politie praatte.

D.D. zuchtte en wreef met haar hand over haar voorhoofd. 'Ik snap het niet. We hebben dus te maken met het "mishandelde vrouw"-syndroom. Hij sloeg haar één keer te vaak, er knapte ten slotte iets bij haar en ze sloeg van zich af. Dat verklaart zijn lichaam in de keuken en haar behandeling door het ambulancepersoneel in de serre. Maar dat *méísje* dan? Waar is *zíj*?'

'Misschien is de ruzie van vanmorgen gisterenavond begonnen. De stiefvader begon te slaan en het meisje sloeg op de vlucht.'

Ze keken naar de sneeuw, waar elk mogelijk spoor van kleine voetstappen grondig was uitgewist.

'Zijn de ziekenhuizen in de omgeving gebeld?' vroeg D.D. 'Worden de buren ondervraagd?'

'Er is een Amber Alert uitgegeven, en nee, we zijn niet achterlijk.'

Ze staarde nadrukkelijk naar de sneeuw. Bobby deed er het zwijgen toe.

'Hoe zit het met de biologische vader?' probeerde D.D. 'Als Brian Darby de stiefvader is, waar is Sophies biologische vader dan en wat heeft hij over dit alles te zeggen?'

'Er is geen biologische vader,' liet Bobby haar weten.

'Volgens mij is dat onmogelijk.'

'Er staat geen naam op de geboorteakte, op het bureau is nooit de naam van een man genoemd en er komt niet om het weekend een mannelijk rolmodel op bezoek.' Bobby haalde zijn schouders op. 'Geen biologische vader.'

D.D. fronste haar wenkbrauwen. 'Omdat Tessa Leoni hem op afstand wilde houden of omdat hij dat zelf wilde? En o ja, is die dynamiek de afgelopen nachten opeens veranderd?'

Bobby haalde opnieuw zijn schouders op.

D.D. tuitte haar lippen. Ze begon meerdere scenario's te zien. Een biologische vader die zijn ouderlijke rechten terug wilde. Of een overbelast gezin dat wanhopig probeerde twee intensieve banen en de opvoeding van een klein kind te combineren. Optie één betekende dat de biologische vader mogelijk zijn eigen kind had ontvoerd. Optie twee betekende dat de stiefvader – of de biologische moeder – dat kind had doodgeslagen.

‘Denk je dat het meisje dood is?’ vroeg Bobby.

‘Géén idee.’ D.D. wilde niet aan het meisje denken. Een vrouw die haar man neerschoot: oké. Maar een vermist kind... Dit werd een rotklus.

‘Je kunt een lichaam niet in de grond verstoppen,’ zei ze, hardop nadenkend. ‘Te hard bevroren om te graven. Dus als het meisje dood is... dan is haar lichaam hoogstwaarschijnlijk ergens in het huis verborgen. In de garage? Op zolder? In de kruipruimte? Een oude vriezer?’

Bobby schudde zijn hoofd.

D.D. geloofde hem op zijn woord. Zij had zich in het huis niet verder gewaagd dan de keuken en de serre aan de voorkant, maar gezien het aantal geüniformeerde agenten dat momenteel de woning van honderd vierkante meter aan het uitkammen was, zouden ze in staat moeten zijn het hele gebouw plank voor plank af te breken.

‘Ik geloof niet dat dit iets met de biologische vader te maken heeft,’ zei Bobby. ‘Als die weer in beeld was, zou Tessa Leoni dat meteen gezegd hebben. *Neem maar contact op met mijn ex-vriend, die gore klootzak. Hij heeft gedreigd dat hij mijn dochter van me zou afpakken.* Zoiets heeft Leoni niet gezegd...’

‘Omdat de vakbondsman haar het zwijgen heeft opgelegd.’

‘Omdat de vakbondsman niet wil dat ze dingen zegt die bezwarend voor haar zijn. Er is echter niets mis met verklaringen die bezwarend zijn voor anderen.’

D.D. bedacht dat daar niets tegen in viel te brengen. ‘Oké, laten we de biologische vader even vergeten. Zo te horen was er al genoeg mis in het gezin. Te oordelen naar het gezicht van Tessa Leoni sloeg Brian Darby haar. Misschien heeft hij zijn stiefdochter ook wel geslagen. Ze overleed, Leoni kwam thuis van haar werk en vond het lichaam, en ze raakten allebei in paniek. De stiefvader heeft iets vreselijks gedaan, maar Leoni heeft het laten gebeuren en is daarom medeplichtig. Ze nemen het lichaam mee in de auto en dumpen het ergens. Vervolgens gaan ze naar huis, krijgen ze ruzie en door alle stress knapt er iets bij Tessa.’

'Tessa Leoni heeft meegeholpen bij het dumpen van het lichaam van haar eigen dochter en toen zijn ze naar huis gereden en heeft ze haar man neergeschoten?' vroeg Bobby.

D.D. keek hem recht in de ogen. 'Geen aannames, Bobby. Als iemand dat weet, dan ben jij het wel.'

Hij zei niets, maar wendde zijn blik niet af.

'Ik wil de surveillancewagen van Leoni,' zei D.D.

'Ik geloof dat de baas dat aan het regelen is.'

'En ook zijn auto.'

'Een GMC Denali uit 2007. Die hebben jouw mensen al.'

D.D. keek verbaasd. 'Mooie wagen. Verdienen ze zo goed bij de koopvaardij?'

'Hij was machinist. Zoveel verdienen machinisten altijd. Ik denk niet dat Leoni haar eigen kind iets heeft aangedaan,' zei Bobby.

'Niet?'

'Ik heb een paar agenten gesproken die met haar hebben gewerkt. Ze hadden niets dan lovende woorden voor haar. Liefdevolle moeder, toegewijd aan haar dochter, enzovoort enzovoort.'

'O ja? Wisten ze ook dat haar man haar als boksbal gebruikte?'

Bobby antwoordde niet meteen, en dat zei genoeg. Hij wendde zich weer tot de plaats delict. 'Ze kan ontvoerd zijn,' hield hij koppig vol.

'Een onafgesloten perceel met een paar honderd onbekenden eromheen...' zei D.D. schouderophalend. 'Ja, als alleen het zesjarige meisje werd vermist, zou ik zeker rekening houden met een smeerlap. Maar hoe groot is de kans dat er een onbekende het huis binnen is geslopen op dezelfde avond of ochtend dat de ouders een fatale ruzie hadden?'

'Geen aannames,' herhaalde Bobby, maar hij klonk net zo weinig overtuigend als zij vlak daarvoor.

D.D. bleef naar de omgewoelde tuin kijken, waar eerder misschien wel voetafdrukken te zien waren geweest die relevant waren voor de discussie die ze op dat moment voerden, maar waar ze nu niets meer aan hadden. Ze zuchtte. Ze vond het vreselijk als er goed bewijs werd verknald.

'We wisten het niet,' mompelde Bobby naast haar. 'Wat we hoorden was dat er een collega in de problemen zat. Dáár reageerden onze agenten op. Ze verwachtten geen plaats delict van een moord.'

'Wie had er gebeld?'

'Ik neem aan dat zij de eerste melding heeft gedaan...'

'Tessa Leoni.'

'Ja, agent Leoni. Waarschijnlijk belde ze een maatje op het bureau. Die sloeg alarm en de melding werd opgepikt door de meldkamer. Dat was het moment waarop de meeste agenten van de staatspolitie reageerden, en de luitenant-kolonel kwam er ook achteraan kachelen. En toen die hier eenmaal was...'

'Realiseerde hij zich dat het niet zozeer om een crisissituatie ging als wel om een opruiming,' mompelde D.D.

'Hamilton was zo verstandig om de leiding in Boston in te seinen, gezien de jurisdictie.'

'Maar hij trommelde ook zijn eigen rechercheurs op.'

'Hij gebruikte zijn invloed, schat. Wat moet ik zeggen?'

'Ik wil transcripten.'

'Op een of andere manier heb ik als officiële vertegenwoordiger van de staatspolitie het gevoel dat dat een van de vele dingen is die ik voor je zal moeten regelen.'

'Ja, vertegenwoordiger van de staatspolitie. Laten we het daar eens over hebben. Jij bent de vertegenwoordiger, ik ben degene die de leiding heeft in deze zaak. Dat betekent volgens mij dat ik bepaal wat er gebeurt en dat jij doet wat ik je opdraag.'

'Zo werk je toch altijd?'

'Nu je het zegt. Dus de eerste opdracht luidt: vind dat meisje voor me.'

'Ik zou niets liever willen.'

'Mooi. Tweede opdracht: zorg dat ik Tessa Leoni te spreken krijg.'

'Ik zou niets liever willen,' herhaalde Bobby.

'Kom op, jij bent de vertegenwoordiger van de staatspolitie. Dáár zal ze toch wel mee willen praten?'

'Van haar vakbondsman moet ze haar mond houden. Waarschijnlijk zal haar advocaat hetzelfde zeggen als hij er eenmaal is. Ze zullen een muur optrekken, D.D.'

'Maar ik ben godverdomme óók van de politie!'

Bobby keek nadrukkelijk naar haar zware jas, waar met grote letters BPD op stond. 'Niet in de wereld van Tessa Leoni.'

4

Ik was nog maar twee uur bezig aan mijn eerste zelfstandige surveillance toen ik mijn eerste melding kreeg van burengerucht. Volgens de meldkamer maakten de bewoners van appartement 25B zo luidruchtig ruzie dat de buren er niet van konden slapen. Die waren boos geworden en hadden de politie gebeld.

Zo op het eerste gezicht leek het weinig voor te stellen. De agent maakt zijn of haar opwachting, de bewoners van appartement 25B binden in. En gooien de volgende ochtend waarschijnlijk een zak brandende hondenpoep voor de deur van de buren.

Maar op de academie hadden ze het er heel goed bij ons ingestampt dat zoiets als een doorsneemelding niet bestaat. Wees op je hoede. Wees op alles voorbereid. Zorg dat je niets overkomt.

Mijn uniform was doorweekt van het zweet toen ik aankwam bij appartement 25B.

De eerste drie maanden werken nieuwe agenten onder begeleiding van een collega met meer ervaring. Daarna surveilleren we alleen. Geen collega meer die je gezelschap houdt of rugdekking geeft. Nee, het komt puur op de meldkamer aan. Zodra je in je surveillancewagen zit, zodra je uit je wagen stapt, zodra je ergens stopt voor een kop koffie, zodra je aan de kant van de weg gaat staan om een plas te doen, laat je het de meldkamer weten. De meldkamer is je reddingsboei en als er iets misgaat, is het de meldkamer die de hulptroepen – je collega's – stuurt.

In het klaslokaal had dat een goed idee geleken. Maar toen ik om één uur 's nachts in een onbekende buurt uit mijn wagen stapte en naar een gebouw liep dat ik nog nooit had gezien, om de confrontatie aan te gaan met twee mensen die ik nooit eerder had ontmoet, was het gemakkelijk om ook andere feiten in overweging te nemen. Bijvoorbeeld dat er ongeveer zevenhonderd agenten bij de staatspolitie werken, maar dat er maar zo'n zeshonderd tegelijkertijd surveilleren. En die zeshonderd agenten bestrijken de hele staat Massachusetts. Dat betekent dat wanneer er iets misgaat, het probleem niet binnen vijf minuten verholpen is.

We zijn één grote familie, maar toch zijn we ook heel erg alleen.

Ik naderde het gebouw zoals ik dat had geleerd: met mijn ellebogen tegen mijn middel om mijn wapen te beschermen, mijn lichaam iets gedraaid zodat ik een kleiner doelwit vormde. Ik bleef uit de buurt van de ramen en bleef aan één kant van de deur, zodat er niet direct op me geschoten kon worden.

Bij de meeste meldingen die een agent van de geüniformeerde politie tijdens een surveillance krijgt, is sprake van een onbekende situatie. Op de academie kregen we het advies om alle meldingen zo te behandelen. Overal loert gevaar. Iedereen is verdacht. Elke verdachte liegt.

Op die manier ga je te werk. Voor sommige agenten wordt het ook de manier waarop ze leven.

Ik liep de drie treden naar de voordeur op en bleef toen even staan om diep adem te halen. Ik moest gezag uitstralen. Ik was drieëntwintig, van gemiddelde lengte en helaas ook knap. De kans was groot dat de persoon die open ging doen ouder, groter en ruiger was dan ik. Toch was het mijn werk om de situatie in de hand te houden. Voeten uit elkaar. Schouders naar achteren. Kin omhoog. Zoals de andere groentjes altijd grapten: laat ze nooit merken dat je 'm knijpt.

Ik ging naast de deur staan. Ik klopte. Toen stak ik snel mijn duimen achter de riem van mijn donkerblauwe broek, zodat mijn handen niet konden trillen.

Geen enkel geluid dat wees op beroering. Geen geluid van voetstappen. Maar er brandde wel licht, dus de bewoners van appartement 25B sliepen niet.

Ik klopte nog eens, deze keer harder.

Geen geluid of beweging, geen teken van de bewoners.

Ik friemelde aan mijn riem en probeerde te bedenken wat ik moest doen. Ik had een melding, een melding vereiste een verslag, een verslag vereiste contact. Ik strekte me verder uit en klopte nu zo hard ik kon met mijn knokkels tegen het goedkope hout van de deur. BENG. BENG. BENG. Ik was een agent van de staatspolitie, verdomme nog aan toe, en ik liet me niet negeren.

Deze keer klonken er wel voetstappen.

Even later ging de deur zonder geluid open.

De vrouwelijke bewoonster van appartement 25B keek me niet aan. Ze staarde naar de grond terwijl het bloed over haar gezicht stroomde.

Die avond, en vele andere daarna, leerde ik dat de basisstappen voor het omgaan met huiselijk geweld dezelfde blijven.

Eerst gaat de agent na of de plaats van handeling veilig is, een snelle, eerste inspectie om eventuele dreigingen op te sporen en te elimineren.

Wie is er nog meer in het huis aanwezig, agent Leoni? Mag ik door het huis lopen? Is dat uw wapen? Ik zal uw wapen moeten afnemen. Bevinden er zich nog andere wapens in huis? Ik moet ook uw riem hebben. Maak hem voorzichtig los… Dank u. Ik wil u vragen uw kogelvrije vest uit te doen. Hebt u hulp nodig? Dank u. Geef maar aan mij. Ik wil u verzoeken om naar de serre te gaan. Gaat u daar maar zitten. Blijf waar u bent, ik ben zo terug.

Als eenmaal is vastgesteld dat de plaats van handeling veilig is, gaat de agent na of de vrouwelijke bewoonster gewond is. In dit stadium doet de agent geen aannames. De vrouw is verdachte noch slachtoffer. Ze is gewoon een gewond persoon en wordt dienovereenkomstig behandeld.

Vrouw heeft een bloedlip, een blauw oog, rode striemen op de keel en een bloedende snee rechtsboven op haar voorhoofd.

Veel mishandelde vrouwen zullen zeggen dat er niets met ze aan de hand is. Dat er geen ambulance hoeft te komen. Dat je gewoon op moet rotten en ze met rust moet laten. Dat morgen alles weer beter zal zijn.

De goed opgeleide agent negeert zulke uitspraken. Er zijn aanwijzingen dat er een misdrijf is gepleegd, waardoor de molens van het strafrecht in beweging komen. Misschien is de toegetakelde vrouw het slachtoffer, zoals zij beweert, en zal ze uiteindelijk weigeren een aanklacht in te dienen. Maar misschien is ze wel de aanstichter – misschien werden de verwondingen toegebracht terwijl zij een onbekende persoon verrot sloeg, wat betekent dat ze zich schuldig heeft gemaakt aan een misdrijf en dat haar verklaring en de aard van haar verwondingen moeten worden vastgelegd om gebruikt te kunnen worden voor de aanklacht die spoedig door die onbekende persoon zal worden ingediend. Nogmaals: geen aannames. De agent zal de meldkamer op de hoogte stellen van de situatie, om ondersteuning vragen en medische hulp oproepen.

Nu zullen er spoedig anderen arriveren. Geüniformeerde politie. Medisch personeel. In de verte zullen sirenes klinken, voertuigen van dienstverleners zullen door de smalle trechter stromen die de straten van de stad vormen terwijl de buren zich buiten verzamelen om het schouwspel gade te slaan.

Het zal een drukte van belang worden, waardoor het nog belangrijker is dat degene die als eerste aankomt alles maar dan ook alles vastlegt. De agent zal de plaats van handeling nu uitgebreider inspecteren en aantekeningen en foto's maken.

Overleden man, achter in de dertig, ongeveer 1,75 meter en tussen de 95 en 100 kilo. Drie schotwonden in het midden van de borst. Liggend op de rug aangetroffen, een halve meter links van de keukentafel.

Twee houten keukenstoelen zijn omgevallen. Onder de stoelen liggen groene glasscherven. Op een kleine twintig centimeter links van de keukentafel ligt een kapot bierflesje van het merk Heineken.

Halfautomatische Sig Sauer aangetroffen op ronde houten tafel met een doorsnede van ruim een meter. Agent heeft magazijn verwijderd en patroonkamer geleegd. In een zak gestopt en gemerkt.

Huiskamer gecontroleerd.

Boven twee slaapkamers en badkamer gecontroleerd.

Er zullen meer geüniformeerde agenten bijstand komen verlenen. Zij zullen buren ondervragen en de omgeving afzoeken. De vrouw zal bij de handelingen worden weggehouden en verzorgd worden door het medisch personeel.

Vrouwelijke ambulanceverpleegster voelt mijn pols en controleert voorzichtig of mijn oogkas en jukbeen gebroken zijn. Ze vraagt me om mijn paardenstaart opzij te houden zodat ze mijn voorhoofd beter kan verzorgen. Met een pincet verwijdert ze het eerste stukje groen glas, dat later zal worden vergeleken met het glas van het kapotte bierflesje.

'Hoe voelt u zich, mevrouw?'

'Hoofdpijn.'

'Kunt u zich herinneren dat u buiten kennis bent geraakt?'

'Hoofdpijn.'

'Bent u misselijk?'

'Ja.' Mijn maag is van slag. Ik probeer me te vermannen, tegen de pijn, de verwarring, tegen het groeiende gevoel van verbijstering, het gevoel dat dit niet waar kan zijn, niet waar mag zijn...

De verpleegkundige die mijn hoofd verder onderzoekt en de zwellende bult op de achterkant van mijn schedel ontdekt.

'Wat is er met uw hoofd gebeurd, mevrouw?'

'Wat?'

'De achterkant van uw hoofd. Weet u zeker dat u niet bewusteloos bent geraakt of gevallen bent?'

Ik kijk de ambulanceverpleegkundige wezenloos aan. 'Van wie hou je?' fluister ik.

De verpleegkundige geeft geen antwoord.

Vervolgens wordt er een eerste verklaring afgenomen. Een goede agent zal zowel aandacht hebben voor wat de persoon zegt als voor hóé diegene het zegt. Mensen die echt in shock zijn, hebben de neiging om te ratelen; ze geven flarden informatie, maar zijn niet in staat een samenhangend verhaal te vertellen. Sommige slachtoffers dissociëren. Ze spreken op vlakke, afgemeten toon over een gebeurtenis die hun in hun eigen beleving al niet meer is overkomen. Dan heb je de beroepsleugenaars – degenen die net doen of ze ratelen of dissociëren.

Elke leugenaar zal vroeg of laat zijn hand overspelen – net iets te veel details toevoegen. Net iets te beheerst klinken. Op dat moment kan de goedgetrainde rechercheur toeslaan.

'Kunt u me vertellen wat zich hier heeft voorgedaan, mevrouw Leoni?' Een rechercheur van de Bostonse politie doet de eerste poging. Hij is al wat ouder, zijn haar is grijs rond de slapen. Hij klinkt vriendelijk en gaat helemaal voor de collegiale benadering.

Ik wil geen antwoord geven. Ik moet antwoord geven. Liever deze rechercheur dan de rechercheur van Moordzaken die na hem zal komen. Mijn hart bonst in mijn hoofd, mijn slapen, mijn wang. Alles doet pijn. Mijn gezicht staat in brand.

Ik zou willen overgeven, maar verzet me tegen het gevoel.

'Mijn man...' fluister ik. Mijn blik gaat automatisch naar de vloer. Ik realiseer me dat ik een fout heb gemaakt en dwing mezelf om op te kijken en de rechercheur aan te kijken. 'Soms... als ik laat van mijn werk kwam. Mijn man werd kwaad.' Mijn stem werd luider en stelliger. 'Hij sloeg me.'

'Waar sloeg hij u?'

'Gezicht. Oog. Wang.' Ik strijk met mijn vingers over elke plek, voel de pijn weer. In mijn hoofd zit ik vast in één moment. Hij die dreigend boven me uittorent. Ik in elkaar gedoken op het linoleum, doodsbang.

'Ik viel,' zeg ik tegen de rechercheur. 'Mijn man pakte een stoel.'

Stilte. De rechercheur wacht tot ik meer zeg. Verzin een leugen, vertel de waarheid.

'Ik heb hem niet geslagen,' fluister ik. Ik heb genoeg van dit soort verklaringen afgenomen. Ik ken dit verhaal maar al te goed. We kennen het allemáál. 'Als ik niets terugdeed,' zeg ik werktuiglijk, 'werd hij moe, ging hij weg. Als ik het wel deed... het werd altijd erger.'

'Heeft uw man een stoel opgetild, mevrouw Leoni? Waar was u toen hij dat deed?'

'Op de grond.'

'Op welke plek in het huis?'

'De keuken.'

'Wat deed u toen uw man de stoel optilde?'

'Niets.'

'Wat deed hij?'

'Gooien.'

'Waar naartoe?'

'Naar mij.'

'Heeft hij u geraakt?'

'Dat... dat weet ik niet meer.'

'Wat gebeurde er toen, mevrouw Leoni?' De rechercheur buigt zich naar voren, kijkt me van dichtbij in de ogen. Zijn gezicht is één en al bezorgdheid. Is er iets mis met mijn oogcontact? Is mijn verhaal te gedetailleerd? Niet gedetailleerd genoeg?

Het enige wat ik wil met kerst zijn mijn twee voortanden, mijn twee voortanden, mijn twee voortanden.

Ik hoor het liedje in mijn hoofd. Ik zou wel willen giechelen. Ik doe het niet.

Ik hou van je, mama. Ik hou van je.

'Ik heb de stoel naar hem teruggegooid,' zeg ik tegen de rechercheur.

'U hebt de stoel teruggegooid?'

'Hij werd... nog bozer, dus moet ik wel iets gedaan hebben, toch? Omdat hij bozer werd.'

'Had u op dat moment uw uniform aan, mevrouw Leoni?'

Ik keek hem aan. 'Ja.'

'En uw riem? En uw kogelvrije vest?'

'Ja.'

'Hebt u geprobeerd iets uit uw riem te halen? Hebt u stappen ondernomen om uzelf te beschermen?'

Ik kijk hem nog steeds aan. 'Nee.'

De rechercheur kijkt nieuwsgierig naar me. 'Wat gebeurde er toen, mevrouw Leoni?'

'Hij pakte het bierflesje. Smeet het tegen mijn voorhoofd. Ik... ik kon

hem afweren. Hij struikelde, in de richting van de tafel. Ik viel. Tegen de muur. Mijn rug tegen de muur. Ik moest de deur vinden. Ik moest weg zien te komen.'

Stilte.

'Mevrouw Leoni?'

'Hij had dat kapotte flesje,' mompel ik. 'Ik moest weg. Maar... in de val. Op de grond. Tegen de muur. Ik volgde hem.'

'Mevrouw Leoni?'

'Ik vreesde voor mijn leven,' fluister ik. 'Ik voelde mijn pistool. Hij viel aan... ik vreesde voor mijn leven.'

'Mevrouw Leoni, wat is er gebeurd?'

'Ik heb mijn man neergeschoten.'

'Mevrouw Leoni...'

Ik kijk hem nog een laatste keer aan. 'Toen ging ik mijn dochter zoeken.'

5

Tegen de tijd dat D.D. en Bobby klaar waren met het inspecteren van de tuin en bij de voorkant van het huis kwamen, haalden de ambulanceverplegers een brancard achter uit de ambulance. D.D. keek hun kant op en zag toen bij het lint waarmee de plaats delict was afgezet de agent in het uniform van de Bostonse politie staan die het moorddossier vasthield. Ze liep naar hem toe.

'Hé, Fiske. Heb je daar de namen in geschreven van alle agenten die hier naar binnen zijn gekomen?' Ze gebaarde naar het boek in zijn hand, waar hij de namen in noteerde van iedereen die voorbij het afzetlint kwam.

'Tweeënveertig man,' zei hij, zonder een spier te vertrekken.

'Jezus. Is er nog wel een agent over om in de rest van Boston te patrouilleren?'

'Ik betwijfel het,' zei Fiske. Hij was een jonge, serieuze agent. Lag het aan D.D. of werden ze elk jaar jonger en serieuzer?

'Het probleem is dat terwijl jij hier namen opschrijft, het aan de achterkant een komen en gaan is van agenten, en daar word ik echt heel pissig van.'

De ogen van Fiske werden groter.

'Heb je geen maatje?' ging D.D. verder. 'Roep hem op en zeg dat hij met een notitieboekje aan de achterkant van het huis moet gaan staan. Ik wil dat jullie alle namen, rangen en badgenummers noteren. En als jullie toch bezig zijn, maak dan gelijk bekend dat alle agenten van de staatspolitie die zich op dit adres hebben vertoond zich vóór het einde van de dag moeten melden op het hoofdkantoor van de Bostonse politie om een afdruk te laten maken van hun laarzen. Wie medewerking weigert krijgt onmiddellijk bureaudienst. Dat heeft de vertegenwoordiger van de staatspolitie je persoonlijk verteld.' Ze wees met haar duim naar Bobby, die met rollende ogen naast haar stond.

'D.D. ...' begon hij.

'Ze hebben mijn plaats delict onder de voet gelopen. Ik vergeef niet en ik vergeet niet.'

Bobby zweeg. Dat beviel haar aan hem.

Nu ze haar plaats delict had veiliggesteld en de boel lekker had opgeschud, liep D.D. naar de ambulanceverpleegkundigen toe, die net met de brancard tussen hen in de steile trap naar de voordeur wilden opgaan.

'Wacht even,' riep D.D.

De ambulanceverpleegkundigen, een man en een vrouw, bleven staan terwijl ze naar hen toe liep.

D.D. stelde zich voor: 'Brigadier-rechercheur D.D. Warren. Ik heb de leiding in dit circus. Gaan jullie Tessa Leoni vervoeren?'

De zwaargebouwde vrouw die aan het voorste uiteinde van de brancard stond knikte en draaide zich alweer om om de trap op te gaan.

'Ho ho,' zei D.D. snel. 'Geef me vijf minuten. Ik moet mevrouw Leoni een paar vragen stellen voordat ze haar uitstapje gaat maken.'

'Mevrouw Leoni heeft een zware hoofdwond,' zei de vrouw stellig. 'We brengen haar naar het ziekenhuis voor een CT-scan. U doet uw werk, wij het onze.'

De ambulanceverpleegkundigen deden opnieuw een stap in de richting van de trap. D.D. versperde hen de weg.

'Bestaat het gevaar dat mevrouw Leoni doodbloedt?' drong D.D. aan. Ze wierp een snelle blik op de badge van de vrouw en voegde daar net te laat aan toe: 'Marla?'

Marla leek niet onder de indruk. 'Nee.'

'Loopt ze direct fysiek gevaar?'

De ambulanceverpleegkundige begon het lijstje op te dreunen: 'Zwelling van de hersenen, hersenbloeding...'

'Dan zullen we ervoor zorgen dat ze bij bewustzijn blijft en haar vragen of ze weet hoe ze heet en welke dag het vandaag is. Dat doen jullie toch bij een hersenschudding? Tot vijf tellen en weer terug, naam, rang en serienummer, blablabla.'

Naast haar zuchtte Bobby. D.D. bewoog zich duidelijk op de grens van het toelaatbare. Ze bleef zich op Marla richten, die zich nog meer leek te ergeren dan Bobby.

'Rechercheur...' begon Marla.

'Er wordt een kind vermist,' viel D.D. haar in de rede. 'Een meisje van zes, en we hebben geen idee waar ze is. Ik heb maar vijf minuten nodig, Marla. Misschien vraag ik daarmee heel veel van jou en van de gewonde mevrouw Leoni, maar volgens mij is het voor een meisje van zes echt niet te veel gevraagd.'

D.D. was goed. Dat was ze altijd al geweest en zou ze altijd blijven. Marla, die D.D. ergens in de veertig schatte en die waarschijnlijk zelf kinderen had, om nog maar te zwijgen van neefjes en nichtjes, gaf zich gewonnen.

'Vijf minuten,' zei ze, terwijl ze even naar haar collega keek. 'Dan nemen we haar mee, of u nu klaar bent of niet.'

'Afgesproken,' zei D.D. en ze rende naar de trap.

'Heb je soms eieren met spek als ontbijt gehad?' mompelde Bobby terwijl hij achter haar aan hobbelde.

'Je bent gewoon jaloers.'

'Jaloers? Hoezo?'

'Omdat ik hier altijd mee wegkom.'

'Hoogmoed komt voor de val,' mompelde Bobby.

D.D. duwde de voordeur van het huis open. 'Laten we voor de kleine Sophie hopen van niet.'

Tessa Leoni werd nog steeds in afzondering gehouden in de serre. D.D. en Bobby moesten de keuken door om er te komen. Het lichaam van Brian Darby was weggehaald, maar de vloerplanken zaten onder het bloed, overal stonden gele bordjes om bewijsmateriaal mee te markeren en er lag een dikke laag poeder dat was gebruikt voor het nemen van vingerafdrukken. De gebruikelijke overblijfselen op een plaats delict. D.D. hield een hand voor haar neus en mond terwijl ze zigzaggend verder liep. Ze had nog steeds een paar stappen voorsprong op Bobby en hoopte dat hij het niet zag.

Tessa Leoni keek op toen Bobby en D.D. binnenkwamen. Ze drukte een zak ijs tegen een kant van haar gezicht, maar daarmee werden haar bloederige lip en de al even bloederige snee op haar voorhoofd niet aan het zicht onttrokken. Toen D.D. de serre binnenliep, liet de agente haar hand zakken, zodat er een oog zichtbaar werd dat zo gezwollen was dat het helemaal dichtzat en een paarsgele kleur had.

Even was D.D. geschokt, ze kon er niets aan doen. Of ze Leoni's eerste verklaring nu geloofde of niet, het stond buiten kijf dat de agent van de staatspolitie er flink van langs had gekregen. D.D. wierp een snelle blik op de handen van de vrouw, om te zien of Leoni verwondingen had opgelopen doordat ze zichzelf verdedigd had. De agente zag het en bedekte haar knokkels met de ijszak.

Even bekeken de twee vrouwen elkaar. D.D. vond Tessa Leoni jong overkomen, wat nog werd versterkt door het blauwe uniform van de staatspolitie. Ze had lang donker haar, blauwe ogen en een hartvormig gezicht. Een knappe meid, ondanks de verwondingen, en misschien maakten die verwondingen haar ook wel kwetsbaarder. D.D. voelde meteen irritatie opborrelen. Haar geduld werd bijna altijd op de proef gesteld door de combinatie van knap en kwetsbaar.

D.D. nam de twee andere aanwezigen in het vertrek in zich op.

Naast Leoni stond een reusachtige agent van de staatspolitie. Om er zo veel mogelijk als een harde jongen uit te zien, hield hij zijn schouders zo ver mogelijk naar achteren. Tegenover Leoni zat een keurige oudere heer in een grijs pak die op één knie zorgvuldig een geel schrijfblok in evenwicht hield. Het viel D.D. op dat de vertegenwoordiger van de vakbond stond en dat de door de vakbond toegewezen advocaat zat.

De hele club was dus compleet.

De vakbondsvertegenwoordiger, ook een agent van de staatspolitie, nam als eerste het woord.

'Mevrouw Leoni beantwoordt geen vragen,' deelde hij mee terwijl hij zijn kin uitstak.

D.D. keek op zijn badge. 'Meneer Lyons...'

'Ze heeft al een eerste verklaring afgelegd,' vervolgde Lyons onbuigzaam. 'Alle andere vragen zullen moeten wachten tot ze medisch is behandeld.' Hij keek achter D.D. langs naar de deur. 'Waar zijn de mensen van de ambulance?'

'Die halen hun spullen,' zei D.D. sussend. 'Ze komen zo. Natúúrlijk hebben de verwondingen van mevrouw Leoni prioriteit. Een collega moet de best mogelijke verzorging krijgen.'

D.D. deed een stap naar rechts, zodat Bobby naast haar kon komen staan. Een verenigd front van de Bostonse politie en de staatspolitie. Lyons leek niet onder de indruk.

De advocaat was gaan staan. Nu stak hij zijn hand uit en stelde zich voor: 'Ken Cargill. Ik zal mevrouw Leoni bijstaan.'

'Brigadier-rechercheur D.D. Warren,' zei D.D., en vervolgens stelde ze Bobby voor.

'Mijn cliënt beantwoordt nu geen vragen,' zei Cargill. 'Wanneer ze eenmaal de vereiste medische verzorging heeft gekregen en we weten wat de aard van haar verwondingen is, zullen we u dat laten weten.'

'Dat begrijp ik. Het is niet mijn bedoeling om de zaak op de spits te drijven. De mensen van de ambulance zeiden dat ze nog een paar minuten nodig hadden om de brancard klaar te maken en wat vloeistof te pakken. Ik dacht dat we die tijd mooi konden gebruiken om een paar essentiële dingen te bespreken. Er is een Amber Alert uitgegeven voor de kleine Sophie, maar ik moet eerlijk zijn.' D.D. spreidde haar handen in een hulpeloos gebaar. 'We hebben geen aanwijzingen. Mevrouw Leoni weet ongetwijfeld dat in een dergelijke situatie elke minuut telt.'

Toen Sophies naam viel verstijfde Leoni. Ze keek D.D. noch een van de mannen in de serre aan en hield haar blik strak gericht op een plek op het versleten groene tapijt. Haar handen lagen nog steeds onder de ijszak.

'Ik heb overal gezocht,' zei Leoni opeens. 'In het huis, de garage, op zolder, in zijn auto...'

'Niet doen, Tessa,' onderbrak Lyons haar. 'Je hoeft dit niet te doen.'

'Wanneer hebt u uw dochter voor het laatst gezien?' vroeg D.D., die de opening in het gesprek met beide handen aangreep.

'Gisterenavond om kwart voor elf,' antwoordde de agente werktuiglijk, alsof ze het antwoord uit haar hoofd had geleerd. 'Ik ga altijd even bij Sophie kijken voordat ik aan het werk ga.'

D.D. fronste haar wenkbrauwen. 'U bent hier om kwart voor elf vertrokken voor uw dienst van elf uur? Kunt u vanaf hier in een kwartier bij het bureau in Framingham zijn?'

Leoni schudde haar hoofd. 'Ik hoef niet naar het bureau. We rijden met onze surveillancewagen naar huis, zodat we met onze surveillance kunnen beginnen zodra we achter het stuur gaan zitten. Ik nam vanuit de auto contact op met de meldkamer en gaf code vijf door. Toen kreeg ik te horen in welk gebied ik moest surveilleren en kon ik vertrekken.'

D.D. knikte. Aangezien ze zelf niet bij de staatspolitie werkte, wist ze die dingen niet. Maar ze speelde ook een spelletje met Tessa Leoni. Dat spelletje heette: vaststellen in welke gemoedstoestand de verdachte verkeert. Op die manier kon D.D., wanneer Leoni onvermijdelijk een keer iets bruikbaars zei en haar uitsloverige advocaat die bekentenis probeerde tegen te houden door aan te voeren dat zijn cliënt een hersenschudding had en daarom niet helder kon denken, vaststellen hoe helder en duidelijk Leoni andere, gemakkelijk verifieerbare vragen had beantwoord. Als Leoni bijvoorbeeld nog heel goed wist hoe laat ze contact had opgenomen met de meldkamer, hoe laat ze aan haar surveillance was begonnen enzovoort enzovoort, waarom zou ze zich dan opeens vergissen als het ging om het neerschieten van haar eigen man?

Een goede rechercheur had dit soort spelletjes onder de knie. Een paar uur geleden zou D.D. dit misschien niet hebben gedaan bij een collega van de politie. Ze zou misschien bereid zijn geweest om het wat rustiger aan te doen met die arme, gewonde Tessa Leoni en haar de voorkeursbehandeling geven die een politievrouw al snel geneigd was een andere politievrouw te geven. Maar dat was voordat de agenten van de staatspolitie D.D.'s plaats delict hadden vertrapt en een muur hadden opgetrokken waar ze niet doorheen kon breken.

D.D. vergaf niet en vergat niet.

En ze had er nu helemaal geen trek in om te werken aan een zaak waar een klein kind bij betrokken was. Maar daar kon ze niet over praten, zelfs niet met Bobby.

'Dus u bent om kwart voor elf bij Sophie gaan kijken,' drong D.D. aan.

'Ze sliep. Ik gaf haar een kus op haar wang. Ze... draaide zich om en trok de dekens over zich heen.'

'En uw man?'

'Die was beneden. Hij keek tv.'

'Waar keek hij naar?'

'Heb ik niet op gelet. Hij was bier aan het drinken, dat leidde me af. Ik wou... Ik vond het fijner als hij niet dronk.'

'Hoeveel biertjes had hij op?'

'Drie.'

'Hebt u ze geteld?'

'Ik heb gekeken hoeveel lege flesjes er naast de gootsteen stonden.'

'Had uw man een alcoholprobleem?' vroeg D.D. op de man af.

Leoni keek eindelijk omhoog naar D.D. Ze keek haar aan met haar goede oog terwijl de andere helft van haar gezicht één grote opgezwollen, pulpachtige ravage was. 'Brian was zestig dagen lang onafgebroken thuis zonder dat hij iets omhanden had. Ik moest werken. Sophie ging naar school. Maar hij had niks. Soms dronk hij. En soms... Drinken was niet goed voor hem.'

'Dus uw man, van wie u zou willen dat hij niet dronk, had drie biertjes op, en toch liet u hem alleen achter met uw dochter.'

'Hé...' Lyons wilde weer tussenbeide komen.

Maar Tessa Leoni zei: 'Ja, mevrouw. Ik liet mijn dochter achter bij haar dronken stiefvader. En als ik het had geweten... dan had ik hem tóén doodgeschoten, godverdomme. Dan had ik het gisterenavond al gedaan!'

'Ho ho...' De advocaat was opgestaan uit zijn stoel. Maar D.D. negeerde hem, net als Leoni.

'Wat is er met uw dochter gebeurd?' wilde D.D. weten. 'Wat heeft uw man haar aangedaan?'

Leoni haalde haar schouders al op. 'Dat wou hij niet vertellen. Toen ik thuiskwam ging ik naar boven. Ik dacht dat ze in bed zou liggen, of dat ze op de grond aan het spelen was. Maar... ze was er niet. Ik heb overal gezocht, maar Sophie was weg.'

'Sloeg hij haar wel eens?' vroeg D.D.

'Hij raakte wel eens gefrustreerd door mij. Maar ik heb nooit gezien dat hij haar sloeg.'

'Eenzaam? U bent de hele nacht weg, hij is alleen met haar.'

'Nee! Zo is het niet. Dat zou ik hebben geweten! Dat zou ze me verteld hebben.'

'Vertel jij het me dan, Tessa. Wat is er met je dochter gebeurd?'

'Dat weet ik niet! Verdomme, ze is nog maar zo klein. Wat voor man doet nou een kind kwaad? Wat voor man dóét nou zoiets?'

Lyons legde zijn handen op haar schouders, alsof hij probeerde haar te kalmeren, maar Leoni rukte zich los. Ze kwam overeind, duidelijk geagiteerd. Die inspanning bleek echter te veel: ze viel vrijwel meteen opzij.

Lyons pakte haar bij een arm en liet haar voorzichtig weer op het bankje zitten. Hij staarde D.D. woest aan.

'Rustig aan,' zei hij kortaf tegen Tessa Leoni terwijl hij boos naar D.D. en Bobby bleef kijken.

'Je begrijpt het niet, je begrijpt het niet,' mompelde de moeder en agente. Ze zag er niet langer knap of kwetsbaar uit. Haar gezicht was ongezond bleek geworden; ze zag eruit alsof ze ging overgeven en sloeg met haar hand op de lege plek naast haar. 'Sophie is heel dapper en avontuurlijk. Maar ze is bang voor het donker. Doodsbang.

Toen ze bijna drie was is ze een keer in de kofferbak van mijn surveillancewagen geklommen, en toen die dichtklapte gilde ze het uit. Als je haar had horen gillen... Dan zou je het weten, dan zou je het begrijpen...'

Leoni wendde zich tot Lyons. Ze pakte zijn vlezige handen vast en keek hem wanhopig aan. 'Er zal haar toch niets overkomen, hè? Jullie zorgen er toch wel voor dat er niets met haar gebeurt? Jullie zorgen toch voor haar? Breng haar naar huis. Voor het donker wordt, Shane. Voor het donker. Alsjeblieft, alsjeblieft. Ik smeek het je, alsjeblíéft.'

Lyons scheen niet te weten hoe hij op de uitbarsting moest reageren. Hij bleef Tessa's schouders vasthouden, zodat D.D. degene was die de prullenbak pakte en hem net op tijd onder het asgrauwe gezicht van Leoni hield. De vrouw gaf over tot haar maag helemaal leeg was.

'Mijn hoofd,' kreunde ze, terwijl ze alweer onderuitzakte op het bankje.

'Hé, wie maakt onze patiënt zo van streek? Iedereen weg hier!' Marla en haar collega waren terug. Ze kwamen de serre binnenstappen en Marla wierp D.D. een venijnige blik toe. D.D. en Bobby begrepen dat protesteren geen zin had en draaiden zich om naar de aangrenzende keuken.

Maar uitgerekend Leoni greep D.D. bij haar pols. D.D. schrok van de kracht waarmee de bleke hand haar tegenhield.

'Mijn dochter heeft je nodig,' fluisterde de agente, terwijl de ambulanceverpleegkundigen haar andere hand pakten en het infuus begonnen aan te leggen.

'Natuurlijk,' zei D.D. schaapachtig.

'Je moet haar vinden. Beloof het!'

'We zullen ons best doen om...'

'Belóóf het!'

'Goed, goed,' hoorde D.D. zichzelf zeggen. 'We zullen haar vinden. Natúúrlijk. Ga... ga nu maar naar het ziekenhuis. Doe rustig aan.'

Marla en haar collega legden Leoni op de brancard. De agente sloeg nog steeds wild om zich heen en probeerde ze weg te duwen, probeerde D.D. dichter naar zich toe te trekken. Het was moeilijk te zeggen. Binnen een paar seconden hadden de ambulanceverpleegkundigen haar vastgebonden en waren ze de deur uit. Lyons liep gelaten achter hen aan.

De advocaat bleef achter en terwijl ze de serre uitliepen gaf hij D.D. zijn kaartje. 'U zult ongetwijfeld begrijpen dat niets van dit alles toelaatbaar was. Zo heeft mijn cliënt nooit afstand gedaan van haar rechten, en o ja, ze heeft een hersenschudding.'

Nadat hij zijn zegje had gedaan vertrok ook de advocaat en toen stonden D.D. en Bobby samen bij de keuken. D.D. hoefde haar neus niet langer te bedekken. Het gesprek met Tessa Leoni had haar zo afgeleid dat ze de geur niet meer opmerkte.

'Ligt het aan mij,' zei D.D., 'of lijkt het net of iemand haar gezicht met een hamer heeft bewerkt?'

'En toch zitten er helemaal geen schrammen of schaafwonden op haar handen,' vulde Bobby aan. 'Geen gescheurde nagels of beschadigde knokkels.'

'Dus iemand ramt haar helemaal in elkaar zonder dat ze een vinger uitsteekt om zich te verdedigen?' vroeg D.D. sceptisch.

'Tot ze hem doodschoot,' corrigeerde Bobby haar goedaardig.

D.D. wierp een blik ten hemel. Ze was verbijsterd en het stond haar helemaal niet aan. De verwondingen in het gezicht van Tessa Leoni zagen er echt uit. Maar het geheel... het ontbreken van verdedigingswonden, een getrainde agente die als eerste naar haar pistool greep terwijl ze een hele politieriem tot haar beschikking had, een vrouw die net zo'n emotionele verklaring had gegeven terwijl ze angstvallig elk oogcontact meed...

D.D. voelde zich over dat alles heel ongemakkelijk, of misschien wel vooral over een vrouwelijke collega die haar had vastgegrepen en zo ongeveer had gesmeekt haar vermiste kind te gaan zoeken.

De zesjarige Sophie Leoni, die zo bang was voor het donker.

O god. Dit werd een pijnlijke zaak.

'Het lijkt erop dat zij en haar man een knallende ruzie hadden,' zei

Bobby. 'Hij overmeesterde haar en sloeg haar tegen de grond, en dus pakte zij haar pistool. Pas later ontdekte ze dat haar dochter weg was. En toen realiseerde ze zich natuurlijk dat ze de persoon had gedood die haar waarschijnlijk had kunnen vertellen waar Sophie is.'

D.D. knikte en dacht na. 'Ik heb een vraag: wat zal een agent intuïtief doen, zichzelf beschermen of anderen?'

'Anderen.'

'En een moeder? Zichzelf of haar kind?'

'Haar kind.'

'En toch wordt de dochter van Tessa Leoni vermist en is het eerste wat ze doet haar vakbondsvertegenwoordiger inschakelen en voor een goede advocaat zorgen.'

'Misschien is ze niet zo'n goede agent,' zei Bobby.

'Misschien is ze niet zo'n goede moeder,' antwoordde D.D.

6

Ik werd verliefd toen ik acht was. Niet zoals je denkt. Ik was in de boom in mijn voortuin geklommen en op de laagste tak gaan zitten. Ik keek naar beneden, naar het kleine stukje bleek gras voor me. Mijn vader was waarschijnlijk aan het werk. Hij had een garage, en meestal ging die al om zes uur 's morgens open en kwam hij pas na vijven weer thuis. Mijn moeder sliep waarschijnlijk. Zij sleet haar dagen in hun stille, donkere slaapkamer. Soms riep ze me en dan bracht ik haar iets – een glas water, een paar crackers. Maar ze wachtte vooral tot mijn vader thuiskwam.

Hij maakte voor ons allemaal het avondeten klaar en dan kwam mijn moeder eindelijk haar donkere hol uit om bij ons aan de kleine ronde tafel te komen zitten. Ze glimlachte naar hem als hij de aardappelen aangaf. En ze kauwde werktuiglijk terwijl hij kortaf over zijn dag vertelde.

Vervolgens trok ze zich, als de maaltijd voorbij was, weer terug in de schaduw aan het einde van de gang. Ze had haar dagelijkse hoeveelheid energie verbruikt. Ik deed de afwas. Mijn vader keek tv. Om negen uur ging het licht uit. Voor het gezin Leoni was er weer een dag voorbij.

Ik begreep al op jonge leeftijd dat ik geen vriendjes of vriendinnetjes thuis moest uitnodigen. En ik begreep hoe belangrijk het was dat ik stil was.

Nu was het een bloedhete dag in juli en lag er weer een eindeloze dag voor me. Andere kinderen vermaakten zich nu waarschijnlijk kostelijk in een zomerkamp of spetterden rond in het zwembad. Of misschien hadden de kinderen die het écht getroffen hadden leuke ouders die met ze naar het strand gingen.

Ik zat in een boom.

Er kwam een meisje aan. Ze reed op een knalroze step en haar blonde vlechten zwiepten heen en weer onder een knalroze helm terwijl ze door de straat vloog. Op het laatste moment keek ze op en zag ze mijn magere benen. Met piepende banden kwam ze onder me tot stilstand en ze keek omhoog.

'Ik heet Juliana Sophia Howe,' zei ze. 'Ik ben nieuw in deze buurt. Kom naar beneden, dan kunnen we samen spelen.'

Dus dat deed ik.

Juliana Sophia Howe was ook acht. Haar ouders waren kort daarvoor vanuit Harvard in Massachusetts naar Framingham verhuisd. Haar vader was accountant. Haar moeder bleef thuis en deed dingen als het huis schoonmaken en de korsten van boterhammen met pindakaas en jam afsnijden.

Het was een stilzwijgende afspraak dat we altijd bij Juliana thuis speelden. Zij had een grotere tuin, met echt gras. Ze had een heel cool zwembadje met een heel coole waterglijbaan. We konden urenlang spelen en dan bracht haar moeder ons limonade met een roze krulrietje en een dikke plak watermeloen.

Juliana had een broer van elf, Thomas, een ongelooflijke etter. Ook had ze vijftien neefjes en nichtjes en een heleboel ooms en tantes. Op dagen dat het echt warm was, kwam de hele familie bij elkaar in het huis van oma aan de South Shore om naar het strand te gaan. Soms mocht Juliana op de draaimolen, en ze vond van zichzelf dat ze heel goed was in het pakken van de gouden ring, ook al was haar dat tot dan toe nog nooit gelukt – maar het scheelde nooit veel.

Ik had geen neefjes of nichtjes, of ooms of tantes, of een oma die aan de South Shore woonde. Nee, ik vertelde Juliana dat mijn ouders een baby hadden gemaakt toen ik vier was. Alleen was de baby blauw geweest toen hij werd geboren en hadden de dokters hem moeten begraven in de grond, en mijn moeder was thuisgekomen uit het ziekenhuis en naar haar slaapkamer gegaan. Soms huilde ze midden op de dag.

Mijn vader zei tegen me dat ik er niet over mocht praten, maar op een dag vond ik in de gangkast een schoenendoos, achter de bowlingbal van mijn vader. Er zaten een klein blauw mutsje en een klein blauw dekentje en een paar kleine blauwe laarsjes in. Er zat ook een foto bij van een volmaakt wit pasgeboren jongetje met knalrode lippen. Onder de foto had iemand *Joseph Andrew Leoni* geschreven.

Ik zal dus wel een broertje hebben gehad dat Joey heette, maar hij was doodgegaan en sindsdien was mijn vader aan het werken en mijn moeder aan het huilen.

Juliana dacht daarover na. Ze besloot dat we een fatsoenlijke mis moesten houden voor baby Joey, dus haalde ze haar rozenkrans tevoorschijn. Ze deed me voor hoe ik de donkergroene kralen om mijn vingers moest doen en een gebedje moest opzeggen. Vervolgens moesten we een liedje zingen, dus zongen we 'O kindeke klein', omdat dat over een baby ging en omdat we de tekst kenden. Toen was het tijd voor de grafrede.

Die nam Juliana voor haar rekening. Ze had er ooit eerder een gehoord, op de begrafenis van haar grootvader. Ze bedankte de Heer omdat die zich over baby Joey ontfermd had. Ze zei dat het goed was dat hij niet had geleden. Ze zei dat ze zeker wist dat hij lekker aan het pokeren was in de hemel en dat hij naar beneden keek en ons allemaal zag.

Toen pakte ze mijn handen vast en zei dat ze het heel erg voor me vond.

Ik begon te huilen, harde snikken die me de stuipen op het lijf joegen. Maar Juliana klopte me op mijn rug. 'Toe maar, toe maar,' zei ze. Toen huilde ze met me mee, en haar moeder kwam kijken wat er aan de hand was omdat we zo'n herrie maakten. Ik dacht dat Juliana haar moeder alles zou vertellen. In plaats daarvan zei ze dat er een noodsituatie was en dat we chocoladekoekjes moesten hebben. En dus ging haar moeder naar beneden om er een paar voor ons te bakken.

Zo'n vriendin was Juliana Sophia Howe. Je kon uithuilen op haar schouder en erop vertrouwen dat je geheimen veilig bij haar waren. Je kon bij haar in de tuin spelen en erop rekenen dat ze jou haar mooiste speelgoed gaf. Je kon bij haar thuis logeren in de wetenschap dat ze haar gezin met je zou delen.

Toen ik in mijn eentje aan het bevallen was, stelde ik me voor dat Juliana mijn hand vasthield. En toen ik eindelijk voor de eerste keer mijn dochter vasthield, vernoemde ik haar naar mijn jeugdvriendin.

Helaas weet Juliana niets van dit alles.

Ze heeft al meer dan tien jaar niet meer tegen me gesproken.

Want terwijl Juliana Sophia Howe het beste was dat mij ooit is overkomen, bleek ik het slechtste te zijn dat háár ooit is overkomen.

Zo gaat het soms met liefde.

Achter in de ambulance diende de vrouwelijke verpleegkundige me intraveneuze vloeistoffen toe. Ze had net op tijd een schaal gepakt toen ik weer moest overgeven.

Mijn wang brandde. Mijn sinusholten zaten vol met bloed. Ik moest me vermannen. Het liefst zou ik mijn ogen dichtdoen en de wereld laten wegglijden. Het licht deed pijn aan mijn ogen. De herinneringen teisterden mijn hersenen.

'Hoe heet u?' vroeg de ambulanceverpleegkundige, die me dwong om me weer op mijn omgeving te richten.

Ik opende mijn mond. Er kwamen geen woorden uit.

Ze gaf me een slok water en hielp me mijn gebarsten lippen schoon te maken.

'Tessa Leoni,' wist ik uiteindelijk uit te brengen.

'Welke datum is het vandaag, Tessa?'

Even was ik niet in staat om antwoord te geven. Er kwamen geen getallen bij me op en ik begon in paniek te raken. Het enige wat ik voor me zag, was het lege bed van Sophie.

'Dertien maart,' fluisterde ik ten slotte.

'Hoeveel is twee plus twee?'

Weer bleef het even stil. 'Vier.'

Marla bromde iets en rommelde aan het slangetje waardoor de vloeistoffen naar de achterkant van mijn hand liepen. 'Da's een mooi blauw oog,' zei ze.

Ik gaf geen antwoord.

'Bijna net zo mooi als die blauwe plek die zo groot is als je halve kont. Hield je man van schoenen met stalen neuzen?'

Ik gaf geen antwoord; ik zag alleen het lachende gezicht van mijn dochter voor me.

De ambulance remde af, misschien omdat we bij de spoedeisende hulp waren. Ik hoopte het maar.

Marla bleef nog even naar me kijken. 'Ik snap het niet,' zei ze opeens. 'Je zit bij de politie. Je hebt een speciale opleiding gekregen, je hebt zelf met dit soort zaken te maken gehad. Als íémand zou moeten weten...' Ze leek zich in te houden. 'Tja, zo gaat het, hè? Huiselijk geweld komt in alle sociale geledingen voor, zelfs bij mensen die beter zouden moeten weten.'

De ambulance kwam tot stilstand. Even later vlogen de achterdeuren open en werd ik het daglicht in gereden.

Ik keek Marla niet meer aan en hield mijn blik op de grijze lucht boven mijn hoofd gericht.

In het ziekenhuis was het één en al bedrijvigheid. Een verpleegkundige van de spoedeisende hulp kwam naar ons toe gesneld en begeleidde ons naar een onderzoekskamer. Er moesten formulieren worden ingevuld, inclusief het onvermijdelijke formulier waarop ik werd geïnformeerd over mijn recht op privacy. De verpleegkundige verzekerde me dat mijn arts mijn zaak met niemand zou bespreken, zelfs niet met andere politiemensen, aangezien dat de vertrouwensrelatie tussen arts en patiënt zou schaden. Wat ze er niet bij zei, maar wat ik wel wist, was dat mijn status door de aanklager kon worden opgeëist. En dat betekende dat alles wat ik tegen de arts zei en wat in de status werd opgeschreven...

Er is altijd wel ergens een achterdeurtje. Vraag dat maar aan iemand van de politie.

Toen de formulieren waren ingevuld, ging de verpleegkundige naar de volgende patiënt.

De vorige avond had ik er een kwartier over gedaan om mijn uniform aan te trekken. Eerst de zwarte onderbroek, toen een zwarte sportbeha, toen een zijden onderhemd om te voorkomen dat de volgende laag – een zwaar kogelvrij vest – langs mijn huid zou schuren. Ik had zwarte sokken aangetrokken met daaroverheen mijn marineblauwe broek met lichtblauwe biezen. Vervolgens had ik de veters van mijn laarzen vastgemaakt, omdat ik uit ervaring wist dat ik niet meer bij mijn voeten kon als ik eenmaal mijn vest aanhad. Dus sokken, broek, laarzen en daarna weer terug naar de bovenste helft. Ik trok mijn logge kogelvrije vest aan, waar ik een coltrui van de staatspolitie overheen aantrok tegen het koude weer, en daaroverheen weer mijn officiële lichtblauwe overhemd. Ik moest het kogelvrije vest onder mijn coltrui rechttrekken en vervolgens mijn best doen om drie lagen – hemd, coltrui en bloes – in mijn broek te stoppen. Vervolgens deed ik een brede zwarte riem om mijn broek. Toen pakte ik mijn uitrusting.

Eerst mijn zwarte leren politieriem van tien kilo, die ik over mijn broeksriem deed en vastmaakte met vier klittenbandhouders. Vervolgens pakte ik mijn semiautomatische Sig Sauer uit de wapenkluis in de slaapkamerkast en stak die in de holster aan mijn rechterheup. Ik schoof mijn mobieltje aan de voorkant van mijn riem en maakte mijn pieper vast aan de beugel aan mijn rechterschouder. Ik controleerde mijn zender aan mijn linkerheup, inspecteerde mijn twee extra patroonhouders, mijn metalen wapenstok, mijn pepperspray, mijn handboeien en mijn taser. Toen stopte ik drie pennen in het zakje van de linkermouw van mijn overhemd.

Tot slot het klapstuk: mijn officiële hoed van de staatspolitie.

Ik nam altijd even de tijd om mezelf in de spiegel te bekijken. Het uniform van de staatspolitie is niet alleen maar wat je ziet, het is een gevoel. Het gewicht van de politieriem om mijn heupen. Mijn zware kogelvrije vest dat mijn borstkas afplat en mijn schouders breder maakt. De rand van de hoed die strak om mijn hoofd zit, laag over mijn voorhoofd getrokken, en een ondoordringbare schaduw over mijn ogen laat vallen.

Straal gezag uit. Laat ze nooit merken dat je 'm knijpt, schatje.

De verpleegkundige maakte mijn uniform los van mijn lichaam. Ze trok mijn lichtblauwe overhemd uit, mijn coltrui, mijn kogelvrije vest, mijn hemd, mijn beha. Ze trok mijn laarzen uit, rolde mijn sokken naar beneden, maakte mijn riem los en trok mijn broek naar beneden voordat ze hetzelfde met mijn onderbroek deed.

Alles werd uitgetrokken, in een zak gestopt en gemerkt als bewijs voor het geval de Bostonse politie een zaak tegen me begon.

Als laatste deed de verpleegkundige mijn gouden oorbellen uit, maakte mijn horloge los en deed mijn trouwring af. Terwijl ze me kaalplukte, vertelde ze dat je onder de CT-scan geen sieraden mag dragen.

Ze gaf me een ziekenhuishemd en haastte zich toen weg met haar zakken vol bewijs en mijn persoonlijke bezittingen. Ik bewoog me niet en lag daar alleen maar. Ik miste mijn uniform en schaamde me voor mijn naaktheid.

Verderop in de gang stond een tv aan en ik hoorde dat de naam van mijn dochter werd genoemd. Ze zouden vast de schoolfoto laten zien die afgelopen oktober nog gemaakt was. Op die foto droeg Sophie haar favoriete gele bloesje. Ze keek met haar grote blauwe ogen half achterom naar de camera, met een brede glimlach op haar gezicht omdat ze dol was op foto's en al helemáál enthousiast was over deze foto, omdat het de eerste was sinds ze haar bovenste voortand kwijt was en ze van de tandenfee een hele dollar had gekregen, die brandde in haar zak.

Mijn ogen brandden. Je hebt pijn, en je hebt de pijn die ik toen had. Alle woorden die ik niet kon uitspreken. Alle beelden die ik niet uit mijn hoofd kreeg.

De verpleegkundige kwam terug. Ze stak mijn armen in de mouwen van het operatiehemd en liet me op mijn zij rollen, zodat ze het hemd aan de achterkant kon vastmaken.

Er arriveerden twee medewerkers van de radiologie. Ze reden me naar de CT-scan terwijl ik naar de plafondtegels staarde die in een waas boven mijn hoofd voorbij zoefden.

'Zwanger?' vroeg een van hen.

'Wat?'

'Bent u zwanger?'

'Nee.'

'Claustrofobisch?'

'Nee.'

'Dan stelt het niks voor.'

Ik werd een steriel vertrek ingereden dat werd gedomineerd door een groot, donutvormig apparaat. De verpleegkundigen lieten me niet staan, maar hesen me vanaf de brancard rechtstreeks op de tafel.

Er werd me verteld dat ik stil moest blijven liggen terwijl het donutvormige röntgenapparaat rondjes draaide en foto's maakte van de dwarsdoorsnede van mijn hoofd. Vervolgens zou met behulp van een computer van de tweedimensionale röntgenbeelden een driedimensionaal model worden gemaakt.

Binnen een halfuur zou de dokter een grafische afbeelding van mijn hersenen en botten hebben, inclusief eventuele zwellingen, kneuzingen of bloedingen.

Zoals de verpleegkundigen het vertelden, klonk het allemaal heel eenvoudig.

Terwijl ik daar zo alleen op die tafel lag, vroeg ik me af hoe diep de scanner kon kijken. Ik vroeg me af of hij alle dingen kon zien die ík elke keer zag wanneer ik mijn ogen dichtdeed. Het bloed dat achter mijn man op de muur spoot en vervolgens naar de keukenvloer stroomde. De ogen van mijn man, die zich opensperden van verbazing terwijl hij omlaag keek en die de rode vlekken die zich over zijn gespierde borstkas verspreidden daadwerkelijk leken te registreren.

Brian die omlaag, omlaag, omlaag gleed. Ik, die nu over hem heen gebogen stond en zag hoe het licht in zijn ogen doofde.

'Ik hou van je,' had ik tegen mijn man gefluisterd, vlak voordat het licht verdween. 'Het spijt me. Het spijt me. Ik hou van je...'

Je hebt pijn, en je hebt de pijn die ik toen had.

De machine begon te bewegen. Ik sloot mijn ogen en stond mezelf één laatste herinnering aan mijn man toe. Zijn laatste woorden, terwijl hij stierf op de keukenvloer.

'Sorry,' had Brian met een laatste inspanning uitgebracht, met drie kogels in zijn borst. 'Tessa... hou... nog meer... van jou.'

7

Nu het lichaam van Brian Darby was weggehaald en Tessa Leoni naar het ziekenhuis was gebracht, waren de meest urgente praktische zaken van het moordonderzoek geregeld en kon de zoektocht naar de zesjarige Sophie Leoni worden geïntensiveerd.

Met dat gegeven in het achterhoofd liet D.D. alle leden van de taskforce naar het witte mobiele commandocentrum komen, waar ze er geen doekjes om wond.

Getuigen. D.D. wilde van alle geüniformeerde agenten een korte lijst met namen van alle buren van wie het de moeite waard was ze een tweede keer te ondervragen. Vervolgens wees ze zes rechercheurs van Moordzaken aan om onmiddellijk met die ondervragingen te beginnen. Ze wilde binnen drie minuten de namen van alle geloofwaardige getuigen en mogelijke verdachten hebben en er moest onmiddellijk een begin gemaakt worden met de gesprekken.

Camera's. Boston kwam erin om. De gemeente installeerde ze om het verkeer in de gaten te houden. Bedrijven installeerden ze voor de veiligheid. D.D. vormde een driekoppig team dat als enige taak had om alle camera's binnen een straal van drie kilometer te achterhalen en alle opnames van de afgelopen twaalf uur te scannen, te beginnen met de camera's die zich het dichtst bij het huis bevonden.

Collega's. Vrienden, familie, buren, leraren, oppassen, werkgevers: D.D. wilde binnen drie kwartier alle namen op haar bureau hebben van iedereen die ooit bij de Leoni's thuis was geweest. In het bijzonder wilde ze dat de namen van alle leraren, speelkameraadjes en verzorgers van Sophie Leoni werden verzameld en onder een vergrootglas werden gehouden: een volledig antecedentenonderzoek, en hun woning moest doorzocht worden als de rechercheur zich naar binnen wist te praten. Vrienden moesten worden afgestreept en vijanden geïdentificeerd, en wel nu, nu, nú.

Er waren anderen die dit gezin kenden. Vijanden van de echtgenoot op zijn werk, criminelen die Leoni tijdens haar surveillances had betrapt, misschien hartstochtelijke minnaars of mensen die al heel lang in vertrouwen werden genomen. Er waren andere mensen die Brian Darby en Tessa Leoni kenden. En een van die mensen wist misschien wat er was gebeurd met een zesjarig meisje dat de laatste keer dat ze was gesignaleerd in haar eigen bed had liggen slapen.

De tijd was niet in hun voordeel. D.D. sommeerde iedereen naar buiten te gaan, de straat op, en de race tegen de klok te winnen.

Toen hield ze op met praten en zette ze iedereen weer aan het werk.

De rechercheurs uit Boston kwamen zo snel ze konden overeind. De hoge piefen knikten. D.D. ging met Bobby het huis weer in.

D.D. vertrouwde erop dat haar collega's zouden beginnen met het uitpluizen van alle nuances van het leven van een heel gezin, wat een gigantische klus was. Zelf wilde ze echter de laatste uren van het slachtoffer doormaken. Ze wilde de plaats delict tot in haar DNA in zich opnemen. Ze wilde zichzelf overstelpen met de allerkleinste huiselijke details, van de keuze voor verfkleuren tot decoratieve snuisterijen. Ze wilde zich het huis op allerlei verschillende manieren eigen maken, en ze wilde het laten bewonen door een klein meisje, een vader die bij de koopvaardij werkte en een moeder die agente was bij de staatspolitie. Dit ene huis, deze drie levens, die laatste tien uur. Daar kwam alles op neer. Een huis, een gezin, een ramkoers van verschillende levens met tragische gevolgen.

D.D. moest het zien, voelen, ervaren. Pas dan kon ze het gezin ontleden tot de diepste, meest duistere waarheid, en dat zou haar bij Sophie Leoni brengen.

D.D.'s maag draaide zich om. Ze probeerde er niet aan te denken terwijl zij en Bobby opnieuw de keuken binnenkwamen, die onder de bloedvlekken zat.

Ze liepen allebei automatisch eerst naar boven, waar zich twee slaapkamers met een dakkapel bevonden die van elkaar werden gescheiden door een badkamer. Zo te zien was de slaapkamer aan de straatkant die van Tessa en Brian: er stond een groot tweepersoonsbed met een eenvoudige houten hoofdeinde en een donkerblauw dekbedovertrek. Het viel D.D. meteen op dat het eerder zijn beddengoed leek dan het hare. Ze zag niets in de kamer wat haar een andere indruk gaf.

De brede ladekast, een versleten eikenhouten exemplaar, had Brian zonder twijfel als vrijgezel op de kop getikt. Er stond een oude, grote televisie op die was afgestemd op ESPN. Effen witte muren, een strakke houten vloer. D.D. vond het meer een tussenstation dan een huiselijke plek waar je je terug kon trekken. Een plek om te slapen, andere kleren aan te trekken en vervolgens weer te vertrekken.

D.D. keek in de ingebouwde kast. Die hing voor driekwart vol met keurig gesteven mannenoverhemden die op kleur gesorteerd waren. Daarnaast hingen een stuk of zes spijkerbroeken. Daar weer naast hingen allerlei katoenen broeken en bovenkleding, twee politie-uniformen en een zomers jurkje met oranje bloemen.

'Hij gebruikte de meeste kastruimte,' meldde D.D. aan Bobby, die de ladekast uitpluisde.

'Er zijn wel mannen om minder vermoord,' knikte hij.

'Ik meen het, moet je dit zien. Overhemden die op kleur zijn opgehangen, gepérste spijkerbroeken. Brian Darby was geen pietje precies meer, die man was gewoon gestoord.'

'En hij begon ook echt heel breed te worden. Moet je kijken.' Bobby hield met zijn gehandschoende handen een ingelijste foto omhoog. D.D. stopte met het inspecteren van de lege wapenkluis die ze in een hoek van de kast had gevonden en liep naar hem toe.

Op de foto droeg Tessa Leoni het oranje jurkje en een witte trui. Ze hield een bosje tijgerlelies in haar handen. Brian Darby stond naast haar, in een bruin colbertje met een tijgerlelie op de kraag gespeld. Vóór hen stond een klein meisje, waarschijnlijk Sophie Leoni. Zij droeg een donkergroene fluwelen jurk en had een krans van lelies in haar haar. Ze keken alle drie stralend in de camera, een gelukkig gezin dat een heuglijke dag vierde.

'Trouwfoto,' mompelde D.D.

'Dat denk ik ook. Maar moet je Darby zien. Kijk eens naar die schouders.'

D.D. keek gehoorzaam naar de toenmalige bruidegom en intussen overleden echtgenoot. Ze vond hem er goed uitzien. Hij had de uitstraling van een politieman of een militair, met zijn blonde stekeltjeshaar, geprononceerde kin en brede schouders. Die indruk werd echter gecompenseerd door zijn warme bruine ogen en de lachrimpels in zijn ooghoeken. Hij zag er gelukkig uit, ontspannen. Geen man die je er meteen van zou verdenken dat hij zijn vrouw aftuigde – en trouwens ook niet dat hij zijn spijkerbroeken perste.

D.D. gaf de foto terug aan Bobby. 'Ik snap niet wat je bedoelt. Dus hij was blij op zijn trouwdag. Dat zegt niks.'

'Nee. Hij was minder breed op zijn trouwdag. Deze Brian Darby weegt een goede tachtig kilo. Ik wil wedden dat hij aan fitness deed en actief bleef. Maar de dode Brian Darby...'

D.D. herinnerde zich wat Bobby eerder tegen haar had gezegd. 'Je noemde hem een grote kerel. Vijfennegentig, honderd kilo, en waarschijnlijk een gewichtheffer. Het is dus niet zo dat hij dik werd nadat hij getrouwd was. Jij zegt dat hij gespíérder is geworden nadat hij trouwde.'

Bobby knikte.

D.D. dacht weer aan de foto. 'Het valt niet mee om een relatie te hebben waarin de vrouw een wapen draagt,' mompelde ze.

Bobby ging daar niet op in, en daar was ze hem dankbaar voor.

'We moeten zijn sportschool zien te vinden,' zei hij nu. 'Kijken wat voor programma hij volgde. Nagaan of hij voedingssupplementen gebruikte.'

'Zou hij geflipt zijn door steroïden?'

'Het is de moeite waard daar navraag naar te doen.'

Ze liepen vanuit de slaapkamer naar de badkamer. Die had tenminste nog iets persoonlijks. Om een bad met poten hing een douchegordijn met felgekleurde strepen. Op de tegels lag een kleed met gele eendjes. Op houten handdoekenrekken lagen stapels blauwe en gele handdoeken.

De badkamer toonde ook meer tekenen van leven – een Barbietandenborstel op de rand van de wastafel, allemaal paarse haarelastiekjes in een mandje op de spoelbak van de wc, een doorzichtige spuugbeker met de tekst PAPA'S PRINSESJE.

In het medicijnkastje vond D.D. drie potjes geneesmiddelen, waarvan er één, een slaapmiddel, op naam stond van Brian Darby. Een ander potje, met een of andere oogzalf, stond op naam van Sophie Leoni. Het derde, waar pijnstillers in zaten, was voor Tessa Leoni.

Ze liet het potje aan Bobby zien, die er een aantekening van maakte.

'We moeten bij de huisarts navragen of ze een verwonding had, misschien van het werk.'

D.D. knikte. Voor het overige bevatte het medicijnkastje een overvloed aan lotions, scheerschuim, scheermesjes en geurtjes. Het enige wat D.D. van belang vond was de goedgevulde EHBO-doos. Veel pleisters in allerlei verschillende maten. Wees dat op een vrouw die werd mishandeld en die voorraden aanlegde om zich vroeg of laat te kunnen oplappen, of duidde het gewoon op een actief gezinsleven? In de kast onder de wastafel vond D.D. de gebruikelijke verzameling zeep, toiletpapier, vrouwelijke verzorgingsproducten en schoonmaakspullen.

Ze gingen verder.

De volgende kamer was duidelijk van Sophie. Zachtroze muren met gesjabloneerde bloemen in lichtgroen en babyblauw. Een bloemvormig vloerkleed. Een glimmend witte kubuskast die een hele muur bestreek en die was volgestouwd met poppen, jurkjes en glimmende balletschoenen. Tessa en Brian sliepen in een soort slaapzaal, maar Sophie bezat een magische tuin, compleet met konijntjes die over de vloerplanken renden en met geschilderde vlinders rondom de ramen.

Het was te weerzinwekkend voor woorden om in zo'n kamer naar bloedsporen te moeten zoeken.

D.D. legde haar hand tegen haar buik – ze had het zelf niet eens door – en ze begon aan haar eerste inspectie van het bed.

'Luminol?' mompelde ze.

'Heeft niks opgeleverd,' zei Bobby.

Volgens het protocol had de technische recherche Sophie Leoni's lakens besproeid met luminol, dat oplicht als het in contact komt met lichamelijke vloeistoffen, zoals bloed of sperma. Het feit dat de luminol niet was opgelicht, betekende dat de lakens schoon waren. Daarmee kon echter nog niet worden vastgesteld dat Sophie Leoni niet seksueel was misbruikt. Het enige wat nu duidelijk was, was dat ze niet onlangs op deze lakens misbruikt was. De mensen van de technische recherche zouden ook het wasgoed controleren en zelfs beddengoed uit de wasmachine halen als dat nodig was. Je kon met luminol nog verbazingwekkend veel aantreffen op 'schone' lakens als die niet op de juiste manier met bleekmiddel waren schoongemaakt.

Nog méér dingen waar D.D. helemaal niet aan wilde denken terwijl ze midden in een magische tuin stond.

Ze vroeg zich af wie de kamer geschilderd had. Tessa? Brian? Of hadden ze het misschien met z'n drieën gedaan, toen de liefde nog pril was en ze helemaal verknocht aan elkaar waren?

Hoeveel nachten zouden er verstreken zijn voordat Sophie voor de eerste keer wakker werd van het geluid van een verre klap, van een gesmoorde gil? Of misschien had Sophie helemaal niet geslapen. Misschien had ze wel aan de keukentafel gezeten, of in een hoek met een pop gespeeld.

Misschien was ze de eerste keer naar haar moeder toe gerend. Misschien...

Jezus nog aan toe. D.D. had helemaal geen trek meer in deze zaak.

Ze balde haar handen tot vuisten, keerde zich naar het raam en keek naar het bleke daglicht.

Bobby stond zwijgend bij de muur. Hij observeerde haar aandachtig, maar zei niets.

Opnieuw was ze hem dankbaar.

'We moeten erachter zien te komen of ze een lievelingsknuffel heeft,' zei ze na een korte stilte.

'Lappenpop. Groene jurk, bruine draadjes als haar, blauwe knopen als ogen. Heet Gertrude.'

D.D. knikte en liet langzaam haar blik door de kamer gaan. Ze zag wel een nachtlampje – *Sophie is doodsbang voor het donker* – maar geen pop of knuffel. 'Ik zie hem niet.'

'De agent die als eerste ter plaatse was ook niet. Tot dusver gaan we ervan uit dat haar pop ook vermist wordt.'

'En haar pyjama?'

'Volgens Leoni droeg haar dochter een pyjama met lange mouwen, roze met gele paarden. Die is nergens aangetroffen.'

D.D. kreeg een idee. 'En haar jas, muts en sneeuwlaarzen?'

'Daar staat niets over in mijn aantekeningen.'

Voor het eerst voelde D.D. een sprankje hoop. 'Als de jas en de muts weg zijn, betekent dat dat ze midden in de nacht uit bed is gehaald. Ze kreeg niet de tijd om zich om te kleden, maar wel om zich goed in te pakken.'

'Het heeft geen zin om een lijk warm in te pakken,' merkte Bobby op.

Ze verlieten de kamer en liepen stampend de trap af. Ze inspecteerden de kast waar de jassen hingen en vervolgens de mand met schoenen en winterspullen bij de voordeur. Geen kinderjasje. Geen kindermutsje. Geen kinderlaarsjes.

'Sophie Leoni is warm ingepakt!' zei D.D. triomfantelijk.

'Sophie Leoni heeft het huis levend verlaten.'

'Perfect. Nu moeten we haar alleen nog zien te vinden voor het donker is.'

Ze gingen terug naar boven om te bekijken of de ramen sporen van braak vertoonden. Toen ze hadden vastgesteld dat die sporen er niet waren, gingen ze naar beneden om ook daar de ramen te controleren op braaksporen. Beide deuren hadden relatief nieuw hang- en sluitwerk, dat zo te zien niet beschadigd was. D.D. en Bobby kwamen tot de ontdekking dat de oude ramen in de serre zo kromgetrokken waren door het vocht, dat ze niet meer meegaven.

Alles bij elkaar leek het huis goed afgesloten te zijn. Aan Bobby's gezicht te zien had hij dat wel verwacht, en voor D.D. gold hetzelfde. In het geval van vermiste kinderen was het treurig genoeg bijna altijd zo dat de problemen waren veroorzaakt door een gezinslid en niet door een buitenstaander.

Ze keken rond in de huiskamer, die D.D. aan de slaapkamer deed denken. Kale muren, houten vloerplanken met een beige kleed. De zwartleren, L-vormige bank leek eerder een aanschaf van hem dan van haar. Aan een kant van de bank stond een vrij nieuw uitziende laptop, waarvan de stekker nog in het stopcontact zat. Er stond ook een flatscreen in de kamer, boven een fraai home-entertainmentsysteem, een blu-ray dvd-speler en een Wii-console.

'Echt jongensspeelgoed,' merkte D.D. op.

'Machinist, hè,' zei Bobby.

D.D. onderzocht een tekentafeltje dat in een hoek voor Sophie was neergezet. Aan een kant lag een stapel wit papier en in het midden stond een bus krijtjes. Verder niets. Op het tafeltje lag geen tekening waaraan werd gewerkt. Geen vertoon van artistiek talent aan de muren. D.D. vond het allemaal erg georganiseerd, zeker voor een kind van zes.

De strakke inrichting van het huis begon op haar zenuwen te werken. Zo leefden mensen niet, en mensen met kinderen al helemáál niet.

Ze gingen naar de keuken, waar D.D. zo ver mogelijk van de op de grond getekende contouren van het lijk ging staan. Afgezien van de bloedvlekken, glasscherven en omgevallen stoelen was de keuken net zo onberispelijk als de rest van het huis. Maar ook aftands en gedateerd: donkerhouten kasten van dertig jaar oud, effen witte huishoudelijke apparaten, een verkleurd formica aanrecht. Het eerste wat Alex in dit huis zou doen, dacht D.D., was de keuken uitbreken en moderniseren.

Brian Darby niet. Die gaf zijn geld uit aan elektronische speeltjes, een leren bank en zijn auto. Niet aan het huis.

'Voor Sophie deden ze moeite,' dacht D.D. hardop, 'maar voor elkaar niet.'

Bobby keek haar aan.

'Ga maar na,' vervolgde ze. 'Dit is een oud huis dat altijd een oud huis is gebleven. Zoals jij maar blijft benadrukken: hij is machinist, wat betekent dat hij vast wel overweg kan met elektrisch gereedschap. Ze verdienen samen ruim twee ton per jaar, en daar komt bij dat Brian Darby steeds zestig dagen vakantie heeft. Ze beschikken dus wel over enige expertise, tijd en middelen die ze in het huis zouden kunnen stoppen. Maar dat doen ze niet. Alleen in Sophies kamer, die wordt opnieuw geverfd, daar komen nieuwe meubels en mooi beddengoed en zo. Voor haar deden ze moeite, maar voor elkaar niet. Daardoor vraag ik me af op hoeveel andere gebieden van hun leven dat het geval was.'

'De meeste ouders zijn gericht op hun kinderen,' merkte Bobby vergoelijkend op.

'Ze hebben niet eens een foto aan de muur hangen.'

'Tessa Leoni maakt lange dagen. Brian Darby is maanden achter elkaar op zee. Misschien hebben ze andere prioriteiten als ze thuis zijn.'

D.D. haalde haar schouders op. 'Zoals?'

Bobby knikte. 'Kom mee, dan laat ik je de garage zien.'

D.D. werd gek toen ze de garage zag. De ruimte, waar plek was voor twee auto's, hing aan alle drie de kanten vol met gereedschapsborden. Echt overal waren de muren van het plafond tot aan de grond volledig bedekt met gereedschapborden, die op hun beurt vol hingen met haken en fietsendragers en plastic bakken voor sportaccessoires en zelfs een golftashouder.

Toen D.D. de garage in zich opnam vielen haar meteen twee dingen op: Brian Darby beoefende kennelijk veel buitensporten, en hij had professionele hulp nodig voor zijn overdreven pietluttigheid.

'De vloer is schoon,' zei D.D. 'Het is maart, het sneeuwt en de hele stad is plat gestrooid. Hoe kan die vloer dan zó schoon zijn?'

'Hij parkeerde zijn auto buiten op straat.'

'Hij parkeerde zijn SUV van zestigduizend dollar liever in een van de drukste straten van Boston dan dat hij zijn garage vies maakte?'

'Leoni parkeerde haar surveillancewagen ook voor het huis. Ze willen graag dat we onze wagens zichtbaar houden in de buurt – de aanwezigheid van een politiewagen heeft een afschrikwekkende werking.'

'Dit is belachelijk,' zei D.D. stellig. Ze liep naar een van de muren, waar een grote bezem en een stoffer en blik naast elkaar hingen. Daarnaast hingen twee plastic vuilnisbakken en een blauwe recyclebak, waar een paar groene bierflesjes in zaten. De vuilnisbakken waren al leeg – waarschijnlijk waren de vuilniszakken meegenomen door de technische recherche. D.D. liep naar de mountainbikes van Brian en Tessa en een roze exemplaar dat overduidelijk van Sophie was. Ze zag een rij rugzakken en een plank vol wandelschoenen en laarzen in allerlei soorten en maten, inclusief een roze paar voor Sophie. Ze stelde vast dat er in het gezin veel aan wandelen, trekken, fietsen en golfen werd gedaan.

Toen ze aan de andere kant van de garage kwam, zag ze daar drie paar alpineski's en drie paar langlaufski's. Ze stelde vast dat ze skiën aan het rijtje moest toevoegen.

'Als Brian Darby thuis was, was hij in beweging,' zei D.D., die het plaatje van hem weer wat verder compleet had.

'En hij had graag zijn gezin om zich heen,' zei Bobby, terwijl hij naar alle spullen van Tessa en Sophie gebaarde.

'Maar,' zei D.D. hardop denkend, 'Tessa zei al dat zij moest werken en dat Sophie op school zat. Dat betekent dat Brian vaak alleen was. Zonder liefhebbende gezinsleden om zich heen, zonder bewonderend vrouwelijk publiek dat hij kon imponeren met zijn mannelijke kracht.'

'Je bent aan het stereotyperen,' waarschuwde Bobby.

D.D. wees om zich heen. 'Kom op. Dit is een stereotype. Machinist.

Een ontzettend pietje precies. Als ik hier nog veel langer blijf, krijg ik hoofdpijn.'

'Strijk jij je spijkerbroeken niet?' vroeg Bobby.

'Ik label mijn elektrische gereedschap niet. Ik meen het, moet je dit zien.' Ze was naar de werkbank gelopen, waar Brian Darby zijn elektrische gereedschap op een plank had gerangschikt en alles een naam had gegeven.

'Mooi gereedschap,' zei Bobby fronsend. 'Heel mooi. Daar ligt zo voor duizend dollar aan spullen.'

'En toch doet hij niks aan het huis,' zei D.D. 'Voorlopig sta ik wat dit betreft achter Tessa.'

'Misschien gaat het hem niet om het klussen,' zei Bobby. 'Misschien gaat het hem alleen maar om het kopen. Brian Darby houdt ervan om speelgoed te hebben. Dat betekent niet dat hij er ook mee speelt.'

Daar dacht D.D. even over na. Het was zeker een mogelijkheid, en het zou ook de onberispelijke staat verklaren waarin de garage verkeerde. Je hield een garage makkelijk schoon als je er nooit je auto neerzette, er nooit in kluste en er nooit gereedschap vandaan haalde.

Maar toen schudde ze haar hoofd. 'Nee, hij heeft er geen vijftien kilo aan spieren bij gekregen door de hele dag op zijn gat te zitten. En trouwens, nu we het daar toch over hebben, waar zijn de gewichten?'

Ze keken om zich heen. Er lagen een heleboel spullen, maar halters of losse gewichten waren nergens te bekennen.

'Hij ging zeker naar een sportschool,' zei Bobby.

'Dat moeten we natrekken,' zei D.D. instemmend. 'Brian is dus heel actief. Maar zijn vrouw en kind hebben het ook druk. Dus misschien doet hij wel eens wat in zijn eentje om de tijd te verdrijven. Jammer genoeg is het huis nog steeds leeg als hij thuiskomt, en daar wordt hij rusteloos van. Dus eerst maakt hij het huis schoon alsof zijn leven ervan afhangt...'

'En vervolgens,' maakte Bobby de zin af, 'slaat hij een paar biertjes achterover.'

D.D. fronste haar wenkbrauwen. Ze liep naar de hoek aan de andere kant van de garage, waar de betonnen vloer donkerder leek te zijn. Ze boog zich en streek met haar vingertoppen over de plek. Die voelde vochtig aan.

'Zit hier ergens een lek?' mompelde ze, terwijl ze probeerde te achterhalen waar het vocht mogelijk door de muur sijpelde, maar de betonblokken werden natuurlijk aan het zicht onttrokken door nog meer gereedschapsborden.

'Zou kunnen.' Bobby liep naar de plek waar zij op haar hurken zat. 'Deze hele hoek is in de heuvelwand gebouwd. Het zou heel goed kunnen dat het water niet goed wegloopt, of misschien zit er hierboven ergens een lek in een leiding.'

'Dan moeten we in de gaten houden of de plek groter wordt.'

'Ben je bang dat het huis instort terwijl jij hier de leiding hebt?'

Ze wierp hem een blik toe. 'Nee, ik ben bang dat het geen water van een lek is. In dat geval komt het ergens anders vandaan, en ik wil weten wáár vandaan.'

Opeens begon Bobby te glimlachen. 'Het kan me niet schelen wat de andere staatsagenten zeggen: Tessa Leoni boft dat jij haar zaak in handen hebt, en Sophie boft zelfs nog meer.'

'Ach, val toch dood,' zei D.D. narrig terwijl ze weer overeind kwam. Ze kon soms heel kwaad worden van kritiek, maar door dit compliment voelde ze zich ontzettend opgelaten, en dat was nog veel erger. 'Kom, we gaan.'

'Kon je aan de vorm van de vochtplek zien waar Sophie is?'

'Nee. Aangezien er geen wonder is gebeurd en de advocaat van Tessa Leoni niet heeft gebeld om te zeggen dat we haar mogen ondervragen, kunnen we ons beter met Brian Darby bezighouden. Ik wil met zijn baas praten. Ik wil precies weten wat voor soort man zijn kledingkast op kleur indeelt en zijn garage helemaal vol hangt met gereedschapsborden.'

'Een controlefreak.'

'Precies. En wanneer die controle door iets of iemand in het gedrang komt...'

'Dan is de vraag hoe gewelddadig hij wordt,' maakte Bobby de zin voor haar af. Ze stonden midden in de garage.

'Ik geloof niet dat een onbekende Sophie heeft ontvoerd,' zei D.D. zachtjes.

Bobby zweeg even. Toen zei hij: 'Ik ook niet.'

'Dat betekent dat hij het heeft gedaan of zij.'

'Hij is dood.'

'Dat betekent dat de ogen van Tessa Leoni misschien eindelijk zijn geopend.'

8

Een vrouw vergeet nooit de eerste keer dat ze geslagen is.

Ik had geluk. Mijn ouders sloegen me nooit. Mijn vader gaf me nooit een klap in mijn gezicht omdat ik een grote mond had en ik kreeg ook nooit een pak voor mijn broek omdat ik opzettelijk ongehoorzaam was. Misschien kwam dat doordat ik nooit erg ongehoorzaam wás. Of misschien doordat mijn vader tegen de tijd dat hij thuiskwam te moe was om zich er druk over te maken. Toen mijn broer overleed werden mijn ouders een schim van zichzelf. Ze hadden al hun energie nodig om überhaupt de dag door te komen.

Tegen de tijd dat ik twaalf was, had ik me erbij neergelegd dat ik deel uitmaakte van een droefgeestig gezin. Ik sportte zoveel ik kon: voetbal, softbal, hardlopen, alles waardoor ik maar zo laat mogelijk thuis kon komen na school en zo min mogelijk tijd thuis door hoefde te brengen. Juliana hield ook van sporten. We waren altijd samen, altijd in ons schooluniform, altijd in alle haast ergens op weg naartoe.

Soms had ik het op het veld zwaar te verduren. Een honkbal tegen mijn borst waardoor ik languit achteroverviel. Ik realiseerde me voor het eerst dat je écht sterretjes ziet als je happend naar adem met je schedel tegen de harde grond slaat.

Dan waren er nog verschillende voetbalblessures, een kopstoot tegen mijn neus, noppen op mijn knie, een paar ellebogen in mijn maag. Neem maar van mij aan dat meisjes meedogenloos kunnen zijn. We delen uit en incasseren als de besten, vooral in het heetst van de strijd, als we proberen te scoren voor ons team.

Maar die blessures waren niets persoonlijks. Ze waren gewoon onvermijdelijk als jij en je tegenstander allebei de bal wilden hebben. Na de wedstrijd gaf je elkaar een hand en een tik tegen de kont, en dat meende je.

De eerste keer dat ik echt moest vechten was op de academie. Ik wist dat ik grondig getraind zou worden in man-tegen-mangevechten, en ik keek ernaar uit. Voor een vrouw alleen die in Boston woonde was zo'n training een prima idee, of ik het nu zou redden bij de staatspolitie of niet.

We trainden twee weken lang. Basale verdedigingshoudingen om ons gezicht, onze nieren en natuurlijk ons vuurwapen te beschermen. Telkens weer werd ons voorgehouden dat we nooit ons wapen mochten vergeten. De meeste agenten die hun wapen verliezen worden vervolgens met datzelfde wapen doodgeschoten. Het eerste wat je doet als je jezelf verdedigt, is proberen je belager te bedwingen terwijl die nog niet heel dichtbij is. Maar als het misloopt en je in een situatie terechtkomt waarin je met iemand moet vechten, bescherm dan je wapen en haal hard uit zodra je daar de kans toe krijgt.

Ik bleek helemaal niet te kunnen slaan. Het klonk eenvoudig genoeg, maar ik balde mijn hand niet goed tot een vuist en had de neiging te veel mijn arm te gebruiken in plaats van mijn hele gewicht door met mijn middel te draaien. Daarom leerden we allemaal, óók de grote jongens, een paar weken lang hoe we klappen moesten uitdelen.

Na zes weken besloten de instructeurs dat we genoeg oefeningen hadden gedaan. Het werd tijd om wat we hadden geleerd in praktijk te brengen.

We werden in groepen verdeeld. We trokken beschermende kleding aan en kregen om te beginnen allemaal een stok die aan de uiteinden bekleed was met zacht materiaal. De instructeurs noemden die stokken liefkozend 'springstokken'. Toen werden we losgelaten.

Denk maar niet dat ik het moest opnemen tegen een andere vrouw die ongeveer even groot en zwaar was als ik. Dat zou te makkelijk zijn geweest. Als vrouwelijke agent werd ik geacht alles en iedereen aan te kunnen, dus werden de koppels willekeurig samengesteld. Ik kwam tegenover een andere rekruut te staan, Chuck, een voormalig footballspeler van één meter zesentachtig die meer dan honderd kilo woog.

Hij probeerde me niet eens te raken. Hij rende gewoon recht op me af en kegelde me ondersteboven. Ik viel als een baksteen, en terwijl ik weer op adem probeerde te komen herinnerde ik me die honkbal tegen mijn borst.

De instructeur blies op zijn fluitje. Chuck hielp me overeind en we probeerden het opnieuw.

Deze keer was ik me ervan bewust dat de andere rekruten toekeken. Ik zag de afkeurende blik van mijn instructeur omdat ik zo teleurstellend gepresteerd had. Ik concentreerde me op het feit dat dit mijn nieuwe leven moest worden. Als ik me niet kon verdedigen, dan kon ik dit werk niet doen en kon ik geen agent worden. Wat moest ik dan? Waar moesten Sophie en ik dan van leven? Hoe moest ik voor mijn dochter zorgen? Wat zou er met ons gebeuren?

Chuck kwam aanstormen. Nu deed ik een stap opzij en sloeg hem met mijn springstok in zijn maag. Ik had ongeveer een halve seconde de tijd om een goed gevoel over mezelf te hebben, toen kwam Chuck met zijn ruim honderd kilo lachend overeind en rende opnieuw op me af.

Toen werd ik gemeen. Tot de dag van vandaag kan ik het me niet allemaal meer herinneren. Maar ik herinner me wel dat ik echt in paniek raakte. Dat ik hem afweerde en slaande bewegingen maakte, en dat ik goed mijn schouder gebruikte bij de klappen, en dat Chuck toch voortdurend op me af bleef komen. Een footballspeler van ruim honderd kilo tegen een wanhopige jonge moeder van amper vijfenvijftig kilo.

Het uiteinde van zijn springstok raakte mijn gezicht. Mijn hoofd schoot naar achteren toen mijn neus de klap opving. Ik wankelde, met tranen in de mijn ogen, uit balans en half blind, en ik wilde vallen, maar besefte wanhopig dat dat absoluut niet mocht gebeuren. Hij zou me vermoorden. Zo voelde het. Als ik viel, zou dat mijn dood betekenen.

Toen viel ik op het allerlaatste moment toch. Ik rolde me op tot een kleine bal en wierp me toen in één vloeiende beweging op zijn reuzenbenen. Ik pakte hem bij zijn knieën, gaf een ruk opzij en velde hem als een grote boom.

De instructeur blies op zijn fluitje. Mijn klasgenoten juichten.

Ik kwam wankelend overeind en voelde voorzichtig aan mijn neus.

'Dat wordt een litteken,' deelde mijn instructeur opgewekt mee.

Ik liep naar Chuck toe en stak mijn hand uit om hem overeind te helpen.

Die nam hij dankbaar aan. 'Sorry van je neus,' zei hij met een schaapachtige uitdrukking op zijn gezicht. Arme grote jongen, die het had moeten opnemen tegen het meisje.

Ik verzekerde hem dat het niet gaf. We deden allemaal wat we moesten doen. Toen moesten we ons opstellen tegenover een nieuwe gevechtspartner en opnieuw beginnen.

Toen ik later die avond in mijn eentje opgerold in bed lag, kon ik eindelijk mijn hand op mijn neus leggen en huilen. Omdat ik niet wist of ik dit nog een keer zou kunnen opbrengen. Omdat ik niet wist of ik wel klaar was voor een nieuw leven waarin ik moest slaan en geslagen zou worden. Waarin ik misschien wel echt voor mijn leven zou moeten vechten.

Op dat moment had ik er geen zin meer in om staatsagent te worden. Ik wilde alleen nog maar naar huis, naar mijn kleine meid. Ik wilde Sophie vasthouden en de geur van haar shampoo inhaleren. Ik wilde haar mollige babyhandjes in mijn nek voelen drukken. Ik wilde de onvoorwaardelijke liefde van mijn tien maanden oude dochtertje voelen.

In plaats daarvan werd ik de dag daarna en de dag dáárna afgeranseld. Ik kreeg gekneusde ribben te verduren, kapotte scheenbenen en pijnlijke polsen. Ik leerde klappen incasseren. Ik leerde uitdelen. Tot ik aan het einde van de opleiding, die vijfentwintig weken had geduurd, samen met de allerbesten de poort uit kwam lopen, onder de donkerblauwe striemen, maar klaar voor actie.

Klein, snel en hard.

De andere rekruten noemden me de Reuzendoder, en ik was trots op die bijnaam.

Ik moest terugdenken aan die tijd terwijl de dokter de resultaten van de CT-scan bekeek en toen voorzichtig de gezwollen paarse huid rondom mijn oog onderzocht.

'Het jukbeen is gebroken,' mompelde hij.

Verdere bestudering van foto's, verder onderzoek van mijn schedel. 'Geen tekenen van bloeduitstorting of hersenkneuzing. Bent u misselijk? Hebt u hoofdpijn?'

Ik mompelde 'ja' op beide vragen.

'Naam en datum?'

Mijn naam wist ik te noemen, maar de datum moest ik hem schuldig blijven.

De dokter knikte. 'Op basis van de CT-scan zou ik zeggen dat u naast dat gebroken jukbeen alleen een hersenschudding hebt. En wat is daar gebeurd?' Hij was klaar met mijn hoofd en richtte zich nu op mijn bovenlijf, waar de helft van mijn ribben werd bedekt door een blauwe plek die was vervaagd tot groen en geel.

Ik gaf geen antwoord en staarde alleen maar naar het plafond.

Hij klopte op mijn buik. 'Doet dat pijn?'

'Nee.'

Hij draaide mijn rechterarm rond en vervolgens de linker, zoekend naar verder letsel. Dat vond hij op mijn linkerheup, waar ook een donkerblauwe plek zat, deze keer een boogvormige – een vorm die veroorzaakt zou kunnen zijn door de neus van een werklaars.

Ik had kneuzingen en blauwe plekken gezien in de vorm van mannenringen en wijzerplaten van horloges, en één keer was ik zelfs geconfronteerd met de afdruk van een muntstuk op het gezicht van een vrouw die door haar vriend met een rolletje geldstukken was geslagen. Te oordelen naar het gezicht van dokter Raj had hij het ook allemaal al eens gezien.

Hij deed mijn operatiehemd weer goed, pakte mijn status erbij en maakte een paar aantekeningen.

'De kaakbreuk zal het beste genezen met rust,' zei hij. 'We zullen u een nachtje hier houden om de hersenschudding in de gaten te houden. Als de misselijkheid en hoofdpijn morgen zijn afgenomen, kunt u waarschijnlijk naar huis.'

Ik zei niets.

De dokter kwam dichter bij me staan en schraapte zijn keel.

'Er zit een zwelling op uw zesde linkerrib,' zei hij. 'Ik vermoed dat die afkomstig is van een breuk die niet goed is genezen.'

Hij zweeg even, alsof hij wachtte tot ik iets ging zeggen, misschien een uitspraak die hij in mijn status kon schrijven: *Volgens patiënte heeft echtgenoot haar tegen de grond geslagen en tegen haar ribben geschopt. Volgens patiënte heeft echtgenoot een favoriete honkbalknuppel.*

Ik zei niets, omdat uitspraken aantekeningen werden, en aantekeningen konden als bewijs tegen je gebruikt worden.

'Hebt u uw ribben zelf verbonden?' vroeg de dokter.

'Ja.'

De dokter bromde – mijn enige bekentenis vulde alle lege plekken voor hem in.

De dokter zag me als slachtoffer, net zoals die ambulanceverpleegkundige had gedaan. Ze hadden het allebei bij het verkeerde eind. Ik was aan het overleven en ik was op dit moment aan het koorddansen, en kon het me absoluut niet veroorloven om te vallen.

Dokter Raj keek me opnieuw aandachtig aan. 'Rust is het beste medicijn,' zei hij ten slotte. 'Door de hersenschudding kan ik geen slaapmiddel voorschrijven, maar ik zal een verpleegkundige ibuprofen laten geven tegen de pijn.'

'Dank u.'

'Mocht u in de toekomst gewond raken aan uw ribben,' zei hij, 'kom dan alstublieft meteen naar me toe. Ik zou graag zien dat ze beter werden verbonden.'

'Ik red me wel,' zei ik.

Dokter Raj leek niet overtuigd. 'Neem rust,' herhaalde hij. 'De pijn en de zwellingen zullen al snel minder worden. Maar ik heb het idee dat u dat inmiddels al weet.'

Hij vertrok.

Mijn wang brandde. Mijn hoofd bonsde. Maar ik was tevreden.

Ik was bij kennis, ik kon helder denken. En ik was eindelijk alleen.

Tijd om plannen te maken.

Ik balde mijn handen tot vuisten tegen de lakens. Met mijn goede oog bestudeerde ik de plafondtegels en ik gebruikte de pijn om mezelf op te peppen.

Een vrouw herinnert zich de eerste keer dat ze geslagen is. Maar met een beetje geluk herinnert ze zich ook de eerste keer dat ze terugvecht en wint.

Ik ben de Reuzendoder.

Als ik maar nadenk. Als ik maar plannen maak. Als ik maar een stap vóór kom.

Ik kon dit doen. Ik gíng het doen.

Het enige wat ik wil met kerst zijn mijn twee voortanden, mijn twee voortanden, mijn twee voortanden.

Toen draaide ik me op mijn zij, rolde me op tot een bal en begon te huilen.

9

Als D.D. geen toezicht hield op een taskforce van meerdere departementen die een moord moest oplossen en een kind moest redden, leidde ze een driekoppig team van de afdeling Moordzaken van de Bostonse politie. Haar eerste teamlid, Phil, was een echte gezinsman. Hij was getrouwd met het meisje met wie hij al op de middelbare school verkering had gekregen en had thuis vier kinderen. Het andere teamlid, Neil, was een roodharige slungel die ambulanceverpleegkundige was geweest voordat hij bij de Bostonse politie kwam werken. Hij nam de meeste autopsies voor zijn rekening en bracht zoveel tijd door in het mortuarium dat hij nu verkering had met de patholoog, Ben Whitley.

D.D. had dan wel een hele taskforce tot haar beschikking, ze werkte het liefst met mensen die ze kende. Ze liet Neil de autopsie van Brian Darby regelen, die momenteel gepland stond voor maandagmiddag. In de tussentijd kon Neil het medisch personeel lastigvallen dat verantwoordelijk was voor de verzorging van Tessa Leoni, om na te gaan hoe ernstig haar verwondingen waren en om te achterhalen of ze een medische geschiedenis van 'ongelukjes' had. Phil, die altijd voor alle data zorgde, moest op de computer achtergrondinformatie opzoeken over Brian Darby en Tessa Leoni. En natuurlijk moest hij haar de informatie over de huidige werkgever van Brian Darby verschaffen, en wel onmiddellijk.

Brian bleek bij de Alaska South Slope Crude, de ASSC, te hebben gewerkt. Het hoofdkantoor stond in Seattle en was op zondag gesloten. Dat kwam D.D. helemaal niet goed uit. Ze beet op haar wang terwijl ze met een flesje water in haar handen in het commandocentrum zat. De menigte politiemensen was intussen flink uitgedund en ook de meeste buurtbewoners waren verdwenen, nadat ze zoals gebruikelijk hadden gemompeld dat ze niets hadden gezien en niets wisten. Nu was alleen de pers er nog, die zich nog steeds aan de overkant van de straat ophield en nog altijd om een persconferentie schreeuwde.

D.D. zou daar iets mee moeten, maar ze was nog niet klaar. Ze wilde dat er eerst iets gebeurde – misschien een belangrijke doorbraak die ze de uitgehongerde meute voor kon houden. Of nieuwe informatie waarmee ze de media voor haar karretje kon spannen. Iets. Wat dan ook.

Shit, wat was ze moe. Echt tot op het bot. Ze zou zich zo kunnen opkrullen op de vloer van het commandocentrum en meteen in slaap vallen. Ze kon maar niet wennen aan de intense aanvallen van misselijkheid die werden gevolgd door het bijna verdovende gevoel van vermoeidheid. Ze was nog maar vijf weken over tijd en nu al was haar lichaam niet meer van haarzelf.

Wat moest ze doen? Hoe kon ze het aan Alex vertellen terwijl ze nog niet eens wist wat ze er zelf van vond?

Wat moest ze doen?

Bobby, die een ernstig gesprek met zijn luitenant-kolonel had gevoerd, was eindelijk uitgepraat en kwam naast haar zitten. Hij strekte zijn benen.

'Heb je trek?' vroeg hij.

'Wat?'

'Het is twee uur geweest. We moeten lunchen.'

Ze keek hem wezenloos aan, omdat ze niet kon geloven dat het al twee uur was geweest en omdat ze er absoluut niet in staat was alle kwesties waardoor maaltijden doorgaans werden omgeven het hoofd te bieden.

'Gaat het?' Hij vroeg het op neutrale toon.

‘Natuurlijk! Ik… ik maak me alleen zorgen. Misschien was het je ontgaan, maar er wordt nog altijd een zesjarig meisje vermist.’

‘Dan heb ik een cadeautje voor je.’ Bobby stak een vel papier omhoog. ‘De luitenant-kolonel kreeg dit net gefaxt. Het is afkomstig uit de gegevens van Tessa Leoni, en het blijkt dat ze naast haar man nog een andere contactpersoon voor noodgevallen had.’

‘Wat?’

‘Ene mevrouw Brandi Ennis. Ik neem aan dat zij voor Sophie zorgde als Leoni dienst had en Brian Darby op zee was.’

‘Godsamme.’ D.D. griste het papier uit zijn hand, liet haar blik over de inhoud glijden en klapte haar mobieltje open.

Brandi Ennis nam na één keer op. Ja, ze had het nieuws gezien. Ja, ze wilde praten. Meteen? Bij haar thuis was prima. Ze gaf haar adres.

‘We zijn er over een kwartier,’ verzekerde D.D. de vrouw, die zo te horen al wat ouder was. Toen waren zij en Bobby op weg.

Twaalf minuten later kwamen D.D. en Bobby tot stilstand voor een log flatgebouw. Afgebladderde raamkozijnen. Afbrokkelend beton op het bordes.

D.D. concludeerde dat er mensen met een laag inkomen in het gebouw woonden en dat zelfs dat voor de meeste bewoners hoog gegrepen was.

Voor het gebouw speelden een paar kinderen in de sneeuw. Ze probeerden een treurig ogende sneeuwpop te maken. Toen ze twee politiemensen uit hun auto zagen stappen, renden ze meteen naar binnen. D.D. trok een grimas. Er waren talloze uren geïnvesteerd in het leggen van contact met de buurt, maar de nieuwe generatie wantrouwde de politie nog net zo erg als de vorige. Het maakte het leven er voor geen van hen gemakkelijker op.

Mevrouw Ennis woonde op de eerste verdieping, in flat 2C. Bobby en D.D. namen de trap naar boven en klopten zachtjes op de houten deur, die vol krassen zat. Mevrouw Ennis deed al open voordat D.D. haar hand had laten zakken. Het was duidelijk dat ze op hen had staan wachten.

Ze gebaarde dat ze binnen konden komen in haar kleine maar nette eenkamerappartement. Keukenkastjes links, keukentafel rechts, recht voor hen een bruine slaapbank met bloemetjesmotief. Het geluid van de televisie, die op de magnetron stond, schalde door het vertrek. Het duurde even voordat mevrouw Ennis de kamer door was en het toestel had uitgezet. Toen vroeg ze vriendelijk of ze thee of koffie wilden.

D.D. en Bobby sloegen het aanbod beleefd af, maar mevrouw Ennis ging toch in de weer bij de kastjes. Ze zette een ketel water op en pakte een trommel met wafeltjes.

Ze was al op leeftijd, waarschijnlijk eind zestig, begin zeventig. Ze had kort, staalgrijs haar. Ze droeg een donkerblauw trainingspak over een klein lijfje met afhangende schouders. Haar verweerde handen trilden een beetje toen ze de koektrommel openmaakte, maar haar bewegingen waren kordaat en energiek. Deze vrouw wist wat ze wilde.

D.D. nam een moment de tijd om door de kamer te lopen, voor het geval Sophie op een of andere magische manier met haar tandeloze glimlach op de bank zat, of misschien met eendjes in bad zat te spelen, of zelfs zat weggestopt in de enige kast om zich te verbergen voor haar gewelddadige ouders.

Terwijl ze de kastdeur dichtdeed, zei mevrouw Ennis kalm: ‘Gaat u nu maar zitten, mevrouw. Ik heb het kind hier niet in huis, en dat zou ik haar arme moeder ook nooit aandoen.’

Op haar nummer gezet trok D.D. haar zware winterjas uit en ging zitten. Bobby zat al een wafeltje te eten. D.D. keek verlekkerd naar de koekjes. Toen haar maag zich niet protesterend omkeerde, stak ze voorzichtig een hand uit. Simpel eten als crackers en droge muesli had tot dusver geen problemen opgeleverd. Ze nam een paar voorzichtige hapjes en besloot toen dat ze misschien geluk had, want nu ze erover nadacht, realiseerde ze zich dat ze enorme trek had.

‘Hoe lang kent u Tessa Leoni al?’ vroeg D.D.

Mevrouw Ennis was gaan zitten en klemde een beker thee tussen haar handen. Haar ogen zagen er rood uit, alsof ze had gehuild, maar ze leek nu rustig te zijn. Klaar om te praten.

'Ik heb Tessa zeven jaar geleden leren kennen, toen ze hier in het gebouw kwam wonen. Aan de overkant van de gang, in flat 2D. Ook een studio, al is ze kort na Sophies geboorte verhuisd naar een flat met een slaapkamer.'

'U hebt haar voor Sophies geboorte leren kennen?' vroeg D.D.

'Ja. Ze was drie, vier maanden zwanger. Een klein wijfie met een klein buikje. Ik hoorde een klap en ging de gang op. Tessa had een doos met potten en pannen de trap op proberen te dragen en die was uit elkaar gescheurd. Ik bood aan om te helpen, maar ze zei dat dat niet hoefde. Ik heb toen toch haar braadpan opgeraapt, en zo is het begonnen.'

'Raakten jullie bevriend?' vroeg D.D. om zich ervan te vergewissen dat ze haar goed begreep.

'Ik vroeg haar zo nu en dan te eten en dan nodigde ze mij ook uit. Twee alleenstaande vrouwen in het gebouw. Het was fijn om wat gezelschap te hebben.'

'En ze was dus al zwanger?'

'Ja, mevrouw.'

'Had ze het vaak over de vader?'

'Nooit.'

'En wat kunt u zeggen over vriendjes, haar sociale leven, bezoek van familie?'

'Er was geen familie. Ook geen mannen. Ze werkte in een eetcafé en probeerde geld opzij te leggen voor de geboorte van de baby. Het valt niet mee om in verwachting te zijn als je helemaal alleen bent.'

'Ging ze helemaal niet met mannen om?' drong D.D. aan. 'Misschien ging ze wel eens 's avonds laat uit met vrienden...'

'Ze heeft geen vrienden,' zei mevrouw Ennis stellig.

'Geen vrienden?' herhaalde D.D.

'Dat is niets voor haar,' zei mevrouw Ennis.

D.D. keek even naar Bobby, die ook geïntrigeerd leek door wat hij hoorde.

'Waarom dan niet?' vroeg D.D. na een korte stilte.

'Ze is zelfstandig. Op zichzelf. Haar baby was belangrijk voor haar. Vanaf het begin was dát waar Tessa over praatte en waar ze voor werkte. Ze zag in dat ze het als alleenstaande moeder zwaar zou krijgen. Hier aan deze tafel kwam ze op het idee om bij de politie te gaan.'

'Echt?' vroeg Bobby. 'En waarom de staatspolitie?'

'Ze probeerde vooruit te plannen – het zou lastig zijn om een kind te onderhouden als ze haar hele leven in een eetcafé werkte. Dus begonnen we de mogelijkheden te bespreken. Ze had de middelbare school afgemaakt. Ze zag zichzelf geen administratief werk doen, maar een baan waarbij ze dingen kon ondernemen, actief kon zijn, leek haar wel wat. Mijn zoon was brandweerman geworden. Daar hadden we het over, en voordat ik het wist had Tessa opeens haar zinnen gezet op een baan bij de politie. Ze bekeek personeelsadvertenties en zocht allerlei dingen uit. Het betaalde goed en ze voldeed aan de minimumeisen. Toen kwam ze er natuurlijk achter dat ze naar de academie zou moeten, en dat schrok haar af. Dat was het moment waarop ik zei dat ik wel wilde oppassen. Ik had de kleine Sophie nog nooit ontmoet, maar ik zei dat ik voor haar zou zorgen. Als Tessa zo ver wist te komen met de opleiding, zou ik bijspringen door op te passen.'

D.D. keek naar Bobby. 'Hoe lang duurt de opleiding op de academie van de staatspolitie ook alweer?'

'Vijfentwintig weken,' antwoordde hij. 'Je woont er intern en mag alleen in de weekends naar huis. Niet makkelijk voor een alleenstaande moeder.'

'We redden ons anders prima,' zei mevrouw Ennis stijfjes. 'Tessa rondde vóór de bevalling haar sollicitatie af. Ze werd toegelaten en werd ingeschreven voor de eerstvolgende rekrutenklas. Sophie was toen negen maanden. Ik weet dat Tessa nerveus was. Dat was ik ook. Maar het was ook heel spannend.' De oudere vrouw keek D.D. met stralende ogen aan. 'Bent u alleenstaand? Hebt u zelf kinderen? Het is heel inspirerend om aan een nieuw hoofdstuk in je leven te beginnen, om een risico te nemen waardoor jij en je kind een hele nieuwe toekomst kunnen krijgen. Tessa was altijd al serieus, maar nu ging ze er echt helemaal voor. Ze wist waar ze aan begon, als alleenstaande moeder die bij de politie wilde. Maar ze geloofde ook dat het voor haar en Sophie het beste was als ze zou proberen om bij de politie te komen. Ze twijfelde geen moment. En als die vrouw eenmaal iets in haar hoofd heeft...'

'Een alleenstaande, toegewijde moeder,' mompelde D.D.

'Héél toegewijd.'

'Liefdevol?'

'Altijd!' zei mevrouw Ennis vol overtuiging.

'Bent u op haar diploma-uitreiking geweest?' vroeg Bobby.

'Ik heb er zelfs een nieuwe jurk voor gekocht,' bevestigde mevrouw Ennis.

'Kwamen er nog andere mensen voor haar?'

'Nee, alleen wij.'

'Ze moet meteen zijn begonnen met surveilleren,' ging Bobby verder. 'Dat betekende dat ze nachtdiensten moest draaien en dan thuiskwam bij een klein kind...'

'Ze wilde Sophie op een kinderdagverblijf doen, maar daar wilde ik niets van weten. Sophie en ik redden ons prima toen Tessa op de academie zat. Het was voor mij een fluitje van een cent om naar de andere kant van de gang te lopen en bij Tessa op de slaapbank te slapen in plaats van op mijn eigen bank. En als Sophie wakker werd, nam ik haar mee naar mijn flat, zodat Tessa even kon rusten. Het was echt geen moeite om Sophie een paar uur bezig te houden. Hemeltjelief, wat een kind... Altijd lachen en giechelen en kusjes en knuffels. We zouden allemaal een kleine Sophie in ons leven moeten hebben.'

'Een blij, tevreden kind dus?' vroeg D.D.

'En grappig en uitgelaten. Een heerlijke meid. Mijn hart brak bijna toen ze verhuisden.'

'Wanneer was dat?'

'Toen ze haar man leerde kennen, Brian. Sophie en zij waren gelijk helemaal weg van hem. Echt een charmeur. Hij was wel het minste wat Tessa had verdiend nadat ze het zo lang in haar eentje had moeten rooien. En dat geldt ook voor Sophie. Elk meisje moet de kans krijgen om papa's kleine prinsesje te zijn.'

'Mocht u Brian Darby graag?' vroeg D.D.

'Ja,' antwoordde mevrouw Ennis, maar ze klonk nu duidelijk gereserveerder.

'Hoe hebben ze elkaar leren kennen?'

'Via het werk, dacht ik. Brian was bevriend met een andere agent van de staatspolitie.'

D.D. keek naar Bobby, die knikte en een aantekening maakte.

'Was hij hier vaak?'

Mevrouw Ennis schudde haar hoofd. 'Te klein. Het was makkelijker voor ze om naar hem toe te gaan. Er is een periode geweest dat ik Tessa en Sophie weinig meer zag. En ik was blij voor haar, natúúrlijk. Maar...' Mevrouw Ennis zuchtte. 'Ik heb zelf geen kleinkinderen. Sophie is als een eigen kleinkind voor me, en ik mis haar.'

'Maar u springt toch nog steeds bij?'

'Als Brian op zee is. In die maanden ga ik naar ze toe en dan slaapt Sophie bij mij, net als vroeger. 's Morgens haal ik haar van school. Ik word ook gebeld in noodgevallen, omdat Tessa door haar werk niet altijd meteen kan komen. Dus als de school dicht is door de sneeuw of als Sophie zich niet zo lekker voelt, dan zorg ik voor haar. En ik vind het niet erg. Zoals ik al zei, het voelt alsof Sophie mijn eigen kind is.'

D.D. tuitte haar lippen en keek de oudere vrouw aandachtig aan.

'Hoe zou u Tessa als moeder beschrijven?' vroeg ze.

'Ze heeft alles voor Sophie over,' antwoordde mevrouw Ennis meteen.

'Drinkt ze wel eens?'

'Nee, mevrouw.'

'Het lijkt me anders best zwaar om eerst te werken en dan thuis te komen bij je kind. Als ik het zo hoor, had ze nooit een moment voor zichzelf.'

'Ik heb haar nooit horen klagen,' zei mevrouw Ennis koppig.

'Bent u wel eens gebeld omdat Tessa gewoon een slechte dag had en even behoefte had aan een onderbreking?'

'Nee, mevrouw. Als ze niet werkte, wilde ze bij haar dochter zijn. Sophie is alles voor haar.'

'Tot ze haar man leerde kennen.'

Mevrouw Ennis was even stil. 'Wilt u een eerlijk antwoord?'

'Graag.'

'Volgens mij hield Tessa van Brian omdat Sophie van hem hield. Want Brian en Sophie konden goed met elkaar opschieten, in elk geval in het begin.'

'In het begin?' drong D.D. aan.

Mevrouw Ennis zuchtte en keek omlaag naar haar thee. 'Het huwelijk...' zei ze, en achter die woorden ging een wereld van emoties schuil. 'Mensen beginnen er altijd zo enthousiast aan...' Ze zuchtte opnieuw. 'Ik kan natuurlijk niet zeggen wat zich achter gesloten deuren afspeelt.'

'Maar...' drong D.D. opnieuw aan.

'In het begin maakten Brian en Tessa en Sophie elkaar gelukkig. Tessa kwam thuis met verhalen over wandelingen en picknicks en fietstochten en barbecues, allemaal leuke dingen. Ze hadden het prima naar hun zin samen. Maar het huwelijk is meer dan vermaak. Brian ging varen en dan zat Tessa in een huis met een tuin met een kapotte grasmaaier of een kapotte bladblazer en dan moest zij alles zelf zien op te lossen omdat hij weg was, en huizen moeten ook onderhouden worden, net als kleine kinderen en honden en banen bij de politie. Ik zag haar... ik zag haar uitgeput raken. Ik denk wel dat het leven met Brian beter was als hij thuis was. Maar het leven werd een stuk zwaarder als Brian weg was. Ze kreeg meer op haar bordje dan toen ze nog alleen met Sophie in een kleine studio woonde.'

D.D. knikte. Daar zat wel wat in. Dat zij zelf geen tuin, plant of zelfs maar een goudvis bezat, had een reden.

'En hoe was het voor Brian?'

'Hij heeft mij natuurlijk nooit in vertrouwen genomen,' zei mevrouw Ennis.

'Nee, dat begrijp ik.'

'Maar uit opmerkingen van Tessa maakte ik op... Hij moest hard werken op zee. Vierentwintig uur per dag, zeven dagen per week, en nooit een vrije dag. Dus wanneer hij thuiskwam, ging hij niet meteen klussen of het gras maaien en zorgde hij zelfs niet voor Sophie.'

'Hij wilde leuke dingen doen,' zei D.D.

'Die man had wat tijd nodig om te ontspannen. Tessa paste haar rooster aan zodat ik de eerste week als hij thuis was nog steeds 's morgens Sophie kwam helpen. Maar dat stond Brian ook niet aan; hij zei dat hij zich niet kon ontspannen als ik bij ze in huis was. Dus gingen we het weer op de oude manier doen. Ze deden hun best,' zei mevrouw Ennis op ernstige toon. 'Maar hun werk maakte het zwaar. Als Tessa moest werken kon ze daar niet onderuit, en ze kwam niet altijd op de afgesproken tijd thuis. En dan verdween Brian twee maanden en vervolgens was hij weer twee maanden thuis... Volgens mij was het voor geen van beiden makkelijk.'

'Hebt u ze wel eens ruzie horen maken?' vroeg D.D.

Mevrouw Ennis staarde naar haar thee. 'Geen ruzie... Ik kon de spanning voelen. Soms was Sophie... als Brian thuiskwam, was ze een paar dagen opvallend stil. Als hij dan weer vertrok, leefde ze op. Een vader die komt en gaat, dat is voor een kind niet makkelijk te begrijpen. En de stress van het huishouden... Kinderen voelen dat.'

'Heeft hij haar wel eens geslagen?'

'O nee! En als ik daar ook maar het geringste vermoeden van had gehad, zou ik het persoonlijk hebben gemeld.'

'Aan wie?' vroeg D.D. nieuwsgierig.

'Aan Tessa natuurlijk.'

'Sloeg hij háár wel eens?'

Mevrouw Ennis aarzelde. D.D. keek de vrouw met hernieuwde belangstelling aan.

'Dat weet ik niet,' zei die.

'Dat weet u niet?'

'Soms zag ik een blauwe plek. Een paar keer, niet zo lang geleden, leek Tessa een beetje mank te lopen. Maar toen ik haar ernaar vroeg, zei ze dat ze van de traptreden was gevallen omdat er ijs op lag, of dat ze een ongelukje had gehad met het skiën. Het is een actief gezin. Actieve mensen lopen wel eens een blessure op.'

'Maar Sophie niet.'

'Sophie niet!' zei mevrouw Ennis fel.

'Want dan zou u hebben ingegrepen.'

Voor het eerst trilde de mond van mevrouw Ennis. Ze ontweek D.D.'s blik, en op dat moment zag D.D. dat de vrouw zich schaamde.

'U vermoedde wel dat hij haar sloeg,' zei D.D. op neutrale toon. 'U was bang dat Tessa werd mishandeld door haar man en u greep niet in.'

'Zes, acht weken geleden... Het was duidelijk dat er iets was gebeurd, ze liep moeilijk, maar ze weigerde het toe te geven. Ik probeerde het ter sprake te brengen...'

'Wat zei ze?'

'Dat ze voor het huis van de trap was gevallen. Ze was vergeten te strooien, het was allemaal haar schuld...' Mevrouw Ennis tuitte haar lippen, duidelijk sceptisch. 'Ik wist niet wat ik ervan moest denken,' zei de oudere vrouw ten slotte. 'Tessa is een agent. Ze heeft een opleiding gevolgd, ze draagt een pistool bij zich. Ik hield mezelf voor dat ze het me zou vertellen als ze hulp nodig had. Of anders een collega. Ze zit de hele dag bij de politie. Dan zou ze toch wel om hulp vragen?'

Dat is de grote vraag, dacht D.D. Aan Bobby's blik kon ze zien dat hij hetzelfde dacht. Hij leunde naar voren om de aandacht van mevrouw Ennis te trekken.

'Had Tessa het wel eens over Sophies biologische vader? Heeft hij misschien onlangs contact met haar opgenomen, of belangstelling voor zijn kind getoond?'

Mevrouw Ennis schudde haar hoofd. 'Tessa had het nooit over hem. Ik ben er altijd van uitgegaan dat het die man niet interesseerde dat hij vader was. Tessa zei dat hij iets beters had kunnen krijgen, en daar liet ze het bij.'

'Heeft Tessa het er wel eens over gehad dat ze zich zorgen maakte over een arrestatie die ze had verricht?'

Mevrouw Ennis schudde haar hoofd.

'En problemen op het werk, misschien met een collega? Het was vast niet makkelijk om de enige vrouw te zijn op bureau Framingham.'

Mevrouw Ennis schudde opnieuw haar hoofd. 'Ze had het nooit over haar werk. Tegen mij niet in elk geval. Maar Tessa was wel trots op haar werk. Dat kon ik zien, gewoon door de manier waarop ze elke avond op surveillance ging. Misschien heeft ze voor de staatspolitie gekozen omdat ze dacht dat dat goed was voor haar kind, maar het was ook goed voor haar. Een stevige baan voor een stevige vrouw.'

'Denkt u dat ze haar man kan hebben doodgeschoten?' vroeg D.D. op de man af.

Mevrouw Ennis gaf geen antwoord.

'En als hij haar kind iets zou hebben aangedaan?'

Als door een adder gebeten keek mevrouw Ennis op. 'Hemeltjelief, u wilt toch niet zeggen...' Ze sloeg haar hand voor haar mond. 'Denkt u dat Brian Sophie om het leven heeft gebracht? Denkt u dat ze dood is? Maar dat Amber Alert... Ik dacht dat ze alleen maar vermist werd. Misschien is ze weggelopen door alle opschudding...'

'Welke opschudding?'

'Op het nieuws zeiden ze dat er een voorval had plaatsgevonden waarbij één dode was gevallen. Ik dacht dat er misschien was ingebroken en dat er een vechtpartij was geweest. Misschien is Sophie gevlucht om zichzelf in veiligheid te brengen.'

'Wie zou er moeten inbreken?' vroeg D.D.

'Weet ik niet. Dit is Boston. Inbrekers, bendes... Die dingen gebeuren.'

'Er zijn geen sporen van een inbraak,' zei D.D. zacht, en ze gaf mevrouw Ennis even de tijd om dat nieuws te laten doordringen. 'Tessa heeft bekend dat ze haar man heeft neergeschoten. Wat we proberen vast te stellen is wat daartoe heeft geleid en wat er met Sophie is gebeurd.'

'Hemeltjelief. O... o...' Mevrouw Ennis verplaatste haar handen van haar mond naar haar ogen. Daar waren de tranen al. 'Maar ik had nooit gedacht... Ook al had Brian... wel eens een driftbui, ik had nooit gedacht dat het zo erg was geworden. Ik bedoel, hij ging toch weg? Als het allemaal zo erg was, waarom gingen Tessa en Sophie dan niet gewoon bij hem weg toen hij op zee was? Ik zou hebben geholpen. Dat moet ze geweten hebben!'

'Dat is een heel goede vraag,' zei D.D. zacht. 'Waarom gingen zij en Sophie niet gewoon weg toen hij eenmaal op zee was?'

'Had Sophie het wel eens over school?' vroeg Bobby. 'Leek ze het daar naar haar zin te hebben, of had ze er een beetje moeite mee?'

'Sophie vond het heerlijk op school. Ze zat in groep drie, bij juf DiPace. Ze was net begonnen met echte boekjes lezen, met een beetje hulp. Het is een slimme meid. En ook een lieve meid. Ik kan... ik kan u de naam geven van het schoolhoofd en de leraren; ik heb de hele schoollijst hier omdat ik haar zo vaak naar school bracht. Iedereen zegt alleen maar geweldige dingen over haar, en hemeltjelief, ik...'

Mevrouw Ennis was opgestaan en liep een rondje voordat ze zich leek te herinneren wat ze ging doen. Ze ging naar een bijzettafeltje naast de bank, deed de bovenste la open en begon er papieren uit te halen.

'Wat kunt u zeggen over buitenschoolse activiteiten?' vroeg D.D.

'Ze hadden elke maandag een knutselgroepje na school. Sophie vond het geweldig.'

'Geven ouders zich daarvoor op als vrijwilliger?' probeerde Bobby.

D.D. knikte, omdat ze snapte waarom hij het vroeg: ouders van wie ze de achtergrond konden natrekken.

Mevrouw Ennis draaide zich weer naar hen toe, met verscheidene papieren in haar hand: een schoolkalender, contactinformatie, een telefoonboom met nummers van andere ouders die gebruikt werd op dagen dat er vanwege de sneeuw geen school was.

'Kunt u iemand bedenken die Sophie iets zou willen aandoen?' vroeg D.D. zo voorzichtig als ze kon.

Mevrouw Ennis schudde haar hoofd. Ze keek nog steeds geschokt.

'Hebt u enig idee waar ze zich zou kunnen verstoppen als ze wegliep?'

'In de boom,' antwoordde mevrouw Ennis meteen. 'Als ze even alleen wilde zijn, klom ze altijd in de grote eik in de achtertuin. Tessa zei dat zij dat als kind ook altijd deed.'

Bobby en D.D. knikten. Ze hadden de kale boom al bekeken, maar Sophie had niet tussen de takken verscholen gezeten.

'Hoe gaat u naar het huis?' vroeg D.D. terwijl zij en Bobby opstonden.

'Met de bus.'

'Is Sophie wel eens met u meegereden? Weet ze hoe het openbaar vervoer werkt?'

'We zijn een paar keer met de bus gegaan. Ik denk niet dat ze weet hoe...' Mevrouw Ennis zweeg en haar donkere ogen begonnen te stralen. 'Maar ze kan wel met geld omgaan. De laatste paar keer dat we met de bus gingen, telde zij het geld uit. En ze is heel avontuurlijk. Als ze om welke reden dan ook zou denken dat ze met de bus moest, zou ik het haar wel alleen zien proberen.'

'Dank u wel, mevrouw Ennis. Als u nog iets anders te binnen schiet...' D.D. gaf de vrouw haar kaartje.

Bobby had de deur al geopend. Terwijl D.D. de gang op liep draaide hij zich op het laatste moment om.

'U zei dat een andere agent Tessa en Brian met elkaar in contact heeft gebracht. Kunt u zich nog herinneren wie dat was?'

'O, het was op een barbecue...' Mevrouw Ennis zocht haar geheugen af. 'Shane. Zo noemde Tessa hem. Ze was bij Shane thuis geweest.'

Bobby bedankte de vrouw en liep achter D.D. aan de trap af.

'Wie is Shane?' vroeg D.D. zodra ze buiten waren. Ze ademden ijswolkjes uit en trokken hun handschoenen aan.

'Ik vermoed dat het Shane Lyons is, een agent van bureau Framingham.'

'De vakbondsman!' zei D.D.

'Inderdaad. En ook de agent die de eerste melding heeft gedaan.'

'Dan is hij de volgende die we gaan ondervragen.' D.D. keek naar de verre horizon en voor het eerst viel het haar op dat het daglicht nu snel afnam. Ze kreeg een wee gevoel in haar buik. 'O nee. Bobby... Het is bijna donker!'

'Dan moeten we sneller gaan werken.'

Bobby liep naar de auto. D.D. kwam vlug achter hem aan.

10

Ik droomde. Op een of andere vage manier wist ik dat ik droomde, maar ik schrok niet wakker. Ik herkende de herfstmiddag, de gouden flarden van een herinnering, en ik wilde daar niet weg. Ik was samen met mijn man en mijn kind. We waren bij elkaar, en we waren gelukkig.

In mijn droom/herinnering is Sophie vijf. Haar donkere haren zitten bij elkaar gebonden tot een paardenstaart onder haar helm terwijl ze op haar roze fiets met grote witte zijwielen door het park in de buurt rijdt. Brian en ik komen achter haar aan en houden elkaars hand vast. Brian heeft een ontspannen gezicht en ontspannen schouders. Het is een prachtige dag in Boston, de zon schijnt, de bladeren zijn vlammend bruinrood en het leven is goed.

Sophie bereikt de top van een heuveltje. Ze wacht tot we haar hebben ingehaald, want ze wil publiek. Dan zet ze zich met een gilletje af tegen het wegdek en schiet met haar fiets de kleine helling af, trappend als een razende om zo snel mogelijk te gaan.

Ik schud mijn hoofd om de wilde capriolen van mijn dochter. Het maakt niet uit dat mijn maag zich samentrok zodra ze wegreed. Ik weet heel goed dat ik niets moet laten merken. Mijn nervositeit moedigt haar alleen maar aan. 'Mama de stuipen op het lijf jagen' is een lievelingsspelletje van haar en Brian.

'Ik wil sneller!' deelt Sophie onder aan de heuvel mee.

'Dan moet je een hogere heuvel zoeken,' zegt Brian.

Ik kijk ze allebei geërgerd aan. 'Dat was snel genoeg, jongens.'
'Ik wil mijn zijwieltjes eraf.'
Het duurt even voor ik iets uit weet te brengen. 'De zíjwieltjes eraf?'
'Ja.' Sophie is onvermurwbaar. 'Ik wil rijden als een groot meisje. Op twee wielen. Dan ga ik sneller.'
Ik weet niet wat ik ervan moet denken. Hoe oud was ik toen ik zonder kinderwieltjes mocht rijden? Vijf, zes, ik weet het niet meer. Waarschijnlijk al eerder, ik was altijd een wildebras. Hoe kan ik het Sophie dan kwalijk nemen dat ze net zo in elkaar zit?
Brian staat al bij Sophies fiets om te bekijken hoe de wieltjes vastzitten.
'Daar heb ik gereedschap voor nodig,' deelt hij mee, en zo snel is het geregeld. Brian loopt naar huis om moersleutels te halen, Sophie racet het park door en verkondigt aan iedereen die ze tegenkomt en minstens zes eekhoorns dat ze op twee wielen gaat rijden. Iedereen is onder de indruk, vooral de eekhoorns, die naar haar kwetteren voordat ze zich een boom in haasten.
Brian is binnen een kwartier terug. Hij moet het hele stuk naar huis en weer terug gerend hebben, en ik word overspoeld door een gevoel van dankbaarheid. Omdat hij zoveel van Sophie houdt. Omdat hij de impulsiviteit van een vijfjarig meisje zo goed begrijpt.
Het blijkt een koud kunstje om de zijwielen te verwijderen. Binnen een paar minuten heeft Brian ze in het gras gegooid en zit Sophie weer op haar fiets, met haar voeten stevig op de grond terwijl ze het riempje van haar rode helm vastmaakt en gewichtig naar ons kijkt.
'Ik ben klaar,' laat ze weten.
En ik denk, met mijn hand tegen mijn maag gedrukt: *Maar ik niet.* Echt niet. Was het niet nog maar gisteren dat ze als klein baby'tje in de holte van mijn schouder paste? Of dat ze haar eerste onstuimige stap deed toen ze een dreumes van tien maanden was? Hoe is ze zo groot geworden en waar zijn al die jaren gebleven en hoe krijg ik ze terug?
Ze is alles voor me. Wat moet ik als ze valt?

Brian doet al een stap naar voren. Hij zegt tegen Sophie dat ze op haar zadel moet gaan zitten. Hij houdt met zijn ene hand het stuur recht en met de andere de achterkant van het bananenzadel.

Sophie gaat zitten, met beide voeten op de trappers. Ze ziet er zowel ernstig als fanatiek uit. Ze gaat dit klusje klaren, de vraag is alleen hoe vaak ze zal vallen voordat ze het onder de knie heeft.

Brian praat tegen haar. Hij mompelt instructies die ik niet kan verstaan, omdat het makkelijker is als ik een beetje op afstand blijf van wat er zo gaat gebeuren. Moeders houden vast, vaders laten los. Misschien werkt het nou eenmaal zo.

Ik probeer me weer te herinneren hoe het was om voor de eerste keer zonder zijwieltjes te rijden. Hielp mijn vader me? Kwam mijn moeder naar buiten om er getuige van te zijn? Ik weet het niet meer, al zou ik dat wel willen: een herinnering hebben aan mijn vader die me advies gaf, aan mijn ouders die aandacht voor me hadden.

Maar ik herinner me niets. Mijn moeder is dood en mijn vader heeft me tien jaar geleden duidelijk gemaakt dat hij me nooit meer wilde zien.

Hij weet niet dat hij een kleinkind heeft dat Sophie heet. Hij weet niet dat zijn enige kind bij de staatspolitie werkt. Zijn zoon is dood. Zijn dochter heeft hij afgedankt.

Brian houdt Sophie vast. De fiets wiebelt een beetje. Ze is nerveus. Of misschien hij wel. Ze zijn allebei gespannen en geconcentreerd. Ik blijf aan de zijlijn staan, niet in staat om een woord uit te brengen.

Sophie begint te trappen. Naast haar begint Brian te rennen, met zijn handen op de fiets, om Sophie te helpen om in evenwicht te blijven terwijl ze steeds sneller gaat. Sneller en sneller en sneller.

Ik hou mijn adem in en heb beide handen tot vuisten gebald. Godzijdank heeft ze een helm op. Dat is het enige wat ik kan denken. Godzijdank heeft ze een helm op, en waarom heb ik mijn kind niet helemaal ingepakt in bubbeltjesplastic voordat ik haar op die fiets liet stappen?

Brian laat haar los.

Sophie schiet met krachtige trappen vooruit. Een meter, twee meter, drie meter. Dan kijkt ze op het laatste moment naar beneden en lijkt het tot haar door te dringen dat Brian niet meer naast haar mee rent, dat ze er echt alleen voor staat. Meteen daarna draait het stuur en valt ze. Ze slaakt een schreeuw van schrik en dan hoor ik een harde klap.

Brian is al bij haar en zit op zijn knieën naast haar voordat ik drie stappen heb kunnen doen. Hij bevrijdt Sophie van haar fiets, helpt haar overeind en controleert haar armen en benen.

Sophie huilt niet. In plaats daarvan draait ze zich naar mij toe terwijl ik over het fietspad naar haar toe kom rennen.

'Zág je me?' gilt mijn uitzinnige kind. 'Zág je me, mama?'

'Ja, ja, ja,' zeg ik snel om haar gerust te stellen, en dan ben ik eindelijk bij haar en kan ik controleren of mijn kind gewond is. Ze heeft geen schrammetje, maar ik ben twintig jaar ouder geworden.

'Nog een keer!' eist mijn kind.

Brian lacht als hij haar fiets rechtzet en haar helpt om weer op te stappen. 'Je bent gek,' zegt hij hoofdschuddend tegen haar.

Sophie straalt alleen maar.

Aan het eind van de middag zoeft ze door het park en zijn de zijwieltjes nog maar een vage herinnering. Brian en ik kunnen niet meer achter haar aan lopen; ze is te snel voor ons. Daarom gaan we maar op een picknicktafel zitten, waar we naar haar kunnen kijken terwijl ze uitgelaten haar rondjes fietst.

We houden elkaars hand weer vast en leunen met onze schouders tegen elkaar aan terwijl Sophie langs stuift.

'Dank je,' zeg ik.

'Ze is niet goed bij haar hoofd,' antwoordt hij.

'Ik geloof niet dat ik dat had gekund.'

'Ha, mijn hart gaat nog steeds tekeer.'

Dat verrast me zo dat ik recht ga zitten om hem aan te kijken. 'Was je bang?'

'Maak je een grapje? Die eerste keer dat ze viel!' Hij schudde zijn hoofd. 'Je hoort nooit van iemand hoe eng het is om een kind te hebben. En dit is nog maar het begin. Straks wil ze een stuntfiets, weet je. Ze zal van trappen af rijden en op het stuur gaan staan. Ik zal van dat spul voor mannen nodig hebben, hoe heet het ook alweer, tegen grijze haren?'

'Just for Men?'

'Precies. Als we thuis zijn, bestel ik gelijk een hele doos.'

Ik moet lachen. Hij slaat zijn arm om mijn schouders.

'Ze is echt bijzonder,' zegt hij, en ik kan alleen maar knikken, omdat hij helemaal gelijk heeft. Ze is Sophie en ze is het beste wat ons allebei ooit is overkomen.

'Sorry van afgelopen weekend,' zegt Brian een poosje later.

Ik knik tegen zijn schouder en aanvaard zijn excuses zonder hem aan te kijken.

'Ik weet niet wat me bezielde,' vervolgt hij. 'Ik ging denk ik helemaal op in het moment. Het zal niet meer gebeuren.'

'Het is goed,' zeg ik, en ik meen het. In dit stadium van het huwelijk neem ik nog genoegen met zijn verontschuldigingen. In dit stadium van het huwelijk geloof ik nog in hem.

'Ik denk erover om naar een sportschool te gaan,' zegt Brian. 'Ik heb tijd genoeg, en ik dacht dat ik die tijd zou kunnen gebruiken om wat aan mijn conditie te doen.'

'Je conditie is prima.'

'Ja. Maar ik wil weer gaan gewichtheffen. Dat heb ik al niet meer gedaan sinds ik studeerde. En laten we eerlijk zijn.' Sophie scheurt langs onze picknicktafel. 'Met die snelheid van haar zal ik al mijn kracht nodig hebben om haar bij te houden.'

'Wat jij wil,' zeg ik tegen hem.

'Hé, Tessa.'

'Wat?'

'Ik hou van je.'

In mijn droom/herinnering glimlach ik en sla ik mijn armen om het middel van mijn man. 'Hé, Brian. Ik ook van jou.'

Met een schok werd ik wakker, van een hard geluid dat me losrukte uit het gouden verleden en me terugbracht naar het steriele heden.

Die middag, het geluid van Sophies schaterende, uitbundige lach. De stilte voor de storm, alleen wist ik dat toen nog niet.

Die middag waren Brian en ik thuisgekomen met een uitgeput kind. We hadden haar vroeg naar bed gebracht. Toen, na een overvloedige maaltijd, hadden we gevreeën en ik was in slaap gevallen met de gedachte dat ik de gelukkigste vrouw ter wereld was.

Pas een jaar later zou ik weer tegen mijn man zeggen dat ik van hem hield. Vervolgens zou hij sterven op onze pas geboende keukenvloer, met zijn borst vol kogels uit mijn pistool, zijn gezicht een treurige spiegel van mijn eigen berouw.

In de seconden daarvoor rende ik door het huis, haalde ik het huis overhoop, zocht ik wanhopig naar de dochter die ik nog niet had gevonden.

Er drongen meer geluiden door tot mijn bewustzijn. Verre piepjes, snelle voetstappen, iemand die ergens om schreeuwde. Ziekenhuisgeluiden. Hard, onophoudelijk. Dringend. Ze brachten me definitief terug naar het heden. Geen man. Geen Sophie. Alleen ik, in mijn eentje in een ziekenhuiskamer, terwijl ik de tranen van mijn gezicht veegde.

Opeens drong het tot me door dat ik iets in mijn linkerhand had. Ik deed mijn hand omhoog zodat ik het met mijn ene goede oog kon bekijken.

Ik realiseerde me dat het een knoop was. Met een doorsnede van ruim een centimeter. Door de dubbele gaatjes stak nog een gerafeld marineblauw draadje. Zou van een broek kunnen zijn, of een bloes, of misschien wel een politie-uniform.

Maar dat was niet zo. Ik had de knoop al herkend op het moment dat ik hem zag. Ik kon zelfs de tweede knoop voor me zien die ernaast genaaid had moeten zitten, twee plastic rondjes die de blauwe ogen van de lievelingspop van mijn dochter vormden.

En even was ik zo kwaad, was ik zo vol woede dat mijn knokkels wit werden en ik geen woord kon uitbrengen.

Ik smeet de knoop weg en hij vloog tegen het gordijn dat om mijn bed hing. Ik had er meteen spijt van dat ik zoiets impulsiefs had gedaan. Ik wilde hem terug. Ik móést hem terug hebben. Ik werd erdoor verbonden met Sophie. Een van de weinige dingen waardoor ik met haar verbonden was.

Ik probeerde rechtop te gaan zitten, met de bedoeling de knoop weer te pakken. Meteen kwam de achterkant van mijn schedel brullend tot leven en begon mijn wang te kloppen en ontzettend veel pijn te doen. De kamer deinde heen en weer, zo hard dat ik er misselijk van werd, en ik voelde dat mijn hartslag omhoogschoot door de plotselinge, folterende pijn.

Verdomme, verdomme, verdomme.

Ik dwong mezelf te gaan liggen en rustig adem te halen. Na een tijdje kwam het plafond weer tot rust en kon ik slikken zonder te kokhalzen. Ik lag roerloos stil en was me heel goed bewust van mijn kwetsbaarheid, van de zwakheid die ik me niet kon veroorloven.

Dit was natuurlijk de reden waarom mannen vrouwen sloegen. Om te bewijzen dat ze fysiek superieur waren. Om te laten zien dat ze groter en sterker waren dan wij en dat dat nooit zou veranderen, ook al trainden we tot we een ons wogen. Zij waren het dominante geslacht. We konden ons net zo goed nu meteen onderwerpen en overgeven.

Alleen had ik geen klap op mijn kop met een bierflesje nodig om mijn fysieke beperkingen in te zien. Ik hoefde niet met een behaarde vuist in mijn gezicht te worden geramd om te begrijpen dat je de strijd soms niet kon winnen. Ik had altijd al moeten leren leven met het feit dat ik kleiner en kwetsbaarder was dan anderen. Toch had ik de academie overleefd. Toch had ik vier jaar surveillancediensten gedraaid, als een van de weinige vrouwelijke agenten van de staatspolitie.

En toch had ik, helemaal in mijn eentje, het leven geschonken aan een prachtige dochter.

Me onderwerpen? Nóóit. Me overgeven? Nóóit.

Ik huilde weer. Ik schaamde me voor mijn tranen. Ik veegde weer langs mijn goede wang, voorzichtig, om mijn blauwe oog niet aan te raken.

Vergeet die hele riem, hadden onze instructeurs op de eerste dag van onze training op de academie tegen ons gezegd. De twee waardevolste instrumenten waarover een agent beschikt, zijn het hoofd en de mond. Denk strategisch, spreek weloverwogen en je kunt elke persoon, elke situatie aan.

En dat was wat ik nodig had: dat ik de situatie weer in de hand kreeg, omdat de rechercheurs uit Boston snel zouden terugkomen en dan was ik waarschijnlijk verloren.

Denk strategisch. Oké. Hoe laat is het?

Vier, vijf uur?

Zo meteen zou de avond vallen en zou het donker worden.

Sophie...

Mijn handen trilden. Ik verzette me tegen de zwakheid.

Denk strategisch.

Ik zit vast in een ziekenhuis. Ik kan niet vluchten, ik kan me niet verstoppen, ik kan niet aanvallen, ik kan me niet verdedigen. Ik moet een stap verder zien te komen. Denk strategisch. Spreek weloverwogen.

Ze konden de pot op met hun voorzichtigheid.

Ik moest weer aan Brian denken, aan die herfstmiddag, en aan de manier waarop je een man tegelijkertijd kunt liefhebben en vervloeken. Ik wist wat me te doen stond.

Ik tastte naar de telefoon naast het bed en draaide het nummer.

'Ik wil graag met Ken Cargill spreken. Mijn naam is Tessa Leoni, ik ben een cliënt van hem. Zegt u maar tegen hem dat ik iets moet regelen voor het lichaam van mijn man. Nu meteen.'

11

Shane Lyons was bereid Bobby en D.D. na zessen te spreken op het hoofdbureau van de BPD. Dat gaf hun genoeg tijd om ergens een hapje te eten. Bobby bestelde een reusachtige sandwich met een dubbele portie van alles en nog wat. D.D. hield het bij een kom kippensoep met noedels die rijkelijk was bestrooid met verkruimelde crackertjes.

In de hoek van de broodjeszaak stond keihard een tv aan met het journaal van vijf uur, dat opende met de schietpartij in Allston-Brighton en de verdwijning van Sophie Marissa Leoni. Het scherm werd gevuld door het gezicht van het meisje, met haar heldere blauwe ogen en de brede tandeloze glimlach. Onder de foto kwam het nummer voorbij dat mensen konden bellen. Er werd een beloning van 25.000 dollar uitgeloofd voor tips die ertoe zouden kunnen leiden dat ze werd gevonden.

D.D. kon het niet opbrengen om te kijken. Dat zou haar te veel deprimeren.

Het was nu acht uur na de eerste melding en ze boekten te weinig vooruitgang. Eén buurtbewoner had gezegd dat hij Brian Darby even na vieren 's middags de vorige dag had zien wegrijden in zijn witte GMC Denali. Daarna was Brian nergens meer gesignaleerd. Er waren geen gesprekken met de vaste telefoonlijn geregistreerd en er stonden geen berichten op zijn mobieltje. Niemand had enig idee waar Brian Darby naartoe was gegaan, wat hij had gedaan of bij wie hij misschien langs was gegaan.

Dat bracht hen bij de zesjarige Sophie. Gisteren was het zaterdag geweest. Geen school, geen speelafspraakjes, er was niemand gesignaleerd in de tuin, niemand was opgenomen door camera's in de buurt en via het speciale telefoonnummer waren er geen magische tips binnengekomen. Vrijdag was Sophie om drie uur opgehaald bij school. Wat er daarna was gebeurd, was één groot raadsel.

Tessa Leoni had zich zaterdagavond om elf uur 's avonds gemeld voor haar nachtdienst. Drie buren hadden haar surveillancewagen zien wegrijden, en een van hen had hem de volgende ochtend na negen uur ook weer zien terugkomen. In de meldkamer werd precies bijgehouden hoe laat iedereen zich voor zijn of haar dienst meldde, en uit die gegevens bleek dat Tessa Leoni die nacht had gewerkt en dat ze zondagochtend even na achten het laatste papierwerk had ingeleverd.

Daarna was er van het hele gezin geen spoor meer. Buren hadden niets gezien of gehoord. Geen ruzie, geen gegil, zelfs geen schoten, maar dat maakte D.D. alleen maar wantrouwig, want het was haar een raadsel hoe je níét kon horen dat er met een 9 mm drie schoten werden afgevuurd. Misschien wilden mensen gewoon niet horen wat ze niet wilden horen. Dat leek waarschijnlijker.

Sophie Leoni was sinds tien uur die ochtend officieel vermist. De zon was onder, de temperatuur daalde aanzienlijk en naar verluidt was er tien tot vijftien centimeter sneeuw op komst.

Het was een slechte dag geweest. En de nacht zou nog erger worden.

'Ik moet even iemand bellen,' zei Bobby. Hij had zijn sandwich op en rolde de verpakking op tot een balletje.

'Ga je tegen Annabelle zeggen dat het een latertje wordt?'

Hij gebaarde naar buiten, waar de eerste sneeuw begon te vallen. 'Is dat niet zo dan?'

'Kan ze leven met je werktijden?' vroeg D.D.

Hij haalde zijn schouders op. 'Ze zal wel moeten. Zo'n baan heb ik nou eenmaal.'

'En Carina? Die komt er al snel achter dat papa verdwijnt en niet altijd weer thuiskomt om te spelen. Dan krijg je nog de gemiste voordrachten, toneelstukjes en wedstrijden waar je niet bij kunt zijn. *Ik heb gescóórd, pap! Maar jij was er niet.*'

Bobby keek haar aandachtig aan. 'Zo'n baan heb ik nou eenmaal,' herhaalde hij. 'Ja, soms is het klote, maar ja, dat geldt voor de meeste banen.'

D.D. wierp hem een afkeurende blik toe. Toen keek ze omlaag en duwde met haar lepel in de soep. De vloeistof was opgezogen door de crackertjes, zodat er een klonterig geheel was ontstaan. Ze had helemaal geen trek meer. Ze was moe. Ze voelde zich ontmoedigd. Ze moest denken aan een klein meisje dat ze waarschijnlijk niet levend zouden vinden. Ze moest denken aan wat mevrouw Ennis had gezegd over hoe moeilijk Tessa Leoni het had gevonden om haar baan, een huis en een kind te combineren.

Misschien was een gelukkig gezinsleven wel niet weggelegd voor vrouwen die bij de politie werkten. Misschien zou D.D. vanmorgen nooit zijn opgeroepen en zou er nu geen onschuldig kind worden vermist als Leoni haar zinnen niet op huisje, boompje, beestje had gezet.

Wat moest D.D. in hemelsnaam tegen Alex zeggen? Ze had geen idee hoe zij, een workaholic met een succesvolle loopbaan als rechercheur, zich hierover moest voelen.

Ze duwde nog een laatste keer met haar lepel in de soep en schoof de kom toen van zich af. Bobby stond nog steeds bij de tafel. Kennelijk wachtte hij tot ze iets ging zeggen.

'Heb je je mij wel eens voorgesteld als moeder?' vroeg ze.

'Nee.'

'Daar hoefde je niet eens over na te denken.'

'Vraag het dan niet, als je het antwoord niet wil horen.'

Ze schudde haar hoofd. 'Ik heb me mezelf ook nooit als moeder voorgesteld. Moeders… zingen slaapliedjes en zijn in de weer met pap en trekken gekke gezichten om hun baby aan het lachen te maken. Ik glimlach alleen op het werk, en dan alleen als er koffie en verse donuts aan te pas komen.'

'Carina houdt van kiekeboe,' zei Bobby.

'Echt?'

'Yep. Ik doe mijn handen voor mijn ogen, haal ze weer weg en roep: "Kiekeboe!" Zij kan dat uren achter elkaar doen. En nu blijkt dat ik het óók uren achter elkaar kan doen. Wie had dat ooit gedacht?'

D.D. deed een hand voor haar ogen en haalde hem weer weg. Bobby verdween en verscheen weer, maar verder vond ze er niet veel aan.

'Ik ben je baby niet,' legde Bobby uit. 'We zijn genetisch zo geprogrammeerd dat we onze kinderen gelukkig willen maken. Als Carina straalt, dan... ik kan het niet eens onder woorden brengen. Maar het is mijn hele dag waard geweest, en door wat voor onbenulligs ze ook is gaan stralen, ik doe het opnieuw. Ik weet niet hoe ik het moet zeggen. Het hebben van een kind gaat nog veel dieper dan heel veel van iemand houden.'

'Ik denk dat Brian Darby zijn stiefdochter heeft vermoord. Ik denk dat hij haar heeft gedood en dat Tessa is thuisgekomen en hem heeft neergeschoten.'

'Dat weet ik.'

'Als we genetisch geprogrammeerd zijn om onze nakomelingen gelukkig te maken, hoe verklaar je dan dat heel veel ouders hun eigen kinderen kwaad doen?'

'Mensen zijn waardeloos,' zei Bobby.

'En die gedachte motiveert je om elke ochtend je bed uit te komen?'

'Ik heb weinig met mensen te maken. Ik heb Annabelle, Carina, mijn familie en mijn vrienden. Dat is genoeg.'

'Komt er een tweede Carina?'

'Ik hoop het.'

'Jij bent een rasoptimist, Bobby Dodge.'

'Op mijn manier. Ik neem aan dat het serieus begint te worden tussen jou en Alex?'

'Dat is de vraag, denk ik.'

'Maakt hij je gelukkig?'

'Ik ben niet iemand die gelukkig wordt.'

'Geeft hij je dan een tevreden gevoel?'

Ze dacht aan die ochtend, toen ze in Alex' overhemd aan Alex' tafel had gezeten. 'Ik zou best meer tijd met hem kunnen doorbrengen.'

'Dat is alvast iets. Nou, als je het niet erg vindt ga ik mijn vrouw bellen en waarschijnlijk wat lieve geluidjes voor mijn dochter maken.'

Bobby liep weg van de tafel. 'Mag ik meeluisteren?' riep D.D. hem na.

'Vergeet het maar,' riep hij terug.

Dat was maar goed ook, want haar maag trok weer samen en ze dacht aan een bundeltje in het blauw of misschien een bundeltje in het roze en vroeg zich af hoe een kleine Alex of een kleine D.D. eruit zou zien en of ze net zoveel van een kind zou kunnen houden als Bobby overduidelijk van Carina hield, en of die liefde alleen genoeg kon zijn.

Want huiselijk geluk was zelden heel lang weggelegd voor vrouwen bij de politie. Daar wist Tessa Leoni alles van.

Toen Bobby was uitgebeld, waren de wegen door de sneeuw één grote chaos geworden. Ze hadden de hele rit hun zwaailicht en sirene aan, maar toch deden ze er meer dan veertig minuten over om in Roxbury te komen. Vervolgens kostte het hun nog eens vijf minuten om een parkeerplek te vinden, en tegen de tijd dat ze de lobby van het hoofdbureau van de Bostonse politie binnen kwamen lopen, had Shane Lyons al minstens een kwartier duimen zitten draaien. De potige agent stond op toen ze binnenkwamen. Hij had zijn complete uniform nog aan, zijn hoed was diep over zijn voorhoofd getrokken en aan zijn handen droeg hij zwarte leren handschoenen.

Bobby begroette hem eerst en daarna D.D. Het zou van weinig respect getuigen om hem mee te nemen naar een verhoorkamer, dus vond D.D. een lege vergaderruimte die ze konden gebruiken. Toen Lyons ging zitten deed hij zijn hoed af, maar zijn jas en handschoenen hield hij aan. Kennelijk rekende hij op een kort gesprek.

Hij nam het blikje cola aan dat Bobby hem aanbood. D.D. hield het bij water, Bobby nam koffie. Nu de voorbereidingen waren afgerond, konden ze ter zake komen.

'Het leek je niet te verbazen dat we contact met je opnamen,' begon D.D.

Lyons haalde zijn schouders op en draaide het colablikje heen en weer tussen zijn vingers. 'Ik wist dat mijn naam genoemd zou worden. Ik moest echter eerst mijn verplichtingen als vakbondsvertegenwoordiger nakomen, dat was mijn hoofdverantwoordelijkheid op de plaats delict.'

'Hoe lang ken je Tessa Leoni al?' vroeg Bobby.

'Vier jaar. Sinds ze op het bureau kwam werken. Ik was haar directe leidinggevende en begeleidde haar tijdens haar eerste twaalf weken surveillance.' Lyons nam een slokje van zijn cola. Hij leek slecht op zijn gemak en straalde aan alle kanten uit dat hij met tegenzin een verklaring aflegde.

'Werkte je veel met haar samen?' drong D.D. aan.

'De eerste twaalf weken wel. Maar daarna niet meer. Bij de staatspolitie surveilleren agenten in hun eentje.'

'Zagen jullie elkaar wel eens?'

'Misschien één keer per week. Als agenten dienst hebben, proberen ze samen koffie te drinken of te ontbijten. Dat breekt de dienst een beetje en is goed voor de onderlinge band.' Hij keek D.D. aan. 'Soms krijgen we zelfs gezelschap van agenten uit Boston.'

'Nee toch?' D.D. deed haar best om geschokt te klinken.

Eindelijk glimlachte Lyons. 'Je moet elkaar helpen, nietwaar? Dan is het goed om de communicatielijnen open te houden. Maar toch is een staatsagent tijdens zijn dienst grotendeels alleen, en vooral 's nachts – helemaal alleen met je lasergun en een snelweg vol dronken automobilisten.'

'En op het bureau?' wilde D.D. weten. 'Spreken Tessa en jij elkaar, gaan jullie wel eens iets eten na het werk?'

Lyons schudde zijn hoofd. 'Neu. Voor een staatsagent is de surveillancewagen zijn kantoor. Wij komen alleen op het bureau als we een arrestant hebben of om een blaastest te doen, dat soort dingen. Zoals ik al zei, we zitten meestal op de weg.'

'Maar jullie helpen elkaar,' zei Bobby. 'Vooral als zich iets voordoet.'

'Tuurlijk. Vorige week hield Tessa iemand aan wegens rijden onder invloed, dus ging ik erheen om te assisteren. Ze ging met die man naar het bureau om een ademtest af te nemen en hem op zijn rechten te wijzen. Ik bleef bij zijn auto tot de sleepwagen er was. We hielpen elkaar, maar we stonden echt niet met elkaar te praten over ons huwelijk en onze kinderen terwijl zij een dronken kerel op de achterbank van haar wagen liet plaatsnemen.' Lyons keek Brian scherp aan. 'Je weet toch nog wel hoe het is?'

'Vertel eens iets over Brian Darby,' zei D.D., en Lyons richtte zijn blik weer op haar.

De agent antwoordde niet meteen maar tuitte zijn lippen en leek in innerlijke tweestrijd te verkeren.

'Ik ben de lul als ik dat doe en ik ben de lul als ik het niet doe,' mompelde hij opeens.

'Hoezo?' vroeg Bobby.

'Luister.' Lyons zette zijn cola op tafel. 'Ik weet dat ik in de shit zit. Ik word verondersteld heel goed personen te kunnen inschatten, dat hoort bij mijn werk. Maar deze situatie met Tessa en Brian... Verdomme, óf ik ben een volslagen idioot die niet wist dat zijn buurman soms helemaal over de rooie ging, óf ik ben een klootzak die een collega heeft opgezadeld met een kerel die zijn eigen vrouw slaat. Als ik dit had geweten...'

'Laten we beginnen met Brian Darby,' zei D.D. 'Wat wist je van hem?'

'Ik heb hem acht jaar geleden ontmoet. We zaten allebei op een ijshockeyclub in de buurt. We speelden vrijdagavond in hetzelfde team, hij leek me een aardige gast. Hij kwam een paar keer bij me eten en een biertje drinken. Toen leek hij me nog steeds een aardige gast. Hij had absurde werktijden bij de koopvaardij, dus hij begreep mijn werksituatie ook heel goed. Als hij er was, spraken we samen af

– ijshockeyen, skiën, soms een dag een trektocht maken. Hij hield van sporten, en ik ook.'

'Brian was een actieve man,' zei Bobby.

'Ja. Hij was altijd in beweging. Tessa ook. Ik vond echt dat ze goed bij elkaar pasten. Daarom heb ik ze gekoppeld. Zelfs als ze niks met elkaar zouden krijgen, dacht ik dat ze met elkaar konden gaan wandelen of zo.'

'Jij hebt ze gekoppeld,' herhaalde D.D.

'Ik heb ze allebei uitgenodigd voor een zomerbarbecue. Vanaf dat moment mochten ze het zelf uitzoeken. Kom op, ik ben een kerel. Meer kun je niet van kerels verwachten.'

'Gingen ze samen weg van de barbecue?' vroeg Bobby.

Daar moest Lyons even over nadenken. 'Nee. Ze hebben later afgesproken om samen iets te drinken of zo, ik weet het niet. Maar voordat ik het wist trok Tessa met haar dochter bij hem in, dus het zal toch wel gewerkt hebben.'

'Ben je op de bruiloft geweest?'

'Nee. Ik hoorde er pas van toen die al geweest was. Ik geloof dat het me opviel dat Tessa opeens een trouwring droeg. Toen ik ernaar vroeg, zei ze dat ze getrouwd waren. Daar schrok ik wel een beetje van, want het leek me wat snel, en oké, misschien was ik ook wel verbaasd omdat ze me niet hadden uitgenodigd, maar...' Lyons haalde zijn schouders op. 'Niet dat we nou zo close waren.'

Hij scheen het belangrijk te vinden om dat duidelijk te maken. Zó close was hij niet met ze, zó betrokken was hij niet bij hun leven.

'Zei Tessa wel eens iets over trouwen?' vroeg D.D.

'Niet tegen mij.'

'Tegen anderen wel?'

'Ik kan alleen voor mezelf spreken.'

'En zelfs dát doe je niet eens,' zei D.D. zonder omhaal.

'Hé, ik probeer jullie de waarheid te vertellen. Ik ga op zondag niet bij Brian en Tessa eten en ik nodig ze niet uit om na de kerk bij mij thuis te komen. We zijn zeker vrienden, maar we hebben ons eigen leven. Kom op, Brian was de helft van het jaar niet eens thuis.'

'Even samengevat,' zei D.D. langzaam. 'Je ijshockeymaatje Brian Darby is de helft van het jaar op zee en laat een collega van je achter die het huis en de tuin moet onderhouden en daarnaast ook nog eens een klein kind moet zien op te voeden, en jij gaat gewoon je eigen gang. Je leidt je eigen leven en hebt niks te maken met dat van hen?'

Lyons werd rood. Hij keek naar zijn cola en klemde zijn kaken duidelijk zichtbaar op elkaar.

Hij was een beetje rossig, en D.D. vond dat hij er leuk uitzag. Daardoor vroeg ze zich af: wilde Brian Darby breder worden omdat zijn vrouw een pistool bij zich droeg? Of omdat zijn vrouw een collega begon te bellen als ze hulp in huis nodig had?

'Het zou kunnen dat ik de grasmaaier een keer heb gemaakt,' mompelde Lyons.

D.D. en Bobby wachtten.

'De kraan in de keuken lekte. Daar heb ik naar gekeken, maar daar wist ik te weinig van, dus heb ik haar de naam van een goede loodgieter gegeven.'

'Waar was je gisterenavond?' vroeg Bobby zacht.

'Ik had dienst!' Lyons keek met een ruk op. 'Jezus, ik ben al sinds elf uur gisterenavond niet thuis geweest. Ik heb zelf drie kinderen, weet je, en als je denkt dat ik niet elke keer wanneer ze Sophies foto laten zien aan hén moet denken... Shit. Sophie is nog maar een kind! Ik weet nog goed dat ze in mijn achtertuin van de heuvel rolde. En dat ze vorig jaar in de oude eik klom. Mijn zoon van acht zou haar niet eens kunnen bijhouden. Die meid is een halve aap. En die lach van haar, en... ach, verdomme.'

Shane Lyons sloeg een hand voor zijn gezicht. Hij leek geen woord meer te kunnen uitbrengen, dus gaven Bobby en D.D. hem even de tijd.

Toen hij zich weer hervonden had, liet hij zijn hand zakken. Hij had een vertrokken gezicht. 'Weten jullie hoe we Brian noemden?' vroeg hij onverwacht. 'Wat zijn bijnaam was op de ijshockeyclub?'

'Nee.'

'De tere ziel. Zijn favoriete film is *Pretty Woman*! Toen zijn hond doodging, Duke, schreef hij een gedicht dat hij opstuurde naar de buurtkrant. Zo iemand was hij. Dus nee, ik heb geen moment getwijfeld toen ik hem in contact bracht met een collega van me met een klein kind. Verdomme, ik dacht dat ik Tessa een dienst bewees.'

'IJshockeyden jullie nog steeds samen?' vroeg Bobby.

'Niet zo vaak meer. Mijn rooster is veranderd. Ik werk nu meestal op vrijdagavond.'

'Brian zag er nu breder uit dan toen hij trouwde. Steviger.'

'Volgens mij is hij bij een sportschool gegaan of zo. Hij had het over gewichtheffen.'

'Heb je wel eens met hem gespard?'

Lyons schudde zijn hoofd.

D.D.'s pieper ging af. Ze keek even op het schermpje, zag dat het het forensisch laboratorium was en excuseerde zich. Terwijl ze de vergaderruimte uitliep, stelde Bobby vragen over het trainingsprogramma dat Brian Darby volgde en over het mogelijke gebruik van voedingssupplementen.

D.D. pakte haar mobieltje en belde het lab. De eerste resultaten van het onderzoek naar de witte GMC Denali van Brian bleken binnen te zijn. Ze luisterde, knikte en wist het gesprek net snel genoeg te beëindigen om op tijd naar het damestoilet te rennen, waar ze de soep met moeite binnen wist te houden, maar wel pas nadat ze haar gezicht met een heleboel koud water had afgespoeld.

Ze spoelde haar mond en liet meer koud water over de rug van haar handen lopen. Vervolgens bestudeerde ze haar bleke spiegelbeeld en zei ze tegen zichzelf dat ze het zou klaarspelen, of het haar nu aanstond of niet.

Ze zou deze avond overleven. Ze zou Sophie Leoni vinden.

En vervolgens zou ze naar huis gaan, naar Alex, omdat ze een paar dingen moesten bespreken.

D.D. liep met krachtige passen terug naar de vergaderruimte. Ze zette zonder omhaal de aanval in, omdat Lyons een muur voor hen optrok en omdat ze, heel eerlijk gezegd, geen tijd meer had voor al dit gelul.

'De eerste bevindingen over de auto van Brian Darby,' zei ze op scherpe toon.

Ze legde haar handen plat op de tafel voor Lyons en boog zich zo ver naar voren dat haar gezicht nog geen tien centimeter van het zijne verwijderd was.

'Ze hebben achter in de auto een opvouwbare schep gevonden, waar nog modder en restanten van bladeren op zaten.'

Lyons zei niets.

'Er is ook een nieuwe luchtverfrisser gevonden, met meloengeur, zo'n ding dat je in een stopcontact moet doen. De nerds van het lab vonden dat merkwaardig, dus hebben ze het eruit gehaald.'

Lyons zei niets.

'Binnen een kwartier was de geur goed te ruiken. Heel sterk, volgens de nerds. Maar als echte nerds lieten ze toch een lijkenhond komen.'

De staatsagent werd bleek.

'Ontbinding, agent Lyons. Met andere woorden: de knappe koppen van het lab zijn er vrijwel zeker van dat er in de afgelopen vierentwintig uur een lijk in de kofferbak van de wagen van Brian Darby heeft gelegen. Gezien de aanwezigheid van de schep vermoeden ze verder dat het lichaam naar een onbekende locatie is gereden en daar is begraven. Had Brian ergens een tweede huis? Een huisje bij het meer, een jachthut, een skihut? Als je eindelijk begint te praten kunnen we in elk geval misschien Sophies lichaam terugvinden.'

'O nee...' Lyons werd nog bleker.

'Waar heeft Brian zijn stiefdochter mee naartoe genomen?'

'Dat weet ik niet! Hij heeft geen tweede huis! Daar heb ik hem in elk geval nooit over gehoord!'

'Door jou zitten ze in de shit. Jij hebt Brian Darby in contact gebracht met Tessa en Sophie, en nu ligt Tessa aan gort geslagen in het ziekenhuis en is Sophie hoogstwaarschijnlijk dood. Jíj hebt dit allemaal in gang gezet. Nou, wees een kerel en help ons om Sophies lichaam te vinden. Waar kan hij haar heen hebben gebracht? Wat kan hij gedaan hebben? Vertel ons alle geheimen van Brian Darby.'

'Hij had geen geheimen! Ik zweer het... Brian was altijd open en eerlijk. Hij ging naar zee en kwam dan weer naar huis, naar zijn vrouw en zijn stiefdochter. Ik heb hem nooit zijn stem horen verheffen. En ik heb hem al helemaal nooit met geweld zien dreigen.'

'Wat is er dán gebeurd?'

Een korte stilte. Opnieuw ademde Lyons lang en schokkerig uit.

'Er is... Er is nog een andere mogelijkheid,' zei hij opeens. Hij keek hen allebei aan, nog steeds met een asgrauw gezicht, en klemde zijn handen voortdurend om het blikje en liet het dan weer los. 'Ik klap niet echt uit de school als ik dit vertel,' flapte hij eruit. 'Ik bedoel, jullie horen het vroeg of laat toch wel van luitenant-kolonel Hamilton. Hij is degene die het me verteld heeft. Bovendien is het officieel vastgelegd.'

'Voor de draad ermee, Lyons!' schreeuwde D.D.

Hij gehoorzaamde. 'Wat er vanochtend gebeurd is... Nou ja, laat ik zeggen dat dit niet de eerste keer was dat Tessa Leoni een man heeft gedood.'

12

Het eerste waar ik als vrouwelijke agente achter kwam, was dat mannen niet de vijand waren die ik gedacht had.

Een stel dronken boerenpummels in een kroeg? Als mijn begeleider, Lyons, uit zijn surveillancewagen stapte, begonnen ze zich meteen agressiever en machoachtiger te gedragen. Maar als ik verscheen, kregen ze minder praatjes en keken ze aandachtig naar hun laarzen, als een stel bedremmelde jongens die door hun moeder waren betrapt. Ruige vrachtwagenchauffeurs? Die weten niet hoe snel ze *ja mevrouw* of *nee mevrouw* moeten zeggen als ik met mijn bonnenboekje naast hun truck sta. Knappe studenten die een paar biertjes te veel op hebben? Die beginnen te stamelen en te stotteren en vragen me vervolgens bijna altijd mee uit.

De meeste mannen zijn vanaf hun geboorte getraind om te reageren op vrouwelijk gezag. Ze zien me als de moeder die ze altijd hebben moeten gehoorzamen of, vanwege mijn leeftijd en mijn uiterlijk, als een aantrekkelijke vrouw die het waard is om haar haar zin te geven. In beide gevallen vorm ik geen directe bedreiging. Daarom kan zelfs de agressiefste man het zich veroorloven om in het bijzijn van zijn maten in te binden. En in situaties waarin te veel testosteron in het spel was, werd ik door mijn collega's vaak opgeroepen om te komen helpen omdat ze erop rekenden dat ik met mijn vrouwelijke aanpak de kou uit de lucht zou halen, wat meestal ook het geval was.

Mannen konden soms een beetje flirten, een beetje opgewonden raken of allebei. Uiteindelijk deden ze echter wat ik zei.

Maar vrouwen...

Zet een voetbalmoeder die in haar Lexus honderdvijftig kilometer per uur heeft gereden aan de kant en ze zal onmiddellijk verbaal de strijd met je aangaan en je krijsend duidelijk maken waarom het nodig was dat ze zo hard reed, in het bijzijn van haar 2,2 kinderen die óók al kijken alsof mammie het volste recht van de wereld heeft om net zo hard te rijden als ze wil. Als ik assistentie verleen terwijl een man met een huisverbod zijn laatste spullen uit de flat haalt, word ik onvermijdelijk aangevlogen door de mishandelde vriendin, die wil weten waarom ik hem in godsnaam zijn ondergoed laat pakken en die me de huid vol scheldt en tegen me gilt alsof ik verantwoordelijk ben voor alle slechte dingen die haar ooit zijn overkomen.

Mannen zijn geen probleem voor een agente van de staatspolitie.

Het zijn de vrouwen die je te grazen proberen te nemen zodra ze daar de kans toe krijgen.

Mijn advocaat zat al twintig minuten naast mijn bed te oreren toen brigadier-rechercheur D.D. Warren het gordijn met een ruk openschoof. De vertegenwoordiger van de staatspolitie kwam achter haar aan. Zijn gezicht was ondoorgrondelijk. Rechercheur Warren daarentegen keek als een uitgehongerde hyena.

De stem van mijn advocaat stierf weg. Hij leek helemaal niet blij met de plotselinge verschijning van twee rechercheurs van de afdeling Moordzaken, maar verbaasd was hij ook niet. Hij had me proberen uit te leggen in wat voor juridisch parket ik zat, en het zag er niet best uit. Naar zijn deskundige mening maakte het feit dat ik nog een volledige verklaring aan de politie diende af te leggen het er niet beter op.

Vooralsnog stond de dood van mijn man te boek als 'mogelijke doodslag'. Nu zou de aanklager, in samenwerking met de Bostonse politie, moeten vaststellen wat de uiteindelijke aanklacht zou worden. Als ze het waarschijnlijk achtten dat ik zelf slachtoffer was, een zielige mishandelde echtgenote van wie was bevestigd dat ze meerdere malen een bezoek had moeten brengen aan de spoedeisende hulp, zou Brians dood misschien als een geval van noodweer worden afgedaan.

Maar moord was een gecompliceerd iets. Brian had me belaagd met een gebroken fles en ik had hem vervolgens aangevallen met een pistool. De aanklager zou kunnen aanvoeren dat ik me weliswaar duidelijk had verdedigd, maar dat ik onnodig veel geweld had gebruikt. De pepperspray, de wapenstok en de taser aan mijn riem waren allemaal betere opties geweest, en omdat ik zo schietgraag was geweest zou ik worden aangeklaagd voor doodslag.

Of misschien geloofden ze wel niet dat ik voor mijn leven had gevreesd. Misschien dachten ze dat Brian en ik ruzie hadden gehad en dat ik mijn man in de hitte van de strijd had doodgeschoten. Ook in dat geval zou me doodslag ten laste worden gelegd.

Dat waren de gunstige scenario's. Er was natuurlijk nog een ander scenario, het scenario waarbij de politie concludeerde dat mijn man helemaal niet agressief was en dat hij zijn vrouw niet sloeg, maar dat ik een meester-manipulator was en hem opzettelijk en met voorbedachten rade om het leven had gebracht. Moord dus.

In dat geval zou ik de rest van mijn leven achter de tralies doorbrengen. *Game over*.

Met die zorgen was mijn advocaat naast mijn bed komen zitten. Hij wilde niet dat ik met de politie de strijd zou aangaan om het stoffelijk overschot van mijn man. Hij wilde dat ik een verklaring aan de pers zou geven: een echtgenote die zelf slachtoffer was en bezwoer dat ze onschuldig was, een wanhopige moeder die smeekte dat haar dochtertje ongedeerd werd teruggebracht. Ook wilde hij dat ik netjes mee ging werken met de rechercheurs die mijn zaak onderzochten. Hij wees erop dat als ik het op noodweer wilde gooien, de bewijslast op mijn gekwetste schouders zou rusten.

Het huwelijk bleek neer te komen op zijn woord tegenover dat van haar, lang nadat een van de huwelijkspartners was overleden.

Nu waren de rechercheurs terug, en mijn advocaat kwam ongemakkelijk overeind en ging in een defensieve houding naast mijn bed staan.

'Zoals u kunt zien,' begon hij, 'is mijn cliënte nog herstellende van een hersenschudding, om nog maar te zwijgen over het feit dat ze een gebroken jukbeen heeft. Haar arts heeft bepaald dat ze een nacht ter observatie in het ziekenhuis moet blijven en goed moet rusten.'

'Sophie?' vroeg ik. Mijn stem klonk gespannen. Rechercheur Warren kwam te hard en ongevoelig over voor iemand die een moeder slecht nieuws kwam vertellen, maar ja, aan de andere kant...

'Niets,' zei ze kortaf.

'Hoe laat is het?'

'Twee over half acht.'

'Dan is het al donker,' mompelde ik.

De blonde rechercheur staarde me aan. Geen compassie, geen medeleven. Dat verbaasde me niets. Er werkten zo weinig vrouwen bij de politie dat je zou denken dat we elkaar steunden. Maar wat dat betreft waren vrouwen eigenaardig. Ze waren maar al te bereid een andere vrouw het leven zuur te maken, en al helemaal als ze haar als zwak beschouwden, zoals een vrouw die had gefungeerd als de persoonlijke boksbal van haar echtgenoot.

Ik kon me niet voorstellen dat rechercheur Warren ooit zou toestaan dat ze thuis werd geslagen. Ik wilde wedden dat als een man haar sloeg, ze twee keer zo hard zou terugslaan. Of ze zou zijn ballen bewerken met een taser.

Rechercheur Dodge was in actie gekomen. Hij had twee stoelen gepakt en zette die nu naast het bed. Hij gebaarde naar D.D. en ze kwamen allebei dicht naast het bed zitten. Cargill ging weer op het puntje van zijn eigen stoel zitten. Hij leek nog steeds slecht op zijn gemak.

'Mijn cliënt is er nog niet aan toe om veel vragen te beantwoorden,' zei hij. 'Natuurlijk wil ze doen wat ze kan om te assisteren bij de zoektocht naar haar dochter. Is er informatie die u relevant acht voor dat onderzoek?'

‘Wie is Sophies biologische vader?’ vroeg rechercheur Warren. ‘En waar is hij?’

Ik schudde mijn hoofd, en door die beweging kromp ik onmiddellijk in elkaar.

‘Ik moet een naam hebben,’ zei Warren ongeduldig.

Ik likte aan mijn droge lippen en probeerde het opnieuw. ‘Ze heeft geen vader.’

‘Onmogelijk.’

‘Niet als je een alcoholist en een slet bent,’ zei ik.

Cargill keek me geschrokken aan, maar de rechercheurs leken eerder geïntrigeerd.

‘Ben je alcoholist?’ vroeg Bobby Dodge op neutrale toon.

‘Ja.’

‘Wie weet daarvan?’

‘Luitenant-kolonel Hamilton en een paar van de jongens.’ Ik haalde mijn schouders op, waarbij ik probeerde mijn schouders niet te bewegen. ‘Ik ben zeven jaar geleden gestopt met drinken, voordat ik bij de politie ging werken. Het is nooit een probleem geweest.’

‘Zeven jaar geleden?’ herhaalde D.D. ‘Toen je zwanger was van je dochter?’

‘Inderdaad.’

‘Hoe oud was je toen je zwanger werd van Sophie?’

‘Eenentwintig. Jong en onbezonnen. Ik dronk en feestte te veel. Op een dag was ik zwanger, en toen bleek dat de mensen van wie ik dacht dat ze mijn vrienden waren alleen maar met me omgingen omdat ik deel uitmaakte van het circus. Nadat ik er wegging heb ik geen van hen ooit nog gezien.’

‘Mannelijke collega’s?’ vroeg D.D.

‘Die zullen je niet verder helpen. Ik ging niet naar bed met mannen die ik kende. Ik sliep met mannen die ik níét kende, meestal oudere mannen die voor een jong dom meisje maar al te graag heel veel alcohol wilden kopen. Ik werd dronken, zij konden een wip maken. Vervolgens gingen we ieder onze eigen weg.’

‘Tessa,’ begon mijn advocaat.

Ik stak een hand op. 'Het is oud nieuws, en het doet er ook niet toe. Ik weet niet wie Sophies vader is. Zelfs als ik het had gewild, had ik hem niet kunnen achterhalen, maar ik wilde het niet. Ik raakte zwanger. Toen werd ik volwassen en wijzer en stopte ik met drinken. Dat is het enige wat ertoe doet.'

'Heeft Sophie er ooit naar gevraagd?' vroeg Bobby.

'Nee. Ze was drie toen ik Brian leerde kennen. Binnen een paar weken zei ze "papa" tegen hem. Ik denk niet dat ze zich iets kan herinneren van de tijd dat hij nog niet bij ons woonde.'

'Wanneer heeft hij je voor het eerst geslagen?' vroeg D.D. 'Eén maand nadat jullie getrouwd waren? Zes? Misschien pas na een jaar?'

Ik zei niets en staarde alleen maar naar het plafond. Mijn rechterhand lag onder de dunne groene ziekenhuisdeken en omklemde de blauwe knoop die een verpleegkundige voor me had opgeraapt.

'We zullen je medische dossier moeten inzien,' maakte D.D. duidelijk. Ze keek mijn advocaat strak aan. Het was zonneklaar dat ze hem uitdaagde.

'Ik ben van de trap gevallen,' zei ik. Mijn lippen vertrokken tot een merkwaardige glimlach omdat het wel degelijk de waarheid was, maar zij zouden het natuurlijk interpreteren als een typische leugen. De ironie. God behoede me voor ironie.

'Pardon?'

'Die blauwe plek op mijn ribben… Ik had moeten strooien. Stom van me.'

Rechercheur Warren keek me ongelovig aan. 'Tuurlijk. Je bent gevallen. Hoe vaak, drie, vier keer?'

'Volgens mij maar twee keer.'

Ze kon mijn gevoel voor humor niet waarderen. 'Heb je wel eens aangifte gedaan van mishandeling?' drong ze aan.

Ik schudde mijn hoofd, waardoor de achterkant van mijn schedel stuiterde van de pijn en mijn goede oog zich vulde met tranen.

'En heb je wel eens iets aan een collega verteld? Aan Shane Lyons bijvoorbeeld? We hebben begrepen dat hij heel behulpzaam is met klusjes in en om het huis.'

Ik zei niets.

'Of aan een vriendin?' vroeg Bobby. 'Of iemand van de kerk, of een anonieme hulplijn? We vragen deze dingen om je te helpen, Tessa.'

Er kwamen meer tranen. Ik knipperde met mijn ogen om ze te laten verdwijnen.

'Zo erg was het niet,' zei ik ten slotte, terwijl ik naar de witte plafondtegels staarde. 'Eerst niet. Ik dacht... ik dacht dat ik hem wel in de hand kon houden. Dat ik het weer kon laten ophouden.'

'Wanneer is je man begonnen met gewichtheffen?' vroeg Bobby.

'Negen maanden geleden.'

'Zo te zien is hij wel een stukje zwaarder geworden. Vijftien kilo in negen maanden. Gebruikte hij voedingssupplementen?'

'Dat wou hij niet zeggen.'

'Maar hij werd wel steeds breder. Bouwde hij actief spiermassa op?'

Ik knikte en voelde me ellendig. Al die keren dat ik tegen hem had gezegd dat hij niet zo hard hoefde te trainen. Dat hij er al goed uitzag, dat hij sterk genoeg was. Ik had beter moeten weten – zijn obsessie met orde en netheid, zijn compulsieve drang om zelfs de soepblikken te rangschikken. Ik had de aanwijzingen moeten zien, maar dat had ik niet. Ze zeggen niet voor niets dat de echtgenote er altijd als laatste achter komt.

'Wanneer sloeg hij Sophie voor het eerst?' vroeg D.D.

'Hij héeft Sophie niet geslagen!' Ik was weer helemaal bij de les.

'Echt niet? Wil je me in alle ernst vertellen, met die ingeslagen schedel en dat verbrijzelde jukbeen van je, dat die bruut van een dode man van je alleen jou sloeg?'

'Hij hield van Sophie!'

'Maar hij hield niet van jou. Dat was het probleem.'

'Misschien gebruikte hij steroïden.' Het was iets. Ik keek naar Bobby.

'Iemand die flipt door steroïden ontziet niemand,' zei D.D. lijzig. 'Als dat het geval was, heeft hij jullie er ongetwijfeld allebei van langs gegeven.'

'Ik zeg alleen... Hij was nog maar een paar weken thuis van zijn laatste reis, en deze keer... deze keer was er echt iets veranderd.' Dat was geen leugen. Ik hoopte zelfs dat ze het zouden natrekken. Ik kon wel een paar goeie rechercheurs gebruiken die hun best voor me deden. Sophie verdiende absoluut rechercheurs die slimmer waren dan ik die haar probeerden te redden.

'Hij was gewelddadiger,' zei Bobby voorzichtig.

'Hij was kwaad. De hele tijd. Ik probeerde hem te begrijpen, in de hoop dat hij weer rustig zou worden. Maar dat werkte niet.' Ik verschoof met mijn ene hand de deken en kneep met de andere in de knoop. 'Ik... Ik weet gewoon niet hoe het zo ver is gekomen. En dat is de waarheid. We hielden van elkaar. Hij was een goede man en een goede vader. Toen...' Meer tranen, en deze keer waren ze oprecht. Ik liet er één over mijn wang omlaag glijden. 'Ik weet niet hoe het zo ver heeft kunnen komen.'

De rechercheurs zwegen. Naast me ontspande mijn advocaat. Ik denk dat hij blij was met de tranen, en waarschijnlijk ook dat ik de steroïden had genoemd. Dat was een goede invalshoek.

'Waar is Sophie?' vroeg D.D., die nu minder vijandig en aandachtiger was.

'Weet ik niet.' Opnieuw een eerlijk antwoord.

'Haar laarzen zijn weg. Haar jas ook. Iemand heeft haar goed ingepakt en meegenomen.'

'Mevrouw Ennis?' vroeg ik hoopvol. 'Zij zorgt voor Sophie...'

'We weten wie ze is,' viel D.D. me in de rede. 'Zij heeft je kind niet.'

'O.'

'Heeft Brian een tweede huis? Een oude skihut, een huisje waar hij zit als hij gaat vissen of zoiets?' Deze keer stelde Bobby de vraag.

Ik schudde mijn hoofd. Ik begon moe te worden, ik kon er niets aan doen. Ik moest al mijn uithoudingsvermogen aanspreken. Krachten opdoen voor de dagen en nachten die voor me lagen.

'Is er nog iemand die Sophie kent en haar uit het huis kan hebben weggehaald?' drong D.D. aan. Ze was niet van plan om los te laten.

'Ik weet niet...'

'Familie van Brian?'

'Hij heeft een moeder en vier zussen. De zussen wonen verspreid over het hele land, zijn moeder woont in New Hampshire. Jullie zouden het moeten vragen, maar we zagen ze niet zo vaak. We hadden het allebei te druk met werken.'

'En jouw familie?'

'Ik heb geen familie,' zei ik werktuiglijk.

'In het politierapport stond iets anders.'

'Wat?'

'Wat?' papegaaide mijn advocaat.

Geen van de rechercheurs keurde hem een blik waardig. 'Tien jaar geleden. Toen je door de politie bent ondervraagd over de dood van de negentienjarige Thomas Howe. Volgens het rapport heeft je eigen vader het pistool geregeld.'

Ik staarde D.D. Warren aan. Ik blééf maar staren.

'Dat rapport is verzegeld,' zei ik zacht.

'Tessa...' begon mijn advocaat weer. Hij klonk helemaal niet blij.

'Maar ik heb luitenant-kolonel Hamilton erover verteld toen ik bij staatspolitie kwam werken,' zei ik vlak. 'Ik wilde elk mogelijk misverstand uitsluiten.'

'Bijvoorbeeld dat een van je collega's erachter zou komen dat je een kind had doodgeschoten, bedoel je?' zei D.D.

'Een kind doodgeschoten?' bauwde ik haar na. 'Ik was zestien. *Ik* was het kind! Godverdomme, waarom denk je dat ze dat rapport hebben verzegeld? Hoe dan ook, ik ben nooit vervolgd omdat de aanklager van mening was dat er sprake was van noodweer. Ik probeerde alleen maar weg te komen.'

'Je hebt hem neergeschoten met een .22,' vervolgde rechercheur Warren alsof ik niets had gezegd. 'Een wapen dat je toevallig bij je droeg. Ook wees niets erop dat je fysiek was aangevallen...'

'Je hebt met mijn vader gepraat,' zei ik bitter. Ik kon me niet inhouden.

D.D. hield haar hoofd een beetje schuin en keek me ijzig aan. 'Hij heeft je nooit geloofd.'

Ik zei niets. En daarmee had ik in feite mijn antwoord gegeven.

'Wat is er die nacht gebeurd, Tessa? Je moet ons helpen het te begrijpen, want het ziet er echt niet best voor je uit.'

Ik klemde de knoop steviger vast. Tien jaar was een lange tijd. En toch niet lang genoeg.

'Ik sliep die avond bij mijn beste vriendin,' zei ik ten slotte. 'Juliana Howe. Thomas was haar oudere broer. De laatste keren dat ik er was, maakte hij opmerkingen. Als we met z'n tweeën waren, kwam hij te dicht bij me staan, en dan voelde ik me ongemakkelijk. Maar ik was zestien. Ik voelde me sowieso ongemakkelijk bij jongens, vooral als ze ouder waren.'

'Waarom bleef je er dan slapen?' wilde D.D. weten.

'Juliana was mijn beste vriendin,' zei ik zachtjes, en op dat moment kwam het allemaal weer terug. De doodsangst. Haar tranen. Mijn verlies.

'Je had een pistool meegenomen,' vervolgde de rechercheur.

'Mijn vader gaf me een pistool,' corrigeerde ik haar. 'Ik had een baantje in een restaurant in het winkelcentrum. Ik werkte vaak tot elf uur en dan moest ik in het donker naar mijn auto lopen. Hij wilde dat ik me kon verdedigen.'

'En dus gaf hij je een pistool?' vroeg D.D. ongelovig.

Ik glimlachte. 'Je moet weten hoe hij is. Als hij me persoonlijk zou ophalen, zou dat betekenen dat hij betrokken raakte. Maar door me een .22 semiautomatisch wapen te geven waarvan ik geen idee had hoe ik het moest gebruiken, was het mooi opgelost. Dus dat deed hij.'

'Beschrijf eens wat er die nacht is gebeurd,' zei Bobby zacht.

'Ik ging naar Juliana's huis. Haar broer was er niet, en daar was ik blij om. We maakten popcorn en hielden een filmmarathon met films van Molly Ringwald – *Sixteen Candles* en daarna *The Breakfast Club*. Ik viel op de bank in slaap. Toen ik wakker werd, waren alle lampen uit en had iemand een deken over me heen gelegd. Ik nam aan dat Juliana naar bed was. Ik wilde net naar haar kamer lopen toen haar broer via de voordeur binnenkwam. Thomas was dronken. Hij zag me. Hij...'

De beide rechercheurs en mijn advocaat wachtten af.

'Ik probeerde langs hem te komen,' zei ik na een poosje. 'Hij versperde me de weg en duwde me op de bank. Hij was groter, sterker. Ik was zestien, hij negentien. Wat kon ik doen?'

Mijn stem stierf weer weg. Ik slikte.

'Mag ik een beetje water?' vroeg ik.

Mijn advocaat zag de kan naast mijn bed en schonk een plastic beker voor me vol. Mijn hand trilde toen ik die optilde. Ik nam aan dat ze het me niet kwalijk zouden nemen dat ik liet merken dat ik ontdaan was. Ik dronk de beker helemaal leeg en zette hem toen weer terug. Aangezien het al een hele tijd geleden was dat ik een verklaring had afgelegd, moest ik hier goed over nadenken. Het was ontzettend belangrijk dat ik een consistent verhaal vertelde, en ik kon me in dit stadium geen fout veroorloven.

Drie paar ogen keken me afwachtend aan.

Ik haalde nog een keer diep adem, omklemde de blauwe knoop en dacht aan het leven, de patronen die we maakten, de cyclussen waar we niet aan konden ontkomen.

Ze konden de pot op met hun voorzichtigheid.

'Net toen Thomas... wilde doen wat hij van plan was, voelde ik mijn handtasje tegen mijn heup. Hij duwde me met zijn hele gewicht tegen de bank terwijl hij de rits van zijn spijkerbroek probeerde open te krijgen. Dus reikte ik met mijn rechterhand omlaag. Ik voelde het tasje. Ik pakte het pistool eruit. En toen hij niet van me af ging, haalde ik de trekker over.'

'In de huiskamer van het huis van je beste vriendin?' vroeg rechercheur Warren.

'Ja.'

'Dat moet een enorme troep hebben gegeven.'

'Zo groot is een .22 niet,' zei ik.

'En je vriendin? Hoe nam die het allemaal op?'

Ik bleef naar het plafond kijken. 'Het was haar broer. Ze hield natuurlijk van hem.'

'Dus... de aanklager laat je vrijuit gaan. De rechter laat de rapporten verzegelen. Maar je vader en je beste vriendin hebben het je nooit vergeven, hè.'

Ze zei het stellig, het was geen vraag, dus gaf ik geen antwoord.

'Ben je toen gaan drinken?' vroeg rechercheur Dodge.

Ik knikte alleen maar.

'Je ging het huis uit, stopte met school...' vervolgde hij.

'Ik ben echt niet de eerste agent met een beroerde jeugd,' bracht ik daar stug tegen in.

'Je raakte zwanger,' zei rechercheur Warren. 'Je werd volwassen, wijzer, en je stopte met drinken. Dat zijn een heleboel offers voor een kind.'

'Nee. Dat is liefde voor mijn dochter.'

'Het beste wat je ooit is overkomen. De enige familie die je nog hebt.'

D.D. klonk nog steeds sceptisch, wat op zich al een waarschuwing was.

'Heb je wel eens van ontbindingsgeuranalyse gehoord?' vervolgde de rechercheur met luidere stem. 'Arpad Vass, een analytisch scheikundige en forensisch antropoloog, heeft een techniek ontworpen waarmee de meer dan vierhonderd chemicaliën kunnen worden geïdentificeerd die vrijkomen uit ontbindend vlees. Deze chemicaliën blijken zich te hechten aan aarde en stof – zelfs aan, ik noem maar wat, de bekleding in de kofferbak van een auto. Met behulp van een elektronisch instrument kan dr. Vass als het ware aan het lichaam ruiken en zodoende alsnog de moleculaire samenstelling van achtergebleven lichaamsontbinding vaststellen. Zo kan hij de bekleding analyseren die uit een auto is weggehaald en daadwerkelijk de chemicaliën zien die het silhouet van een kinderlijk vormen.'

Ik maakte een geluid. Misschien hapte ik naar adem. Misschien kreunde ik. Onder het laken kneep ik mijn hand steviger dicht.

'We hebben de bekleding uit de SUV van je man zojuist naar dr. Vass gestuurd. Wat zal hij vinden, Tessa? Wordt het de laatste glimp van het lichaam van je dochter?'

'Hou op. Dit is ongevoelig en ongepast!' Mijn advocaat was opgesprongen.

Ik hoorde hem niet echt. Ik herinnerde me dat ik de dekens terugsloeg en vol afgrijzen naar Sophies lege bed staarde.

Het enige wat ik wil met kerst zijn mijn twee voortanden...

'Wat is er met je dochter gebeurd!' vroeg D.D. op luide toon.

'Dat wilde hij niet zeggen.'

'Kwam je thuis? Was ze toen al weg?'

'Ik heb het hele huis doorzocht,' fluisterde ik. 'De garage, de serre, de zolder, de tuin. Ik heb overal gezocht. Ik eiste dat hij me vertelde wat hij had gedaan.'

'Wat is er gebeurd, Tessa? Wat heeft je man met Sophie gedaan?'

'Dat weet ik niet! Ze was weg. Weg! Ik ging werken en toen ik thuiskwam...' Ik staarde D.D. en Bobby aan en voelde mijn hart weer als een razende tekeergaan. Sophie. Van de aardbodem verdwenen. Zomaar.

Het enige wat ik wil met kerst zijn mijn twee voortanden, mijn twee voortanden...

'Wat heeft hij gedaan, Tessa? Vertel ons wat Brian gedaan heeft.'

'Hij heeft ons gezin kapotgemaakt. Hij heeft tegen me gelogen. Hij heeft ons bedrogen. Hij heeft... alles verwoest.'

Ik haalde weer diep adem. Ik keek beide rechercheurs in de ogen: 'En toen wist ik dat hij dood moest.'

13

'Wat denk je van Tessa Leoni?' vroeg Bobby vijf minuten later toen ze terugreden naar het hoofdbureau.

'Ze liegt dat ze barst,' zei D.D. stuurs.

'Ze lijkt bedachtzaam met haar antwoorden.'

'Alsjeblieft zeg. Als ik niet beter wist, zou ik zeggen dat ze politiemensen niet vertrouwt.'

'En we zijn juist zo beminnelijk – de drankzucht, de zelfmoorden en al het huiselijk geweld daargelaten.'

D.D. trok een grimas, maar snapte wat hij bedoelde. Politiemensen waren nu niet bepaald het toonbeeld van goed aangepaste mensen. Veel agenten hadden een zwaar leven gehad. En de meesten waren ervan overtuigd dat je die ervaring nodig had om hier op straat te kunnen werken.

'Ze heeft haar verhaal veranderd,' zei D.D.

'Dat was mij ook opgevallen.'

'Eerst had ze haar man doodgeschoten en ontdekte ze daarna dat haar dochter weg was, en vervolgens ontdekte ze eerst dat Sophie weg was en schoot ze daarna haar man dood.'

'De chronologische volgorde verschilt, maar het resultaat is hetzelfde. In beide gevallen is Tessa Leoni tot pulp geslagen, en in beide gevallen is de zesjarige Sophie verdwenen.'

D.D. schudde haar hoofd. 'Als iemand inconsistent is over één detail, moet je alle details in twijfel trekken. Als ze heeft gelogen over de volgorde, welke delen van het verhaal kloppen er dan nog meer niet?'

'Eens een leugenaar, altijd een leugenaar,' zei Bobby zacht.

Ze wierp hem een blik toe en klemde haar handen steviger om het stuur. Tessa's jankverhaal had hem aangegrepen. Bobby had altijd al een zwak gehad voor jonge deernes in nood. En dat terwijl D.D. het bij het rechte eind had gehad met haar eerste indruk van Tessa Leoni: knap en kwetsbaar, een combinatie die D.D. op de zenuwen werkte.

D.D. was moe. Het was over elven en haar nieuwe lichaam, dat veel onderhoud vergde, smeekte om slaap. Bobby en zij waren echter op de terugweg naar Roxbury, voor de eerste bijeenkomst van de taskforce. De klok tikte door. De pers wachtte op een verklaring. De aanklager verlangde een update. De hoge piefen wilden gewoon dat de moordzaak kon worden afgesloten en dat het vermiste kind werd gevonden, en wel nú.

Vroeger zou D.D. zes potten koffie zetten en een zak donuts leegeten om de nacht door te komen. Nu was ze echter gewapend met een nieuw flesje water en een pakje crackers. Het was niet genoeg.

Zodra ze het ziekenhuis hadden verlaten, had ze Alex ge-sms't: Vanavond gaat niet lukken, jammer van morgen. Hij had een sms teruggestuurd: Heb het nieuws gezien. Sterkte.

Geen verwijten, geen gejammer en geen beschuldigingen. Alleen maar welgemeende steun.

Zijn sms'je maakte haar huilerig en sentimenteel, wat ze volledig weet aan haar huidige toestand, want geen man had D.D. Warren de afgelopen twintig jaar aan het huilen gekregen, en daar ging ze nu mooi geen verandering in brengen.

Bobby bleef maar naar haar onafscheidelijke waterflesje kijken, vervolgens weer naar haar en dan weer naar het flesje. Als hij dat nog een keer deed, zou ze het flesje boven zijn hoofd leeggieten. Bij die gedachte leefde ze op, en tegen de tijd dat ze een parkeerplaats hadden gevonden, was ze was bijna weer de oude.

Nadat Bobby een kop verse koffie had gehaald, gingen ze naar boven, naar de afdeling Moordzaken. D.D. en haar collega's hadden het getroffen. Het hoofdbureau van de BPD was nog maar vijftien jaar geleden gebouwd en hoewel de meningen over de locatie nog altijd verdeeld waren, was het gebouw zelf modern en goed onderhouden. De afdeling Moordzaken had meer weg van een verzekeringskantoor dan van een politiebureau. Goed verlichte werkplekken werden afgebakend met mooie, functionele schermen. Op brede grijze metalen archiefkasten stonden planten, gezinsfoto's en persoonlijke prullaria. Hier zo'n schuimrubberen vinger van de Red Sox, daar een vlaggetje van de Boston Patriots.

De secretaresse had iets met kaneelpotpourri, terwijl de rechercheurs een obsessie met koffie hadden, zodat het zelfs lekker róók op de afdeling. De mengeling van kaneel en koffie had een van de nieuwere medewerkers ertoe gebracht de receptieruimte om te dopen tot Starbucks. Zoals dat nu eenmaal gaat bij de politie was die naam blijven hangen, en nu had de secretaresse allemaal stickers, servetten en papieren bekertjes van Starbucks op de balie liggen, tot verwarring van menige getuige die een verklaring kwam afleggen.

D.D. trof haar team en een leider van elk onderzoeksteam in de vergaderruimte aan. Ze ging aan het hoofd van de tafel zitten, naast het grote whiteboard dat de komende dagen hun bijbel zou zijn in deze zaak. Ze zette haar flesje water neer en pakte een zwarte stift, en toen waren ze begonnen.

De zoektocht naar Sophie Leoni had de hoogste prioriteit. Het speciale nummer werd platgebeld en er waren al meer dan twintig tips binnengekomen die momenteel allemaal werden nagetrokken. Tot nu toe had dat niets bruikbaars opgeleverd.

Phil had de antecedenten nagetrokken van Sophies oppas, Brandi Ennis, maar ze bleek geen strafblad te hebben. In combinatie met het gesprek dat D.D. en Bobby met haar hadden gevoerd, kon de vrouw naar hun gevoel worden uitgesloten als verdachte. De eerste achtergrondchecks van de schoolleiding en van Sophies leerkracht hadden geen alarmbellen doen rinkelen. Ze gingen zich nu op ouders richten.

Het camerateam had vijfenzeventig procent van de opnames van verschillende camera's in een straal van drie kilometer rond Leoni's woning bestudeerd. Tot nu toe geen spoor van Sophie, Brian Darby of Tessa Leoni. De zoektocht was uitgebreid en nu werd er ook gespeurd naar Brians witte GMC Denali.

Gezien de bevindingen van het lab dat er naar alle waarschijnlijkheid een lichaam in de kofferbak van Darby's auto had gelegen, leek hun beste aanknopingspunt om na te trekken waar de Denali de laatste vierentwintig uur was geweest. D.D. wees twee rechercheurs aan om creditcardgegevens te checken en zodoende te proberen te achterhalen wanneer er voor het laatst was getankt. Op basis van de datum en de hoeveelheid benzine die er nog in de tank zat, konden ze dan bepalen hoe groot de afstand was die Brian Darby maximaal kon hebben afgelegd met een lichaam achter in zijn auto. Ook zouden dezelfde twee rechercheurs nagaan of Darby een parkeerbon of een boete wegens te hard rijden had gekregen of dat hij gebruik had gemaakt van tolwegen, zodat ze aan de hand van die gegevens mogelijk konden vaststellen waar de Denali tussen vrijdagavond en zondagochtend was geweest.

Ten slotte zou D.D. details over de Denali naar de pers lekken en getuigen aansporen om contact op te nemen met nieuwe details.

Phil zou gaan speuren naar percelen die mogelijk het eigendom waren van Brian Darby of een familielid. Zijn eerste antecedentenonderzoek had geen bijzonderheden over het gezin opgeleverd. Brian was nooit gearresteerd of aangehouden. Afgezien van een paar bonnen voor te snel rijden in de afgelopen vijftien jaar, leek hij een voorbeeldig burger te zijn geweest. Hij had de afgelopen vijftien jaar als machinist gewerkt bij hetzelfde bedrijf, ASSC. Hij had een hypotheek van twee ton op het huis, een lening van 34.000 dollar op de Denali en vierduizend dollar aan andere leningen en er stond ruim vijftigduizend dollar op zijn bankrekening, dus in financieel opzicht zag het plaatje er niet slecht uit.

Phil had ook contact opgenomen met Brians baas, die bereid was om morgenochtend om elf uur telefonisch gehoord te worden. Over de telefoon had Scott Hale aangegeven dat de dood van Darby hem schokte, en hij had vol ongeloof gereageerd op de suggestie dat Brian zijn vrouw had geslagen. Hale was ook ontzet over de verdwijning van Sophie en zou ASSC vragen de huidige beloning te verhogen.

D.D., die bovenaan op het bord *Sloeg Brian Darby zijn vrouw?* had geschreven, zette een kruisje in de nee-kolom.

Daarop stak Neil zijn hand op en zei dat er juist een kruisje onder 'ja' moest komen. Hij had de hele dag in het ziekenhuis doorgebracht, waar hij het medisch dossier van Tessa Leoni had opgevraagd. Hoewel er geen sprake was van een lange geschiedenis van 'ongelukjes', had alleen al de opname van vandaag meerdere verwondingen uit verschillende periodes aan het licht gebracht. Tessa Leoni had gekneusde ribben, waarschijnlijk van een voorval dat minstens een week geleden had plaatsgevonden ('Toen ze van de trap was gevallen zeker,' zei D.D. schamper). De arts had er ook een aantekening van gemaakt dat hij vreesde dat één gebroken rib ondeugdelijk was genezen als gevolg van 'inadequate medische verzorging', wat Tessa's bewering bevestigde dat ze geen hulp van buitenaf had gezocht, maar altijd op eigen houtje de gevolgen van een afranseling afhandelde.

Naast haar hersenschudding en gebroken jukbeen stond er in Leoni's dossier een hele waslijst aan kneuzingen, waarvan er een de vorm had van de ronde neus van een werklaars.

'Heeft Brian Darby werklaarzen met stalen neuzen?' vroeg D.D. gespannen.

'Ik ben teruggegaan naar het huis om een paar op te halen,' zei Neil. 'Ik heb aan de advocaat gevraagd of we de afdruk van de laarzen konden vergelijken met de kneuzing op Leoni's heup. Hij vond dat een schending van haar privacy en zei dat we daar toestemming voor moesten vragen.'

'Schending van haar privacy!' snoof D.D. 'Ze zou er juist door geholpen zijn. Er zou een patroon van misbruik mee worden vastgesteld, wat betekent dat ze niet twintig jaar tot levenslang in de gevangenis belandt.'

'Dat sprak hij niet tegen. Hij zei alleen dat ze van de arts moest rusten en dat hij daarom wilde wachten tot ze was hersteld van haar hersenschudding.'

'Kom op zeg! Dan is die kneuzing verdwenen en kunnen we geen vergelijking meer maken, en dan is zij haar ondersteunende bewijs kwijt. Die advocaat kan de pot op. Regel toestemming.'

Dat wilde Neil best doen, maar het zou tot later in de ochtend moeten wachten omdat hij zijn dag zou beginnen in het kantoor van de patholoog om de autopsie van Brian Darby bij te wonen. Die stond nu gepland voor zeven uur, omdat Tessa Leoni had verzocht het stoffelijk overschot van haar man zo snel mogelijk vrij te geven, zodat ze hem een fatsoenlijke begrafenis kon geven.

'Wát?' riep D.D.

'Ik maak geen grapje,' zei Neil. 'Haar advocaat heeft Ben vanmiddag gebeld. Hij wilde weten hoe snel Tessa het lichaam terug kon krijgen. Vraag me niet waarom.'

Maar D.D. staarde de roodharige slungel toch aan. 'Brian is neergeschoten onder verdachte omstandigheden. Natuurlijk moet er een autopsie plaatsvinden, dat weet Tessa net zo goed als iedereen.' Ze keek naar Bobby. 'Ze leren bij de staatspolitie toch wel íéts over de procedure bij moordzaken, hè?'

Bobby krabde opzichtig aan zijn hoofd. 'Maak je een geintje? Ze proppen op de academie negentig lessen in een opleiding van vijfentwintig weken, en dan denk jij dat we na onze studie moeten weten hoe in grote lijnen een onderzoek werkt?'

'Waarom wil ze dat lichaam terug?' vroeg D.D. aan hem. 'Waarom zou ze zelfs maar de moeite nemen om te bellen?'

Bobby haalde zijn schouders op. 'Misschien dacht ze dat de autopsie al had plaatsgevonden.'

'Misschien dacht ze dat ze geluk zou hebben,' zei Neil. 'Ze zit zelf bij de politie – misschien dacht ze dat Ben haar verzoek zou inwilligen en het lichaam van haar man zonder autopsie zou teruggeven.'

D.D. beet op haar onderlip. Het stond haar niet aan. Tessa mocht dan knap en kwetsbaar zijn, als het nodig was, was ze een koele kikker en ontzettend pienter. Als Tessa gebeld had, moest daar een reden voor zijn.

D.D. wendde zich weer tot Neil. 'Wat heeft Ben tegen haar gezegd?'

'Niks. Hij heeft met haar advocaat gesproken, niet met Leoni. Hij herinnerde de advocaat eraan dat er een autopsie moest plaatsvinden, en Cargill sprak dat niet tegen. Voor zover ik het begrepen heb, hebben ze een compromis gesloten: Ben verricht de autopsie meteen, zodat Darby zo snel mogelijk terug kan naar de familie.'

'Dus de autopsie vindt eerder plaats,' zei D.D., 'en het lichaam wordt eerder teruggebracht. Wanneer wordt Darby's lichaam vrijgegeven?'

Neil haalde zijn schouders op. 'Na de autopsie zal het lijk door een assistent moeten worden dichtgenaaid en schoongemaakt. Misschien maandag aan het eind van de dag al, of anders dinsdagmiddag.'

D.D. knikte. Ze maalde er nog steeds over, maar ze begreep het niet. Om een of andere reden wilde Tessa Leoni het lichaam van haar man eerder terug in plaats van later. Ze zouden erop terug moeten komen, want er moest een reden zijn. Er was altijd een reden.

D.D. richtte zich weer tot haar taskforce. Ze wilde nu goed nieuws horen, maar dat was er niet. Ze wilde nieuwe aanknopingspunten, maar die had niemand.

Zij en Bobby vertelden wat ze te weten waren gekomen over de ongelukkige jeugd van Tessa Leoni. Dat ze een keer iemand had moeten doodschieten uit noodweer was pech geweest. Twéé keer leek gevaarlijk dicht in de buurt te komen van een gedragspatroon, al zou er vanuit juridisch oogpunt drie keer voor nodig zijn om alle twijfel weg te nemen.

D.D. wilde meer weten over de schietpartij met Thomas Howe. Morgenochtend zou ze samen met Bobby de agent opsporen die het onderzoek had geleid. Als het mogelijk was, zouden ze ook contact opnemen met de familie Howe en met Tessa's vader. En zeker niet in de laatste plaats wilden ze achterhalen naar welke sportschool

Brian Darby ging, wat voor programma hij volgde, en of hij misschien steroïden had gebruikt. Hij was in relatief korte tijd een stuk breder geworden en van een gevoelige man veranderd in een opvliegende. Het was de moeite waard om dat uit te zoeken.

Toen dat allemaal geregeld was, schreef D.D. de volgende stappen op het whiteboard en gaf ze de leden van de taskforce hun huiswerk. Het camerateam moest verdergaan met het bekijken van de talloze opnames uit Boston. Phil moest de achtergrondrapporten afmaken, research doen naar percelen en de baas van Brian Darby ondervragen. Neil moest naar de patholoog en een machtiging regelen om de laars van Brian Darby te vergelijken met de kneuzing op de heup van Tessa Leoni.

Het benzineteam mocht zich gaan bezighouden met benzineverbruik en plattegronden van Boston om vast te stellen hoe groot het gebied was waar Sophie Leoni zich kon bevinden, terwijl de rechercheurs die zich bezighielden met het speciale telefoonnummer zouden doorgaan met het natrekken van oude aanwijzingen terwijl ze ook zouden proberen nieuwe informatie in te winnen.

D.D. wilde de verslagen van de ondervragingen van vandaag binnen een uur op haar bureau hebben. Ze droeg haar team op alles te documenteren en vervolgens bij het krieken van de dag weer aan het werk te gaan. Sophie Leoni werd nog altijd vermist, en dat betekende dat voorlopig niemand veel zou slapen.

De rechercheurs stroomden de vergaderruimte uit.

D.D. en Bobby bleven achter om de hoofdinspecteur van de afdeling Moordzaken bij te praten en vervolgens te overleggen met de aanklager. Geen van beide mannen was geïnteresseerd in details, ze wilden alleen maar resultaten. Aan D.D., die de leiding had over het onderzoek, de aangename taak hun te informeren dat ze nog geen duidelijkheid had over de gebeurtenissen die tot het neerschieten van Brian Darby hadden geleid en dat de zesjarige Sophie Leoni nog niet was gevonden. Maar hé, zo ongeveer elke agent uit Boston werkte momenteel aan de zaak, dus het kon niet anders of de taskforce zou vroeg of laat iets vinden.

De aanklager, die ronduit verbijsterd reageerde toen hij hoorde dat Tessa Leoni zich al eens eerder op noodweer had beroepen, stemde in met D.D.'s verzoek om meer tijd te nemen voor het vaststellen van de aanklacht. Aangezien ze bij doodslag heel anders te werk zouden moeten gaan dan bij moord, zou het ideaal zijn als er meer informatie kwam en zou diepgaand onderzoek naar de ellendige jeugd van Tessa Leoni noodzakelijk zijn.

Ze zouden ervoor zorgen dat de media aandacht bleven besteden aan Sophie en niet afgeleid zouden worden door details over de dood van Brian Darby.

Om half één 's nachts sloop D.D. eindelijk stilletjes terug naar haar kantoor. Haar baas was tevreden, de aanklager was tot bedaren gebracht en haar taskforce was druk in de weer. En zo ging er weer een dag voorbij in weer een zaak die veel publiciteit kreeg. De molens van het strafrechtsysteem draaiden onophoudelijk rond.

Bobby ging tegenover haar zitten. Zonder een woord te zeggen pakte hij het eerste getypte rapport van de stapel op haar bureau en begon te lezen.

Even later deed D.D. hetzelfde.

14

Toen Sophie bijna drie was, sloot ze zichzelf op in de kofferbak van mijn surveillancewagen. Dat gebeurde voordat ik Brian had leren kennen, dus ik kon alleen mezelf de schuld geven.

Mevrouw Ennis woonde destijds in dezelfde flat als wij, aan de andere kant van de gang. Het was laat in de herfst, die periode dat het daglicht vroeger afneemt en de avonden kouder worden. Sophie en ik waren buiten geweest, naar het park. Nu was het etenstijd en was ik in de weer in de keuken, terwijl ik ervan uitging dat zij televisie keek in de huiskamer, waar keihard *Curious George* opstond.

Ik had een kleine salade gemaakt, als onderdeel van mijn streven om mijn kind meer groente te laten eten. Vervolgens had ik twee kipfilets gegrild en patat gebakken. Dat was mijn compromis: Sophie kon haar geliefde patat krijgen, zolang ze eerst wat salade at.

Deze hele onderneming kostte me twintig à vijfentwintig minuten, maar wel een hectische vijfentwintig minuten. Ik concentreerde me volledig op het koken en had kennelijk geen aandacht voor mijn peuter, want toen ik de huiskamer binnenliep om mee te delen dat het tijd was om te eten, was mijn kind daar niet.

Ik raakte niet gelijk in paniek. Ik zou willen zeggen dat dat kwam doordat ik een getrainde agent was, maar het had er meer mee te maken dat ik de moeder van Sophie was. Sophie begon al te rennen toen ze dertien maanden oud was en sindsdien had ze nooit meer rustig aan gedaan. Ze was zo'n kind dat er tussenuit kneep in supermarkten, in het park de benen nam bij de schommels en zich in een druk winkelcentrum dwars door een zee van benen wurmde, of ik nou achter haar aankwam of niet. Het afgelopen jaar was ik Sophie al meer dan eens kwijtgeraakt. We vonden elkaar echter altijd weer binnen een paar minuten terug.

Ik begon met de *basics*: ik controleerde snel onze kleine slaapkamer, riep haar naam en keek voor alle zekerheid in de badkamerkastjes, in de beide ingebouwde kasten en onder het bad. Ze was niet in de flat.

Ik checkte de voordeur en ik was waarachtig vergeten de grendel ervoor te schuiven, wat betekende dat Sophie in het hele gebouw kon zijn. Terwijl ik de gang overstak schold ik mezelf in stilte uit en voelde ik de groeiende frustratie van de alleenstaande moeder die te veel op haar bordje heeft, die te allen tijde voor alles verantwoordelijk is, of ze het nu aankan of niet.

Ik klopte aan bij mevrouw Ennis. Nee, Sophie was niet bij haar, maar ze wist honderd procent zeker dat ze Sophie net nog buiten had zien spelen.

Dus ik naar buiten. De zon was al onder en de straatverlichting brandde, evenals de schijnwerpers aan de gevel van het flatgebouw. Het was nooit echt donker in een stad als Boston. Dat hield ik mezelf voor terwijl ik om het logge bakstenen gebouw heen liep en de naam van mijn dochter riep. Toen er geen lachend kind de hoek om kwam rennen en ik geen hoog gegiechel uit de omliggende bosjes hoorde komen, nam mijn bezorgdheid toe.

Ik begon te rillen. Het was koud, ik had geen jas aan, en aangezien ik Sophies frambooskleurige fleecejack naast de deur van onze flat had zien hangen, gold voor mijn dochter hetzelfde.

Mijn hartslag versnelde. Ik haalde diep adem om rustig te worden en de opwelling van doodsangst te temperen. De hele tijd dat ik zwanger was geweest van Sophie had ik in angst geleefd. Ik had geen oog gehad voor het wonder dat er leven in mijn lichaam groeide. In plaats daarvan zag ik de foto van mijn overleden broertje voor me, een spierwit pasgeboren baby'tje met knalrode lippen.

Toen de bevalling begon, dacht ik dat ik niet zou kunnen ademhalen door de angst die mijn keel dichtkneep. Het zou me niet lukken, mijn baby zou doodgaan, er was geen hoop, geen enkele hoop.

Maar toen was Sophie toch gekomen. Volmaakte, krijsende Sophie, onder de rode vlekken. Warm en glibberig en hartverscheurend mooi zoals ik haar tegen mijn borst hield.

Mijn dochter was sterk. En onbevreesd en impulsief.

Met een kind als Sophie raakte je niet in paniek. Je dacht logisch na: wat zou Sophie doen?

Ik keerde terug naar het flatgebouw en ging snel alle deuren langs. De meeste buren waren nog niet thuis van hun werk, en de paar mensen die opendeden hadden Sophie niet gezien. Ik handelde nu snel en doelgericht.

Sophie ging graag naar het park en het zou kunnen dat ze daar naartoe was, alleen waren we al de hele middag bij de schommels geweest en had zelfs zij uiteindelijk naar huis gewild. Ze kwam graag in de winkel op de hoek en was ronduit gefascineerd door de wasserette; ze vond het prachtig om de kleren te zien ronddraaien.

Ik besloot weer naar boven te gaan om nog één keer snel door het huis te lopen en te controleren of er nog iets anders weg was – een stuk speelgoed, haar favoriete tasje. Dan zou ik mijn autosleutels pakken en de straat door rijden.

Ik was nog maar net de deur door toen ik ontdekte wat ze had meegenomen: de sleutels van mijn surveillancewagen lagen niet meer op het schoteltje met kleingeld.

Deze keer vlóóg ik de flat uit, de trap af. Peuters en surveillancewagens vormden geen geschikte combinatie. Ik maakte me niet druk om de zender, de zwaailichten en de sirenes voor in de auto. In de kofferbak lag een riotgun.

Ik rende naar de passagierskant en keek vanaf het trottoir naar binnen. De auto leek leeg te zijn. Ik probeerde het portier, maar dat zat op slot. Ik liep om de auto heen, met bonzend hart en een oppervlakkige ademhaling, en probeerde alle raampjes en deuren. Geen activiteit te bespeuren. Alles zat op slot.

Maar ze had de sleutels meegenomen. Denk als Sophie. Op welk knopje kon ze gedrukt hebben? Wat kon ze gedaan hebben?

Toen hoorde ik haar. *Beng beng beng.* Het geluid kwam uit de kofferbak. Ze zat erin en sloeg tegen de klep.

'Sophie?' riep ik.

Het gebons hield op.

'Mama?'

'Ja, Sophie. Mama is hier, schatje.' Ondanks mijn beste bedoelingen was mijn stem schel en luid. 'Gaat het?'

'Mama,' antwoordde mijn kind rustig vanuit de afgesloten kofferbak. 'Opgesluit, mama. Opgesluit.'

Ik sloot mijn ogen en blies mijn ingehouden adem uit. 'Sophie, schatje,' zei ik zo overtuigend als ik kon. 'Je moet naar mama luisteren. Je mag niets aanraken.'

'Ké.'

'Heb je de sleutels nog?'

'Hm-hmmm.'

'Heb je ze in je hand?'

'Niet aanraken!'

'De sleutels wel, schatje. Hou ze maar vast, als je verder maar niks aanraakt.'

'Vast, mama. Vast.'

'Ik snap het, schatje. Wil je er graag uit?'

'Ja!'

'Oké. Hou de sleuteltjes vast. Kun je een knopje voelen? Druk er maar op met je duim.' Ik hoorde een klik toen Sophie deed wat haar was opgedragen. Ik rende naar de deur aan de voorkant van de auto om te zien of ik die kon openen. Natuurlijk had ze de vergrendeling ingedrukt.

'Sophie, schatje,' riep ik achterom. 'Het knopje daarnaast! Duw daar maar op!'

Opnieuw klonk er een klik, en de deur ging van het slot. Ik ademde weer uit, deed het portier open en trok aan de hendel van de kofferbak. Een paar seconden later stond ik over mijn dochter heen gebogen. Ze lag als een roze hoopje opgekruld tussen de metalen kist waar mijn riotgun in zat en een zwarte plunjezak met munitie en andere politieaccessoires.

'Gaat het?' vroeg ik op dringende toon.

Mijn dochter gaapte en stak haar handen naar me uit. 'Honger!'

Ik tilde haar uit de kofferbak en zette haar op de stoep, waar ze prompt begon te rillen van de kou.

'Mama,' begon ze te jammeren.

'Sophie!' Ik kapte haar resoluut af. Nu mijn kind buiten levensgevaar was, voelde ik de eerste kwaadheid opkomen. 'Luister naar me.' Ik pakte de sleutels uit haar hand, hield ze omhoog en schudde ze hard heen en weer. 'Die zijn níét van jou. Je mag deze sleutels nóóit aanraken. Begrijp je me? Niet aanraken!'

Sophie pruilde met haar onderlip. 'Niet aanraken,' zei ze met trillende stem. Het leek nu volledig tot haar door te dringen wat ze had gedaan. Haar gezicht betrok en ze staarde naar de stoep.

'Je mag de flat pas uit als ik dat heb gezegd! Kijk me aan. Herhaal het. Zeg het tegen mama.'

Met vochtige blauwe ogen keek ze naar me op. 'Ik mag niet weg. Tegen mama zeggen,' fluisterde ze.

Nu ik haar een standje had gegeven, gaf ik toe aan de doodsangst die ik de afgelopen tien minuten had gevoeld, en ik nam haar weer in mijn armen en hield haar stevig vast. 'Je moet mama niet zo bang maken, hoor,' fluisterde ik tegen haar kruin. 'Ik meen het, Sophie. Ik hou van je. Ik wil je nooit kwijtraken. Je bent mijn Sophie.'

Als antwoord begroef ze haar kleine vingertjes in mijn schouders.

Na een poosje zette ik haar weer neer. Ik herinnerde mezelf eraan dat ik de grendel voor de deur had moeten schuiven. En ik moest mijn sleutels niet meer op een kastje laten liggen, of ze misschien in de wapenkluis leggen. Nog meer dingen om aan te denken. Nog meer dingen die geregeld moesten worden in een leven dat toch al veel te druk was.

Mijn ogen prikten een beetje, maar ik huilde niet. Ze was mijn Sophie. En ik hield van haar.

'Was je niet bang?' vroeg ik terwijl ik haar hand vastpakte en samen met haar terugliep naar onze flat en het avondeten, dat intussen koud was.

'Nee, mama.'

'Ook niet toen je opgesloten zat in het donker?'

'Nee, mama.'

'Echt niet? Je bent een dapper meisje, Sophie Leoni.'

Ze kneep in mijn hand. 'Mama komt,' zei ze eenvoudigweg. 'Ik weet dat mama komt.'

Ik herinnerde mezelf nu aan die avond, terwijl ik vastzat in een ziekenhuiskamer, omringd door piepende monitors en het onophoudelijke geroezemoes van een druk medisch centrum. Sophie was sterk. Sophie was dapper. Mijn dochter was helemaal niet bang voor het donker, zoals ik de rechercheurs had doen geloven. Ik wilde dat ze over haar in de rats zaten en dat ze met haar te doen hadden. Alles wat er maar voor zou zorgen dat ze harder aan de slag gingen, alles wat er maar voor zou zorgen dat ze haar sneller thuisbrachten.

Ik had Bobby en D.D. nodig, of ze me nu geloofden of niet. Mijn dochter had hen nodig, vooral omdat haar moeder, haar superheld, momenteel niet op kon staan zonder over te geven.

Ik vond het vreselijk, maar de waarheid was dat mijn dochter in gevaar verkeerde, verdwaald in het donker. En ik kon er helemaal niks aan doen.

Eén uur 's nachts.

Zo hard ik kon klemde ik mijn hand om de blauwe knoop.

'Wees dapper, Sophie,' fluisterde ik in de halfdonkere kamer, terwijl ik mijn lichaam met alles wat ik in me had probeerde te dwingen om te herstellen. 'Mama komt. Mama zal altijd komen.'

Toen dwong ik mezelf terug te kijken op de afgelopen zesendertig uur. Ik dacht na over de enorme tragiek van de dagen die achter me lagen. En toen dacht ik na over het enorme gevaar van de dagen die voor me lagen.

Bekijk het van alle kanten, voorzie de obstakels, zorg dat je een stap verder komt.

De autopsie van Brian zou nu morgenochtend vroeg plaatsvinden. Het was een pyrrusoverwinning: ik had mijn zin gekregen, maar daarmee had ik zonder enige twijfel mijn eigen hoofd in de strop gestoken.

Maar de tijdlijn werd er ook door versneld, waardoor zij wat controle kwijtraakten en ik die juist weer terugkreeg.

Ik ging uit van negen uur. Negen uur om fysiek te herstellen, en dan, of ik er nu klaar voor was of niet, zou het spel beginnen.

Ik dacht aan Brian, stervend op de keukenvloer. Ik dacht aan Sophie, weggegrist uit ons huis.

Toen gunde ik mezelf één laatste moment om te rouwen om mijn man. Omdat we ooit gelukkig waren geweest.

Omdat we ooit een gezin waren geweest.

15

D.D. was om half drie 's nachts weer terug in haar flat in North End. Ze plofte met haar kleren aan op bed en zette de wekker zodat ze vier uur kon slapen. Zes uur later werd ze wakker. Ze wierp een blik op de klok en raakte in paniek.

Half negen? Ze versliep zich nooit. Nooit!

Ze sprong uit bed, keek met verwilderde blik haar kamer rond, greep haar mobieltje en belde Bobby. Die nam meteen op en in een ademloze stortvloed flapte ze eruit: 'Ik kom al, ik kom al, ik kom al. Geef me veertig minuten.'

'Oké.'

'Ik moet iets verkeerd hebben gedaan met de wekker. Even douchen, aankleden en ontbijten. Ik kom eraan.'

'Oké.'

'Fuck! Het verkeer!'

'D.D.,' zei Bobby, resoluter nu. 'Het geeft niet.'

'Het is half negen!' schreeuwde ze terug, en tot haar afgrijzen realiseerde ze zich dat ze op het punt stond in huilen uit te barsten. Ze liet zich weer op de rand van haar bed vallen. Goeie god, wat voelde ze zich waardeloos. Wat was er met haar aan de hand?

'Ik ben ook nog thuis,' zei Bobby nu. 'Annabelle slaapt. Ik ben de baby aan het voeden. Luister, ik zal de rechercheur bellen die het onderzoek naar de schietpartij met Thomas Howe heeft geleid. Goed?'

Gedwee zei D.D.: 'Oké.'

'Ik bel je over een halfuurtje. Douche ze.'

D.D. moest iets zeggen. Vroeger zou ze absoluut iets gezegd hebben. Maar nu klapte ze haar mobieltje dicht en bleef ze zitten. Ze voelde zich net een ballon die opeens was leeggelopen.

Een poosje later sleepte ze zich naar de badkamer, waar ze midden in een zee van witte tegels de kleren van een dag eerder uittrok en naar haar naakte lichaam in de spiegel staarde.

Ze legde haar vingers op haar buik, streek met haar handpalmen over de gladde huid en probeerde een aanwijzing te voelen voor wat er met haar aan de hand was. Ze was nu vijf weken over tijd maar kon geen enkele bolling of zachte welving voelen. Haar buik leek eerder plátter geworden, en haar lichaam dunner. Maar ja, dat gebeurde nou eenmaal als je van eet-zoveel-je-kunt-buffetten overging op soep en crackers.

Ze verplaatste de inspectie van haar lichaam naar haar gezicht, waar haar magere wangen en ingevallen ogen werden omlijst door haar blonde krullen, die allemaal in de war zaten. Ze had nog geen zwangerschapstest gedaan. Aangezien ze niet ongesteld was geworden, gevolgd door een intense moeheid die werd afgewisseld door vreselijke misselijkheid, leek het wel duidelijk wat er met haar aan de hand was. Dat moest háár weer overkomen, om een driejarige periode van seksuele onthouding af te sluiten door zich zwanger te laten maken.

Misschien was ze wel niet zwanger, dacht ze nu. Misschien ging ze wel dood.

'Was het maar waar,' mompelde ze somber.

Maar ze schrok van haar eigen woorden. Dat meende ze niet. Dat kón ze niet menen.

Ze voelde weer aan haar buik. Misschien was haar middel toch wel degelijk dikker. Voelde ze dáár geen ronding? Ze wreef zachtjes met haar vingers over de plek. En heel even zag ze een pasgeboren baby'tje voor zich, met een pafferig rood gezichtje, donkere, smalle spleetoogjes en kleine, ronde lipjes. Een jongetje? Een meisje? Het maakte niet uit. Gewoon een baby. Een heuse, echte baby.

'Ik zal je geen kwaad doen,' fluisterde ze in de stilte van de badkamer. 'Ik ben niet echt een moedertype. Ik ga hier vast een potje van maken. Maar ik zal je geen kwaad doen. Ik zal je nooit bewust kwaad doen.'

Even bleef ze zo staan, waarna ze diep zuchtte en voelde dat haar ontkenning het eerste voorzichtige stapje naar aanvaarding nam.

'Maar je zult wel met me moeten samenwerken, oké? Je wint niet de loterij voor de leukste moeder. We zullen dus allebei water bij de wijn moeten doen. Zo zou jij me weer kunnen laten eten, dan zal ik proberen om voor twaalven naar bed te gaan. Meer kan ik niet doen. Als je een beter aanbod wilt, zul je terug moeten naar de zaadbal en opnieuw moeten beginnen. Je moeder probeert een klein meisje te vinden. En misschien kan je dat niks schelen, maar mij wel. Ik kan het ook niet helpen, dit werk zit me in het bloed.'

Weer een korte stilte. Ze zuchtte diep en streek nog altijd met haar vingers over haar buik. 'Dus ik moet doen wat nodig is,' fluisterde ze. 'Want de wereld is een puinhoop en iemand moet de troep opruimen. Anders maken meisjes als Sophie Leoni geen enkele kans. In zo'n wereld wil ik niet leven. En ik wil ook niet dat jij opgroeit in zo'n wereld. Dus laten we dit samen doen, oké? Ik ga douchen en dan ga ik eten. Wat dacht je van muesli?'

Haar maag begon niet onmiddellijk te protesteren en dus ging ze er maar van uit dat dat 'lekker' betekende. 'Muesli dus. En dan moeten we allebei weer aan het werk. Hoe eerder we Sophie vinden, des te sneller ik je mee naar huis kan nemen, naar je vader. Die, in elk geval vroeger, wel eens heeft gezegd dat hij kinderen wilde. Ik hoop maar dat dat nog steeds zo is. O jemig. We zullen er gewoon allemaal een beetje vertrouwen in moeten hebben. Laten we het samen gaan flikken, goed?'

D.D. zette de douche aan.

Later at ze haar muesli, en toen ze haar flat verliet had ze niet overgegeven.

Kon slechter, concludeerde ze. Kon slechter.

Rechercheur Butch Walthers had een dik gezicht, brede schouders en de gespierde borstkas van een voormalige linebacker die zijn beste tijd had gehad. Hij was bereid Bobby en D.D. te ontmoeten in een klein eettentje bij hem om de hoek, omdat het zijn enige vrije dag was en omdat hij er wel een maaltijd aan wilde overhouden als hij over zijn werk praatte.

Toen D.D. naar binnen liep, kwam haar een walm van gebakken eieren met spek tegemoet en ze moest zich bedwingen om niet rechtsomkeert te maken. Ze was altijd dol geweest op eettentjes. Ze was ook altijd dol geweest op eieren met spek. Het was méér dan wreed om het nu te moeten doen met spontane misselijkheid.

Ze inhaleerde een paar keer met open mond om een beetje op adem te komen. Toen kreeg ze de ingeving om pepermuntkauwgum uit haar schoudertas te halen. Die truc had ze geleerd doordat ze talloze malen op een plaats delict had gewerkt: het kauwen van kauwgum met muntsmaak onderdrukt de reukzintuigen. Ze stopte drie reepjes in haar mond, voelde de scherpe pepermuntsmaak in haar keel en wist de achterkant van het restaurantje te bereiken, waar Bobby al tegenover rechercheur Walthers aan een tafeltje zat.

Beide mannen stonden op toen ze kwam aanlopen. Ze stelde zich aan Walthers voor, knikte naar Bobby en ging toen als eerste aan tafel zitten, zodat ze een plek dicht bij het raam had. Ze had geluk, want het raampje bleek nog open te kunnen ook. Ze begon onmiddellijk aan de hendels te pielen.

'Het is een beetje warm hier,' zei ze. 'Het raam mag wel een beetje open, hè?'

Beide mannen keken haar nieuwsgierig aan maar zeiden niets. Het is gewoon warm hier, hield D.D. zichzelf voor, en de stroom koude lucht ruikt alleen maar naar sneeuw en naar niets anders. Ze boog zich dichter naar de smalle opening.

'Koffie?' vroeg Bobby.

'Water,' zei D.D.

Hij trok een wenkbrauw op.

'Ik heb al koffie gehad,' loog ze. 'Ik heb geen zin om hyper te worden.'

Bobby trapte er niet in. Dat had ze kunnen weten. Ze wendde zich tot Walthers voordat Bobby kon vragen wat voor ontbijt ze wilde. D.D. die een ontbijt afsloeg bracht waarschijnlijk zijn hele wereldbeeld aan het wankelen.

'Bedankt dat u ons wilde spreken,' zei D.D. 'En dat nog wel op uw vrije dag.'

Walthers knikte inschikkelijk. Zijn stompe neus zat onder de rode haarvaatjes. D.D. stelde vast dat hij een drankprobleem had. Een oude veteraan die het einde van zijn carrière bij de politie naderde. Als hij dacht dat het leven nu zwaar was, dacht ze met een vleugje medelijden, dan moest hij maar wachten tot hij zou ontdekken hoe het was om met pensioen te zijn. Al die lege uren die gevuld moesten worden met herinneringen aan de goede oude tijd, die voorgoed achter hem lag.

'Ik was wel verbaasd toen ik werd gebeld over die schietpartij met Howe,' zei Walthers nu. 'Ik heb aan een heleboel zaken gewerkt, maar deze heb ik nooit zo interessant gevonden.'

'Omdat het allemaal zo duidelijk leek?'

Walthers haalde zijn schouders op. 'Ja en nee. Het fysieke bewijs was totaal verkloot, maar de achtergrond van Tommy Howe sprak boekdelen: Tessa Leoni was niet het eerste meisje dat hij had aangerand, ze was alleen de eerste die zich verzette.'

'Echt?' vroeg D.D. geïntrigeerd.

De serveerster kwam bij hun tafeltje staan en keek hen verwachtingsvol aan. Walthers bestelde een Pioniersontbijt, met vier worstjes, twee gebakken eieren en een half bord eigengemaakte patat. Bobby bestelde hetzelfde, en D.D., die in een moedige bui was, nam een jus d'orange.

Nu staarde Bobby haar openlijk aan.

'Kunt u ons iets vertellen over de zaak?' vroeg D.D. aan Walthers zodra de serveerster weg was.

'Er is naar het alarmnummer gebeld. Door de moeder, als ik het me goed herinner, helemaal hysterisch. De agent die als eerste arriveerde, trof Tommy Howe dood aan in de huiskamer. Hij was omgekomen door één enkele schotwond, en de ouders en zijn zus stonden in hun kamerjas om hem heen. De moeder huilde, de vader probeerde haar te troosten en de jongere zus was in shock. De ouders wisten helemaal van niets. Ze waren wakker geworden van een geluid, de vader was naar beneden gegaan en had Tommy's lichaam gevonden, en dat was het. De zus, Juliana, was degene die de antwoorden had, maar het duurde even voordat we die kregen. Ze had een vriendin te logeren gehad...'

'Tessa Leoni,' zei D.D.

'Inderdaad. Tessa was op de bank in slaap gevallen terwijl ze naar een film hadden gekeken. Juliana was naar boven gegaan om te gaan slapen. Iets na enen had zij ook iets gehoord. Ze was naar beneden gegaan en zag haar broer en Tessa op de bank liggen. Naar eigen zeggen wist ze niet goed wat er aan de hand was, maar toen hoorde ze een schot en sloeg Tommy achterover. Hij viel op de grond en Tessa stond op van de bank. Ze had het pistool nog in haar hand.'

'Juliana heeft gezien dat Tessa haar broer neerschoot?' vroeg D.D.

'Yep. Juliana was helemaal van slag. Volgens haar beweerde Tessa dat Tommy haar had aangevallen. Juliana wist niet wat ze moest doen. Tommy bloedde als een rund, ze hoorde haar vader de trap af komen. Ze raakte in paniek en zei dat Tessa naar huis moest gaan, wat Tessa deed.'

'Is Tessa midden in de nacht naar huis gerend?' vroeg Bobby met gefronste wenkbrauwen.

'Ze woonde in dezelfde straat, vijf huizen verderop. Het was maar een klein eindje. Toen de vader beneden kwam, schreeuwde hij tegen Juliana dat haar moeder het alarmnummer moest bellen. Dat was het schouwspel dat ik aantrof toen ik binnen kwam lopen: een huiskamer met heel veel bloed, een dode tiener en een dader die verdwenen was.'

'Waar was Tommy geraakt?'

'In zijn linkerbovendij. De kogel doorboorde de slagader in zijn dij en hij bloedde dood. Pure pech, als je erover nadenkt, om dood te gaan van één enkele schotwond in je been.'

'Eén schot maar?'

'Meer was er niet voor nodig.'

Interessant, dacht D.D. Brian Darby had er ten minste nog drie in zijn borst verdiend. Wat voor effect vijfentwintig weken intensieve vuurwapentraining al niet kon hebben.

'En waar was Tessa?' vroeg ze.

'Na Juliana's verklaring ben ik naar de Leoni's gegaan, waar Tessa meteen opendeed. Ze had gedoucht...'

'Dat meent u niet!'

'Ik zei toch dat het fysieke bewijs verkloot was. Maar ja' – Walthers haalde zijn brede schouders op – 'ze was zestien. Naar eigen zeggen was ze aangerand voordat ze haar belager neerschoot. Ze was rechtstreeks naar de douche gelopen – dat kun je haar moeilijk kwalijk nemen.'

Het stond D.D. nog steeds niet aan. 'Welk fysiek bewijs kon u nog wel veiligstellen?'

'De .22. Tessa gaf me het wapen meteen. Haar vingerafdrukken stonden op het handvat en de ballistische kenmerken koppelden de inslag die Tommy Howe het leven kostte aan het pistool. We deden de kleren die ze had uitgetrokken in zakken en markeerden die. Er zat geen sperma op het ondergoed – zij claimde dat hij niet, eh, had afgemaakt waarmee hij was begonnen. Maar het bloed op haar kleding was deels van dezelfde bloedgroep als dat van Tommy Howe.'

'Zijn haar handen gecontroleerd op kruitresten?'

'Nee – maar ja, ze had gedoucht.'

'Is er gecontroleerd of ze verkracht is?'

'Dat weigerde ze.'

'Pardón?'

'Ze zei dat ze al genoeg had doorgemaakt. Ik vroeg haar of een verpleegkundige haar mocht onderzoeken, maar dat wilde ze niet. Dat meisje trilde als een rietje. Dat kon je zien – ze zat er helemaal doorheen.'

'Welke rol speelt de vader in dit hele verhaal?' wilde Bobby weten.

'Hij werd wakker toen we het huis binnenkwamen. Kennelijk had hij toen pas door dat zijn dochter eerder was teruggekomen van haar logeerpartij en dat er iets was gebeurd. Ik vond hem enigszins... introvert overkomen. Hij stond daar maar in de keuken in zijn boxershort en hemd en met zijn armen over elkaar geslagen, zonder een woord te zeggen. Ik bedoel, zijn zestienjarige dochter staat te vertellen dat ze is aangerand en hij staat daar godverdomme maar, als een zoutzak. Donnie.' Walthers knipte met zijn vingers toen de naam hem te binnen schoot. 'Donnie Leoni. Hij had zijn eigen garagebedrijf. Ik heb nooit hoogte van hem kunnen krijgen. Ik vermoedde dat hij een drankprobleem had, maar dat is nooit bevestigd.'

'En de moeder?' vroeg D.D.

'Die was een halfjaar eerder overleden aan een hartverlamming. Geen gelukkig gezin, maar ja...' Walthers haalde opnieuw zijn schouders op. 'Dat geldt voor de meeste gezinnen.'

'Dus kort samengevat,' zei D.D., die de gebeurtenissen voor zichzelf op een rijtje zette. 'Tommy Howe is overleden aan een enkele schotwond die hem is toegebracht in zijn eigen huiskamer. Tessa bekent dat zij het heeft gedaan. Ze heeft zich gewassen en is niet bereid zich fysiek te laten onderzoeken. Ik begrijp het niet. Heeft de aanklager haar gewoon op haar woord geloofd? Dat arme getraumatiseerde meisje van zestien móést de waarheid wel vertellen?'

Walthers schudde zijn hoofd. 'Blijft dit tussen ons?'

'Absoluut,' verzekerde D.D. hem. 'Tussen vrienden.'

'Ik kon helemaal geen hoogte krijgen van Tessa Leoni. Ik bedoel, aan de ene kant zat ze onbeheersbaar te trillen in haar keuken. Aan de andere kant... gaf ze een gedetailleerd verslag van alles wat er die avond gebeurd was. In alle jaren dat ik als rechercheur heb gewerkt, heb ik nooit een slachtoffer meegemaakt dat zo helder zoveel details wist te vertellen, en al helemaal geen slachtoffer van seksueel geweld. Het zat me dwars, maar wat moest ik zeggen? *Lieve meid, jouw geheugen is zo goed dat ik je niet serieus kan nemen*?' Walthers schudde zijn hoofd. 'Tegenwoordig kunnen dat soort uitspraken een rechercheur zijn baan kosten, en geloof me... Ik moet twee exen onderhouden en heb mijn pensioen hard nodig.'

'Maar waarom is ze weggekomen met noodweer? Waarom is ze niet vervolgd?' vroeg Bobby, die duidelijk net zo verbijsterd was als D.D.

'Omdat Tessa Leoni dan misschien een twijfelachtig slachtoffer was, maar Tommy Howe de perfecte dader. Binnen vierentwintig uur belden er drie verschillende meisjes die vertelden dat zij ook door hem waren aangerand. Let wel, geen van hen wilde een officiële verklaring afleggen, maar hoe dieper we groeven, des te duidelijker het werd dat Tommy onmiskenbaar een reputatie had met de vrouwen: hij nam geen genoegen met een afwijzing. Niet dat hij per se grof geweld gebruikte, daarom waren veel meisjes ook zo terughoudend om te getuigen. Nee, het klonk eerder alsof hij ze dronken voerde, of misschien stopte hij wel iets in hun drankjes. Maar een paar meisjes konden zich duidelijk herinneren dat ze absoluut niet geïnteresseerd waren in Tommy Howe en toch wakker werden in zijn bed.'

'Rohypnol,' zei D.D.

'Waarschijnlijk. We hebben er nooit een spoor van gevonden in zijn kamer, maar zelfs zijn huisgenoten bevestigden dat Tommy kreeg wat hij wilde, en dat het hem weinig kon schelen hoe de meisjes zich daarover voelden.'

'Fijne jongen,' mompelde Bobby somber.

'Zijn ouders vonden van wel,' merkte Walthers op. 'Toen de aanklager liet weten dat hij niet tot vervolging zou overgaan en de verzachtende omstandigheden probeerde uit te leggen... Het leek wel of we beweerden dat de paus een atheïst was. De vader – James, James Howe – ging helemaal door het lint. Hij gilde tegen de aanklager, belde mijn luitenant om een tirade af te steken over hoe slecht ik mijn werk deed en dat daardoor een koelbloedige moordenaar vrijuit ging. Jim had contacten, en hij zou ons allemaal te grazen nemen.'

'En is dat gebeurd?' vroeg D.D. nieuwsgierig.

Walthers rolde met zijn ogen. 'Kom op zeg, hij was afdelingshoofd bij Polaroid. Contacten? Hij had een aardig inkomen, en zijn ondergeschikten waren vast bang voor hem. Maar hij was slechts de koning van een klein kantoorhokje en een groot huis. Ouders...' Walthers schudde zijn hoofd.

'Meneer en mevrouw Howe hebben nooit geloofd dat Tommy Tessa Leoni heeft aangerand?'

'Nope. Het was voor hen absoluut uitgesloten dat hun zoon schuldig was, en dat is interessant omdat het voor Donnie Leoni absoluut uitgesloten was dat zijn dochter onschuldig was. Via via heb ik gehoord dat hij haar het huis uit heeft geschopt. Kennelijk is hij zo'n vent die denkt dat het meisje erom gevraagd moet hebben.' Walthers schudde zijn hoofd. 'Wat doe je eraan?'

De serveerster verscheen weer bij hun tafel, nu met borden vol eten. Ze zette de borden voor Walthers en Bobby neer en gaf D.D. vervolgens haar glas sinaasappelsap.

'Kan ik verder nog iets betekenen?' vroeg ze.

Toen ze hun hoofd schudden, liep ze weg.

De mannen vielen aan. D.D. boog zich dichter naar het raam, dat op een kier stond, om de vettige worstgeur niet te hoeven ruiken. Ze haalde haar kauwgom uit haar mond en dronk voorzichtig van de sinaasappelsap.

Dus Tessa Leoni had Tommy Howe één keer in zijn been geschoten. D.D. probeerde het tafereel voor zich te zien en de volgorde klopte wel. De zestienjarige, doodsbange Tessa wordt tegen de kussens van de bank geduwd door het zware lichaam van een jongen die groter en sterker is dan zij. Ze tast met haar rechterhand naast zich en voelt haar handtasje tegen haar heup drukken. Ze vist de .22 van haar vader eruit, weet met veel moeite haar hand om de kolf te krijgen, duwt het wapen tussen hun lichamen in...

Walthers had gelijk – het was pure pech voor Tommy dat hij door zo'n wond was overleden. En al met al was het ook pech voor Tessa, omdat zij er ook nog eens haar vader en beste vriendin door had verloren.

Het klonk als noodweer, aangezien andere vrouwen bereid waren geweest te bevestigen dat Tommy in het verleden wel vaker vrouwen had aangerand. En toch, het feit dat één vrouw nu twee keer betrokken was geweest bij een fatale schietpartij... De eerste keer ging het om een agressieve tiener, de tweede keer om een echtgenoot die haar mishandelde. De eerste keer ging het om één schot dat toevallig fataal was, de tweede keer om drie schoten in de borst, midden in de dodelijke zone.

Twee schietincidenten. Twee gevallen van noodweer. Was het pech, dacht D.D., terwijl ze een tweede slokje sinaasappelsap nam, of had ze haar vaardigheden verbeterd?

Walthers en Bobby waren bijna klaar met eten. Bobby pakte de rekening en Walthers bromde een bedankje. Ze wisselden visitekaartjes uit en Walthers vertrok. Bobby en D.D. bleven samen achter op de stoep.

Bobby draaide zich naar haar toe zodra Walthers een hoek om ging. 'Wil je me iets vertellen, D.D.?'

'Nee.'

Hij klemde zijn kaken op elkaar en keek alsof hij erover wilde doorgaan, maar bedacht zich toen. Hij keerde zich van haar af om de luifel van het eettentje te bestuderen. Als D.D. niet beter wist, zou ze denken dat hij gekwetst was.

'Ik heb een vraag voor je,' zei D.D., om van onderwerp te veranderen en de spanning te verminderen. 'Ik blijf maar denken aan Tessa Leoni, die zich in twee verschillende gevallen van noodweer gedwongen heeft gezien om twee mannen dood te schieten. Wat ik me afvraag is of ze nou heel veel pech heeft of heel slim is.'

Dat wekte Bobby's aandacht. Hij draaide zich weer naar haar toe en had een aandachtige uitdrukking op zijn gezicht.

'Ga maar na,' vervolgde D.D. 'Tessa wordt op haar zestiende op straat gezet en is op haar eenentwintigste zwanger en helemaal alleen. Maar dan bouwt ze haar leven opnieuw op, zoals ze het zelf noemt. Ze stopt met drinken. Ze bevalt van een beeldschone dochter, wordt een respectabele politieagente en ontmoet zelfs een hartstikke leuke jongen. Totdat hij de eerste keer te veel drinkt en haar een paar meppen verkoopt. Wat moet ze nu doen?'

'Politiemensen vertrouwen andere politiemensen niet,' zei Bobby stijfjes.

'Precies,' zei D.D. 'Dat gaat in tegen de code van de surveillerende agent, van wie wordt verwacht dat hij alle situaties alleen kan afhandelen. Tessa had weg kunnen gaan bij haar man. De eerstvolgende keer dat Brian naar zee ging, hadden Tessa en Sophie zestig dagen lang de tijd om een eigen plekje te zoeken. Maar misschien heeft Tessa er wel helemaal geen zin in om weer in een flat met één slaapkamer te gaan wonen nu ze zo'n fijn huis gewend is. Misschien bevallen dat huis, de tuin, de dure SUV en de vijftigduizend dollar op de bank haar prima.'

'Misschien gelooft ze niet dat verhuizen alleen voldoende is,' bracht Bobby daar op vlakke toon tegen in. 'Niet alle mannen die hun vrouw mishandelen begrijpen de hint.'

'Dat is waar,' gaf D.D. toe. 'Dat ook. Tessa komt tot de conclusie dat ze een permanentere oplossing nodig heeft. Een oplossing waarmee Brian Darby voorgoed uit haar leven en dat van Sophie verdwijnt, terwijl ze wel de beschikking blijft houden over een mooi huis in een goede wijk van Boston. Dus wat doet ze?'

Bobby staarde haar aan. 'Wil je nou beweren dat Tessa op basis van haar ervaring met Tommy Howe besluit een aanval in scène te zetten, zodat ze haar man uit noodweer kan doodschieten?'

'Ik denk dat die gedachte door haar hoofd moet zijn gegaan.'

'Tuurlijk. Alleen zijn Tessa's verwondingen niet in scène gezet. Een hersenschudding, een gebroken jukbeen, meerdere kneuzingen. Die vrouw kan niet eens meer staan.'

'Misschien heeft Tessa haar man uitgedaagd om haar aan te vallen. Dat is niet zo moeilijk. Ze wist dat hij gedronken had. Ze hoefde hem alleen maar zo ver te krijgen dat hij haar een paar keer sloeg, en dan kon ze met een gerust hart gaan schieten. Brian geeft toe aan zijn zwakheid en Tessa profiteert ervan.'

Bobby fronste zijn wenkbrauwen en schudde zijn hoofd. 'Dat is wel heel kil. En het klopt ook nog steeds niet.'

'Hoezo niet?'

'Vanwege Sophie. Dus Tessa lokt uit dat haar man haar slaat en schiet hem dood. Zoals jij het gisteren zei, verklaart dat waarom zijn lichaam in de keuken ligt en waarom ze in de serre door het ambulancepersoneel behandeld moet worden. Maar Sophie dan? Waar is Sophie?'

D.D. keek hem kwaad aan. Ze hield haar arm tegen haar buik. 'Misschien wilde ze Sophie het huis uit hebben, zodat ze er geen getuige van zou zijn.'

'Dan regelt ze dat Sophie naar mevrouw Ennis toe kan.'

'Wacht – misschien is dat het probleem wel. Ze heeft niet geregeld dat Sophie bij mevrouw Ennis kon blijven. Als Sophie te veel zag, dan moest Tessa haar weg zien te krijgen zodat wij haar niet konden ondervragen.'

'Tessa houdt Sophie verborgen?'

Daar dacht D.D. even over na. 'Het zou verklaren waarom het zo lang duurde voordat ze meewerkte. Ze maakt zich geen zorgen om het kind – ze weet dat Sophie veilig is.'

Maar Bobby schudde zijn hoofd al. 'Kom op, Tessa is een goed opgeleide politieagent. Ze weet dat de hele staat een Amber Alert krijgt zodra ze haar kind als vermist opgeeft. Hoe groot is de kans dat het je lukt een kind verborgen te houden van wie de foto door alle belangrijke media wordt getoond? En aan wie zou ze dat trouwens moeten vragen? *Het is zondagochtend negen uur en ik heb zojuist mijn man doodgeschoten, dus wil jij even op de vlucht slaan met mijn dochter van zes?* We hebben het over een vrouw van wie we al hebben vastgesteld dat ze geen hechte familiebanden of vrienden heeft. Ze kon kiezen uit mevrouw Ennis en mevrouw Ennis, en Sophie is niet bij mevrouw Ennis. En bovendien,' vervolgde Bobby meedogenloos, 'heeft ze daarmee niks opgelost. Vroeg of laat zullen we Sophie vinden. En als dat gebeurt, zullen we haar vragen wat ze die ochtend heeft gezien. Als Sophie getuige is geweest van de confrontatie tussen Tessa en Brian, dan zijn een paar dagen oponthoud niet genoeg om iets te veranderen. Dus waarom zou je dan zo'n risico nemen met je eigen kind?'

D.D. tuitte haar lippen. 'Nou ja, als je het zo stelt...' mompelde ze.
'Waarom vind je dit zo moeilijk?' vroeg Bobby opeens. 'Er ligt een collega in het ziekenhuis. Haar dochtertje wordt vermist. De meeste rechercheurs zijn blij dat ze haar kunnen helpen, terwijl jij koste wat het kost een reden lijkt te willen vinden om haar op te knopen.'
'Ik ben niet...'
'Komt het doordat ze jong en knap is? Ben je echt zo kleinzielig?'
'Bobby Dodge!' viel D.D. uit.
'We moeten Sophie Leoni vinden!' schreeuwde Bobby terug. Ze hadden heel wat jaren samen doorgebracht, maar D.D. kon zich niet herinneren dat ze Bobby ooit had horen schreeuwen. Het gaf echter niet, want ze schreeuwde zelf ook.
'Weet ik!'
'Het duurt nu al langer dan vierentwintig uur. Mijn dochter was vannacht om drie uur aan het huilen, en het enige wat ik me kon afvragen was of Sophie ergens hetzelfde deed.'
'Weet ik!'
'Ik vind dit een kutzaak, D.D.!'
'Ik ook!'
Bobby hield op met schreeuwen. Hij haalde nu zwaar adem. D.D. nam een moment de tijd om gefrustreerd uit te ademen. Bobby haalde een hand door zijn korte haar. D.D. streek haar blonde krullen naar achteren.
'We moeten met de baas van Darby praten,' deelde Bobby even later mee. 'We moeten een lijst van vrienden hebben, collega's die misschien weten wat hij met zijn stiefdochter gedaan kan hebben.'
D.D. keek op haar horloge. Tien uur. Phil had het telefoontje met Scott Hale om elf uur gepland. 'We moeten nog een uur wachten.'
'Mooi. Laten we sportscholen gaan bellen. Misschien had Brian een personal trainer. Aan hun personal trainer biechten mensen alles op, en we hebben nu absoluut een bekentenis nodig.'
'Jij belt de sportscholen,' zei ze.
Bobby keek haar vermoeid aan. 'Hoezo? Wat ga jij dan doen?'
'Juliana Howe opsporen.'

'D.D...'
'Verdeel en heers,' viel ze hem kortaf in de rede. 'Als we twee keer zoveel terrein bestrijken, boeken we twee keer zoveel resultaat.'
'Jezus. Je bent écht een harde.'
'Vroeger vond je dat zo leuk aan me.'
D.D. liep naar haar auto. Bobby volgde haar niet.

16

Brian en ik hadden onze eerste grote ruzie toen we vier maanden getrouwd waren. In de tweede week van april had een onverwachte sneeuwstorm heel New England bedolven onder een dik wit pak. Ik had de nacht ervoor dienst gehad, en om zeven uur 's morgens was de Mass Pike één grote chaos van aanrijdingen, verlaten voertuigen en radeloze voetgangers. We zaten er tot over onze oren in en de nachtdienst ging naadloos over in een dagdienst, ook al waren er extra agenten opgeroepen en waren de hulpdiensten vrijwel op volle sterkte actief. Welkom op de werkdag van een geüniformeerde agent tijdens een winterse noordooster.

Om elf uur 's morgens, vier uur nadat ik normaal gesproken klaar was met mijn dienst, lukte het me om naar huis te bellen. Er werd niet opgenomen. Ik maakte me geen zorgen, omdat ik aannam dat Brian en Sophie buiten in de sneeuw speelden. Misschien waren ze aan het sleeën of maakten ze een sneeuwpop, of ze groeven naar paarse reuzenkrokussen onder de kristalblauwe sneeuw.

Tegen enen hadden mijn collega's en ik de ergste ongelukken weten af te handelen, een stuk of dertig gestrande auto's van de weg laten verwijderen en minstens twintig automobilisten weer op weg geholpen. Nu de Pike weer begaanbaar was, konden de strooiwagens eindelijk hun werk doen, wat ons eigen werk ook weer makkelijker maakte.

Eindelijk kon ik lang genoeg teruggaan naar mijn surveillancewagen om een slok koude koffie te nemen en mijn mobieltje te controleren, dat ik verscheidene malen aan mijn riem had voelen trillen. Ik zag nog net dat ik heel vaak was gebeld door mevrouw Ennis toen bij mijn schouder mijn pieper ging. Het was de meldkamer die me probeerde te bereiken omdat ze een dringend telefoontje wilden doorschakelen.

Mijn hartslag schoot omhoog. In een reflex pakte ik het stuur van mijn geparkeerde auto beet, alsof dat me houvast zou geven. Toen gaf ik door dat ze konden doorschakelen en hoorde ik de stem van mevrouw Ennis, die duidelijk in paniek was. Ze wachtte nu al langer dan vijf uur. Waar was Sophie? Waar was Brian?

Eerst begreep ik het niet, maar vervolgens werd het verhaal stukje bij beetje duidelijk. Brian had om zes uur 's morgens, toen de eerste sneeuw begon te vallen, mevrouw Ennis gebeld. Hij had het weerbericht gezien en was, stuiterend van de adrenaline, tot de conclusie gekomen dat het een perfecte dag werd om te gaan skiën. Het kinderdagverblijf van Sophie zou vast dicht blijven. Kon mevrouw Ennis misschien op haar passen?

Dat wilde mevrouw Ennis wel, maar ze zou er minstens twee uur over doen om hun huis te bereiken. Daar was Brian niet blij mee geweest. De wegen zouden alleen maar slechter worden, blablabla. Daarom bood hij aan om Sophie op weg naar de bergen bij mevrouw Ennis langs te brengen. Daar had mevrouw Ennis wel oren naar, omdat ze dan niet met de bus hoefde. Brian zou er tegen achten zijn. Mevrouw Ennis zou ontbijten terwijl ze op Sophie wachtte.

Maar nu was het half twee, en geen spoor van Brian en Sophie. Bij hen thuis nam niemand de telefoon op. Wat was er gebeurd?

Dat wist ik niet. Dat kón ik niet weten. Ik weigerde me in te beelden wat er allemaal gebeurd kon zijn. De manier waarop het lichaam van een tiener uit een auto gelanceerd en om een telefoonpaal geslingerd kon worden. Of de manier waarop de stuurkolom van een ouder type auto van vóór de airbag zich in de borstkas van een volwassene kon boren, zodat die roerloos bleef zitten en bijna leek te slapen in de stoel, tot je de bloeddruppel in zijn mondhoek zag. Of het achtjarige meisje dat nog maar drie maanden geleden uit het geplette voorste gedeelte van een vierdeurssedan moest worden gesneden, terwijl de relatief ongehavende moeder naast de auto stond te gillen dat de baby had gehuild en dat ze zich alleen maar even had omgedraaid om te zien of alles in orde was...

Dat zijn de dingen die ik weet. Dat zijn de taferelen die ik me herinnerde terwijl ik mijn wagen startte, het zwaailicht en de sirene aanzette en me slingerend een weg naar huis baande, dat op een halfuur rijden lag.

Mijn handen trilden toen ik eindelijk tot stilstand kwam voor onze garage, met de neus van mijn wagen op de stoep en de achterkant half op de weg. Ik liet de verlichting aan, stapte zo snel ik kon uit de surveillancewagen en rende de besneeuwde trap op naar het donkere huis erboven. Toen mijn laars het eerste beijzelde stuk raakte, kon ik nog net de metalen reling vastgrijpen om te voorkomen dat ik op de straat onder me stortte. Toen was ik op de top van het heuveltje en duwde ik tegen de voordeur, terwijl ik met mijn ene hand mijn sleutels zocht en met de andere op de deur beukte, ook al maakten de donkere ramen allang duidelijk wat ik niet wilde weten.

Ten slotte wist ik met een scherpe draaiende beweging van mijn hand de sleutel in het slot te krijgen. Ik duwde de deur open...

Niks. Een lege keuken, een lege huiskamer. Daar bleef ik eindelijk even staan, haalde een paar keer adem om te kalmeren en herinnerde mezelf eraan dat ik een getrainde politieagent was. Minder adrenaline, meer intelligentie. Zo loste je problemen op. Zo hield je zaken in de hand.

'Mama? Mama, je bent thuis!'

Mijn hart sprong zo ongeveer uit mijn borstkas. Ik draaide me nog net op tijd om om een glimp van Sophie op te vangen voordat ze zich in mijn armen wierp, me vijf of zes keer knuffelde en begon te kletsen over haar opwindende sneeuwdag. Het was zo'n enorme stortvloed van woorden dat ik weer helemaal versuft en verward raakte.

Toen drong het tot me door dat Sophie niet in haar eentje thuis was gekomen, maar dat er een buurmeisje in de deuropening stond. Ze stak ter begroeting een hand op.

'Mevrouw Leoni?' vroeg ze verlegen.

Het duurde even, maar uiteindelijk begreep ik wat er was gebeurd. Brian was wel degelijk gaan skiën. Maar hij had Sophie helemaal niet naar het huis van mevrouw Ennis gebracht. Hij was tijdens het inladen van zijn spullen namelijk de vijftienjarige Sarah Clemons tegengekomen, die in het appartementencomplex naast ons huis woonde. Ze veegde de stoep voor het gebouw en hij sprak haar aan, en voordat ze het wist had ze toegezegd dat ze op Sophie zou passen tot ik thuiskwam, zodat Brian sneller de stad uit kon.

Sophie, die dol was op tienermeisjes, had dat een fantastische wijziging van de plannen gevonden. Blijkbaar hadden zij en Sarah de hele ochtend door de straat gesleed, sneeuwbalgevechten gehouden en afleveringen van *Gossip Girl* gekeken.

Brian had niet gezegd wanneer hij terug zou zijn, maar hij had Sarah laten weten dat ik vroeg of laat thuis zou komen. Sophie had mijn surveillancewagen de straat in zien rijden en dat was dat geweest.

Ik was thuis. Sophie was tevreden en Sarah was opgelucht dat ze haar onverwachte last kon overdragen. Ik wist vijftig dollar bij elkaar te scharrelen. Toen belde ik mevrouw Ennis, meldde me bij de meldkamer en stuurde mijn dochter, die helemaal opgefokt was van de warme chocolademelk en televisieprogramma's voor tieners, naar buiten om een sneeuwpop te maken. Ik stond op het achterterras om haar in de gaten te houden terwijl ik voor de eerste keer probeerde Brian op zijn mobieltje te bereiken.

Hij nam niet op.

Vervolgens dwong ik mezelf mijn politieriem naar de wapenkluis in onze slaapkamer te brengen en het combinatieslot zorgvuldig op slot te draaien. Er zijn nog meer dingen die ik me herinner. Nog meer dingen die ik weet.

Sophie en ik wisten de avond door te komen. Ik kwam tot de ontdekking dat het mogelijk is dat je je man wilt vermoorden terwijl je toch een zorgzame moeder bent. We aten 's avonds macaroni met kaas, deden een paar potjes Candy Land en toen deed ik Sophie zoals elke avond in bad.

Om half negen lag ze te slapen in haar bed. Ik ijsbeerde door de keuken, de huiskamer, de ijskoude serre. Toen ging ik weer naar buiten, in de hoop dat ik een beetje zou afkoelen door de sneeuw van het dak te harken en de trappen aan de zijkant van het huis sneeuwvrij te maken.

Om tien uur nam ik een warme douche en trok ik een schoon uniform aan. Mijn politieriem liet ik in de kluis liggen. Ik vertrouwde mezelf niet met mijn dienstwapen.

Om kwart over tien kwam mijn man eindelijk door de voordeur binnenlopen. Hij droeg een enorme tas en zijn ski's. Hij floot een deuntje en bewoog met de elegante lenigheid die het gevolg is van een hele dag intens fysiek bezig zijn.

Hij zette zijn ski's tegen de muur. Zette zijn tas op de grond. Gooide zijn sleutels op de keukentafel en begon zijn laarzen uit te trekken toen hij me zag. Hij leek eerst mijn uniform te zien, en toen schoot zijn blik automatisch naar de klok aan de muur.

'Is het al zo laat? Jee, ik moet de tijd vergeten zijn.'

Ik staarde hem aan, met mijn handen tegen mijn heupen, de volmaakte belichaming van het zeikende viswijf. Het kon me geen reet schelen.

'Waar heb jij in gódsnaam gezeten?'

De woorden kwamen er hard en afgemeten uit. Brian keek op en leek oprecht verbaasd. 'Ik heb geskied. Heeft Sarah je dat niet verteld? Het buurmeisje. Ze heeft Sophie toch wel thuisgebracht?'

'Beetje apart om die vraag nu te stellen, vind je niet?'

Hij aarzelde, minder zeker nu. 'Is Sophie thuis?'

'Ja.'

'Heeft Sarah het goed gedaan? Ik bedoel, is alles goed met Sophie?'

'Voor zover ik weet wel.'

Brian knikte en leek na te denken. 'Dus... waarom zit ik dan in de shit?'

'Mevrouw Ennis...' begon ik.

'Kut!' riep hij uit, terwijl hij onmiddellijk overeind sprong. 'Ik had haar moeten bellen. Dat had ik onderweg willen doen. Alleen waren de wegen echt een ramp, en ik moest twee handen aan het stuur houden, en tegen de tijd dat ik op de snelweg zat en de omstandigheden beter waren... O nee...' Hij kreunde en liet zich weer op zijn stoel zakken. 'Wat ontzettend stom van me.'

'Je hebt mijn kind achtergelaten bij een vreemde! Je bent weggegaan om je te vermaken terwijl ik je hier nodig had. En je hebt een lief oud vrouwtje helemaal in paniek gebracht, waardoor ze de komende week waarschijnlijk twee keer zoveel medicijnen voor haar hart moet innemen!'

'Ja,' mompelde mijn man. 'Ik heb er een potje van gemaakt. Ik had haar moeten bellen. Het spijt me.'

'Hoe kon je?' hoorde ik mezelf zeggen.

Hij ging verder met de veters van zijn laarzen. 'Ik was het vergeten. Ik wilde Sophie afzetten bij mevrouw Ennis, maar toen kwam ik Sarah tegen en zij woont hier pal naast...'

'Je hebt Sophie een hele dag bij een vreemde achtergelaten...'

'Ho ho, wacht even. Het was al acht uur. Ik ging ervan uit dat je elk moment thuis kon zijn.'

'Ik heb tot over enen gewerkt. En ik zou nog steeds aan het werk zijn als mevrouw Ennis de meldkamer niet had gebeld en me had laten oproepen.'

Brian werd bleek en liet zijn laarzen voor wat ze waren. 'Shit.'

'Zeg dat wel ja!'

'Oké, oké. Ja. Absoluut. Het was ontzettend stom van me om mevrouw Ennis niet te bellen. Het spijt me, Tessa. Ik zal morgenochtend meteen contact met haar opnemen en mijn verontschuldigingen aanbieden.'

'Je hebt geen idee hoe bang ik was.' Ik kom het niet laten, ik móést het zeggen.

Hij antwoordde niet.

'De hele weg hierheen. Heb jij wel eens de schedel van een klein kind vastgehouden, Brian?'

Hij zei niets.

'Het is net alsof je rozenblaadjes in je handen hebt. De losse schedeldelen zijn zo dun dat je erdoorheen kunt kijken, zo licht dat ze uit je handen waaien als je uitademt. Dat zijn de dingen die ik weet, Brian. Dat zijn de dingen die ik niet kan vergeten. En dat betekent dat je het níét verknalt bij een vrouw als ik, Brian. Je draagt mijn kind níét over aan een vreemde, je dumpt mijn dochter níét ergens zodat jij je lekker kunt vermaken. Je past goed op Sophie. Of je sodemietert op uit ons leven. Is dat duidelijk?'

'Ik heb er een potje van gemaakt,' antwoordde hij vlak. 'Dat is me duidelijk. Is alles goed met Sophie?'

'Ja...'

'Kon ze het goed vinden met Sarah?'

'Schijnbaar...'

'En jij hebt mevrouw Ennis gebeld?'

'Natuurlijk!'

'Dan is alles uiteindelijk in elk geval goed afgelopen.' Hij pakte zijn laarzen weer.

Ik liep zo snel de keuken door dat ik bijna van de grond kwam. 'Je bent met me getróúwd!' gilde ik tegen mijn kersverse echtgenoot. 'Je hebt voor me gekózen. Je hebt voor Sophie gekozen. Hoe dúrf je ons zo te laten vallen!'

'We hebben het over een telefoontje, Tessa. En ja, ik zal proberen het de volgende keer beter te doen.'

'Ik dacht dat je dood was! Ik dacht dat Sophie dood was!'

'Tja, nou, dan is het toch fijn dat ik eindelijk thuis ben?'

'Brian!'

'Ik weet dat ik er een potje van heb gemaakt!' Hij vergat eindelijk zijn laarzen en stak zijn handen in de lucht. 'Dit is nieuw voor me! Ik heb nooit eerder een vrouw en een dochter gehad, en het feit dat ik van je hou betekent nog niet dat ik me niet soms als een rund gedraag. Jezus, Tessa... Ik vaar bijna weer uit. Ik wilde me nog een laatste dag vermaken. Verse sneeuw. Skiën...' Hij ademde in. Ademde uit. Stond op.

'Tessa,' zei hij, rustiger nu. 'Ik zou jou of Sophie nooit opzettelijk kwaad doen. Ik hou van jullie allebei. En ik beloof dat ik het de volgende keer beter zal doen. Heb een beetje vertrouwen in me, oké? Dit is voor ons allebei nieuw en we zullen ongetwijfeld soms fouten maken, dus alsjeblieft... heb een beetje vertrouwen in me.'

Ik liet mijn schouders zakken. De vechtlust sijpelde weg. Ik liet mijn woede lang genoeg los om opgelucht te zijn dat mijn dochter niets was overkomen, dat mijn man ongedeerd was en dat de middag uiteindelijk goed was afgelopen.

Brian trok me tegen zich aan. Ik stond toe dat hij me omhelsde. Ik sloeg zelfs mijn armen om zijn middel.

'Wees voorzichtig, Brian,' fluisterde ik tegen zijn schouder. 'Vergeet niet dat ik anders ben dan andere vrouwen.'

Voor één keer sprak hij me niet tegen.

Ik dacht terug aan dat moment in mijn huwelijk, en aan andere momenten, toen de verpleegkundige achteruit stapte en gebaarde dat ik mijn eerste wankele stap moest doen. Ik had om zes uur die ochtend droge toast gegeten zonder over te geven. Om half acht hadden ze me in de stoel naast mijn bed gezet om te zien hoe ik het er zittend vanaf zou brengen.

De eerste paar minuten had ik een stekende pijn in mijn schedel, maar die was afgezwakt tot een dof geraas. Mijn halve gezicht bleef gezwollen en gevoelig en ik stond wankel op mijn benen, maar verder had ik de afgelopen twaalf uur vooruitgang geboekt. Ik kon staan en zitten en droge toast eten. De wereld kon maar beter uitkijken.

Als een bezetene en ten einde raad wilde ik het ziekenhuis uitrennen, waar Sophie als door een soort wonder op de stoep op me stond te wachten. Ik zou haar in mijn armen heen en weer zwaaien. En ik zou haar knuffelen en kussen en tegen haar zeggen dat het me allemaal heel erg speet en dat ik haar nooit meer alleen zou laten.

'Goed,' zei de verpleegkundige kortaf. 'Probeer die eerste stap maar eens.'

Ze bood me haar arm aan als steun. Mijn knieën trilden hevig en dankbaar legde ik een hand op haar arm.

Die eerste wankele stap deed me duizelen. Toen ik een paar keer met mijn ogen knipperde, verdween het gevoel van desoriëntatie. Omhoog was omhoog, omlaag was omlaag. Vooruitgang.

Ik ging stapje voor stapje vooruit, schokkerige bewegingen van mijn voeten die me langzaam maar zeker meenamen over het grijze linoleum, steeds dichter naar de badkamer toe. Toen was ik binnen en ik deed voorzichtig de deur achter me dicht. De verpleegkundige had toiletartikelen klaargezet waarmee ik me kon douchen. De tweede test van de dag – ze wilden zien of ik op eigen kracht kon plassen en douchen. Daarna zou de dokter me opnieuw onderzoeken.

En dan kon ik misschien, héél misschien, naar huis.

Sophie. Zittend op de vloer van haar kamer, omringd door geschilderde konijntjes en feloranje bloemen, spelend met haar lievelingspop met draadjeshaar. *Mama, je bent thuis! Ik hou van je, mama!*

Ik stond bij de wastafel en staarde naar mijn spiegelbeeld.

De huid rondom mijn oog was zo donker en opgezwollen dat het wel een aubergine leek. Ik kon amper mijn neusbrug onderscheiden, of de bovenste rand van mijn wenkbrauw. Ik dacht aan die scènes in de eerste Rocky-films, waarin ze zijn gezwollen vlees moesten opensnijden zodat hij iets kon zien. Misschien moest ik het maar eens proberen. De dag was nog jong.

Mijn vingers verplaatsten zich van mijn donkerblauwe oog naar de snee een centimeter of vijf daarboven, de korst die zich begon te vormen en aan mijn haarwortels trok. Toen ging ik naar de achterkant van mijn schedel, waar nog steeds die aanzienlijke bult zat. De plek was warm en deed pijn toen ik hem aanraakte. Ik liet mijn hand zakken en hield er de rand van de wastafel mee vast.

Maandagochtend acht uur.

Ik dacht opnieuw aan alle momenten die ik terug zou willen hebben. Aan de keren dat ik ja had moeten zeggen en de keren dat ik nee had moeten zeggen. Dan zou Brian nog leven en nu misschien zijn ski's met was inwrijven voor zijn volgende grote avontuur. En Sophie zou thuis zijn, spelend op de vloer van haar kamer, met Gertrude naast zich en wachtend op mij.

Maandagochtend acht uur...

'Schiet op, D.D. en Bobby,' mompelde ik. 'Mijn dochter heeft jullie nodig.'

17

Dankzij het wonder van navigatiesystemen was Bobby er al bij zijn tweede poging achter op welke sportschool Brian had gezeten. Hij had simpelweg Darby's adres ingevoerd en vervolgens op sportscholen in de omgeving gezocht. Dat had zes treffers opgeleverd. Bobby begon met de dichtstbijzijnde sportschool en ging zo het rijtje af. Bij een vestiging van een landelijke keten had hij beet. Bobby reed er in een halfuur naartoe en had acht minuten later een gesprek met Brians personal trainer.

'Ik zag het op het nieuws,' zei de kleine, donkerharige vrouw, die nu al bezorgd keek. Bobby probeerde haar te taxeren. Ze was iets van één meter vijftig en woog een kilo of veertig, meer een turnster dan een trainer. Maar toen ze in een bezorgd gebaar haar handen wrong, zag hij onder de huid van haar onderarmen de pezen kronkelen.

Bobby stelde zijn eerste beeld van Jessica Ryan bij – ze was klein maar gevaarlijk. Een mini-Hulk.

Toen hij was gearriveerd, was ze in de weer geweest met een man van middelbare leeftijd die een trainingsshirt van honderd dollar droeg en een kapsel van vierhonderd dollar had. In eerste instantie had Jessica Bobby nadrukkelijk genegeerd en zich volledig op haar klant gericht, die haar ongetwijfeld goed betaalde. Maar zodra Bobby zijn politiepenning liet zien, was Jessica, met haar strakke roze T-shirt en paarse glitternagels, van hem.

Haar teleurgestelde cliënt moest zijn training afmaken met een vent wiens nek dikker was dan Bobby's dijbeen. Bobby en Jessica trokken zich terug in de personeelsruimte, waar Jessica snel de deur dichtdeed.

'Is hij echt dood?' vroeg ze nu, en ze beet op haar onderlip.

'Ik ben hier met betrekking tot de dood van Brian Darby,' verklaarde Bobby.

'En dat meisje van hem? Ze laten de hele tijd haar foto zien op het nieuws. Sophie, toch? Hebben jullie haar al gevonden?'

'Helaas niet.'

De tranen sprongen in Jessica's grote bruine ogen. Voor de tweede keer binnen een uur was Bobby blij dat hij D.D. alleen had gelaten om alleen te werken. De eerste keer omdat hij de keuze had tussen bij haar uit de buurt blijven of haar wurgen. En nu omdat het uitgesloten was dat D.D. zou kunnen opschieten met een vrouwelijke trainer van wie de ogen zich bij het minste of geringste vulden met tranen en die ook nog eens een superkort, knalroze broekje droeg.

Als gelukkig getrouwde man vond Bobby het belangrijk dat hij niet te aandachtig naar het broekje of het strakke T-shirt keek. Daarom staarde hij maar naar de goedgevormde biceps van de personal trainer.

'Hoeveel bankdruk je?' hoorde hij zichzelf vragen.

'Zestig kilo,' antwoordde Jessica nonchalant, terwijl ze haar ooghoeken nog depte.

'Dat is wat, twee keer je gewicht?'

Ze bloosde.

Hij besefte dat hij feitelijk had staan flirten en zweeg. Misschien had hij toch niet weg moeten gaan bij D.D. Misschien moest een man, of hij nu gelukkig getrouwd was of niet, zich wel nooit in één ruimte bevinden met een vrouw als Jessica Ryan. En daardoor vroeg hij zich af of Tessa Leoni Jessica Ryan ooit had ontmoet. En dáárdoor vroeg hij zich weer af hoe Brian Darby de eerste week fitnesstraining ooit had kunnen overleven.

Bobby schraapte zijn keel en pakte zijn aantekenboekje en mini-recorder. Hij zette het apparaatje aan en legde het naast de magnetron op het aanrecht.

'Heb je Sophie wel eens gezien?' begon hij.

'Eén keer. De school was dicht die dag, dus nam Brian haar mee naar zijn training. Ze leek me echt heel lief. Ze vond een paar gewichten van een halve kilo en zeulde die de hele tijd met zich mee. Ze deed alle oefeningen van Brian na.'

'Trainde Brian alleen met jou?'

'Ik ben zijn personal trainer,' zei Jessica met een vleugje trots. 'Maar soms botsen onze werktijden en dan kan het zijn dat een andere trainer me vervangt.'

'En hoe lang heeft Brian met je gewerkt?'

'O, een jaar bijna. Nou ja, misschien eerder negen maanden.'

'Negen maanden?' Bobby maakte een aantekening.

'Hij deed het hartstikke goed!' zei Jessica overdreven. 'Hij was een van mijn beste cliënten. Hij wilde breder worden, dus de eerste maanden heb ik hem op een superstreng dieet gezet. Helemaal geen vet, zout en koolhydraten meer – en hij is zo'n jongen die ook dol is op de geraffineerde koolhydraten. Wentelteefjes bij het ontbijt, goed belegde broodjes als lunch, aardappelpuree bij het avondeten en een pak koekjes als toetje. Ik dacht niet dat hij de eerste twee weken door zou komen. Maar toen hij zijn systeem eenmaal had gezuiverd en opnieuw had afgesteld, begonnen we aan de volgende fase: het afgelopen halfjaar volgde hij een programma dat ik heb ontwikkeld tijdens mijn fitnesswedstrijden...'

'Fitnesswedstrijden?'

'Ja, ik ben vier keer op rij Miss Fit New England geweest.' Jessica lachte haar witte tanden bloot naar hem. 'Fitness is een passie van me.'

Bobby dwong zichzelf om zijn blik af te wenden van haar gebruinde, afgetrainde biceps en concentreerde zich op zijn aantekenboekje.

'Ik liet Brian een dieet volgen van zes eiwitrijke maaltijden per dag,' ging Jessica parmantig verder. 'We hebben het dan over dertig gram eiwitten per maaltijd en elke twee, drie uur een maaltijd. Dat kost een heleboel tijd en geld, maar hij deed het geweldig! Toen heb ik een fitnessprogramma van zestig minuten cardiotraining toegevoegd, gevolgd door een uur lang zware gewichten tillen.'

'Elke dag?' Bobby deed aan hardlopen. Of beter gezegd, hij had aan hardlopen gedaan voordat Carina werd geboren. Hij liet zijn aantekenboekje een stukje zakken, tot voor zijn middel, want nu hij erover nadacht had zijn broek wat strak gezeten vanochtend.

'Vijf tot zeven keer per week cardiotraining, vijf keer per week krachttraining. En ik heb hem laten werken met *hundreds*. Dat deed hij geweldig!'

'Wat zijn dat?'

'Minder gewicht, maar meer herhaling, om te zien of je de honderd kunt halen. Als we het goed doen, lukt dat nooit bij de eerste poging, maar als je blijft trainen kun je het vier weken later nog eens proberen. De eerste twee maanden haalde Brian altijd de honderd, zodat ik hem zwaarder moest laten tillen. Hij boekte echt verbluffende resultaten. Ik bedoel, de meeste cliënten hebben een heleboel praatjes, maar Brian maakte zijn woorden ook wáár.'

'Hij lijkt het afgelopen jaar een stuk zwaarder te zijn geworden,' zei Bobby.

'Hij heeft veel meer spíérmassa gekregen,' corrigeerde Jessica hem direct. 'Alleen al op zijn armen zeven centimeter. We hebben elke twee weken metingen verricht, mocht je die willen hebben. Natuurlijk misten we soms enkele maanden door zijn werk, maar hij bleef op schema.'

'Wanneer hij naar zee ging bedoel je?'

'Ja, dan was hij twee maanden weg. De eerste reis sloopte hem helemaal. Het meeste van wat we hadden opgebouwd, was hij kwijt. De tweede reis zette ik een heel programma voor hem op dat hij moest volgen, inclusief een dieet, cardio en gewichten. Ik kreeg een lijst van alle toestellen die op het schip aanwezig waren en maakte echt een programma op maat, zodat hij geen excuses had. Toen deed hij het veel beter.'

'Dus Brian was hard aan het werk met jou als hij hier was en op het schip als hij weg was. Was er een reden voor dat hij zo zijn best deed?'

Jessica haalde haar schouders op. 'Hij wilde er beter uitzien. Zich beter voelen. Hij was heel actief. Toen we net begonnen, wilde hij een betere conditie zodat hij van hogere bergen kon gaan skiën en wandelen en zo. Hij was altijd bezig, maar hij vond dat hij sterker moest worden. Daar gingen we mee aan de slag.'

Bobby legde zijn aantekenboekje neer en keek haar even aandachtig aan. 'Dus Brian wil meer skiën en wandelen. En daar geeft hij hoeveel per week voor uit?' Hij gebaarde naar de goed onderhouden personeelsruimte, in een sportschool die duidelijk uitstekend was uitgerust.

'Een paar honderd dollar,' zei Jessica. 'Maar voor een goede gezondheid kun je nooit te veel betalen!'

'Tweehonderd dollar per week. En hoeveel tijd ging er zitten in trainen, boodschappen doen, het bereiden van voedsel?'

'Als je resultaten wilt...' hield Jessica hem voor.

'Brian ging ervoor. Brian haalde resultaten. Brian volgde nog steeds het programma. Waarom? Wat zocht hij? Wat kwam hij na twintig kilo spiermassa nog te kort?'

Jessica keek hem aandachtig aan. 'Hij probeerde echt niet nog breder te worden. Maar Brian is van nature geen grote jongen. Als een... kleinere man...'

Bobby kromp namens alle mannen ineen.

'Als een kleinere man op lange termijn grotere resultaten wil halen, dan moet hij blijven werken. Zo is het gewoon. Veel eiwitten, zware gewichten, elke dag weer. Anders zal het lichaam weer terugvallen op de omvang waar het zich lekker bij voelt, en in Brians geval zat dat dichter bij de tachtig kilo dan bij de honderd.'

Bobby moest even verwerken wat ze had gezegd, want als kleinere jongen vond hij dat niet leuk om te horen.

'Je moet er dus heel hard voor werken,' zei hij ten slotte. 'Dat valt voor niemand makkelijk vol te houden, en al helemaal niet voor een werkende ouder. Ik wil wedden dat Brian het soms erg druk had en tijd te kort kwam. Heeft hij wel eens... om extra hulp gevraagd?

Jessica fronste haar wenkbrauwen. 'Hoe bedoel je?'

'Producten om er sneller en makkelijker spiermassa bij te krijgen?'

Nog een frons, en toen begreep Jessica het. 'Steroïden bedoel je.'

'Ik ben alleen maar nieuwsgierig.'

Ze schudde meteen haar hoofd. 'Daar moet ik niets van hebben. Als ik zou denken dat hij steroïden gebruikte, zou ik met hem kappen. Jammer dan van die tweehonderd dollar per week. Ik heb een vriendje gehad dat steroïden gebruikte. Dat wil ik nooit meer.'

'Had je iets met Brian?'

'Nee! Dat bedoel ik niet. Ik bedoel geassocieerd worden met iemand die steroïden gebruikt. Daar gaan mensen van flippen. Die dingen die je op het nieuws ziet – daar is geen woord van gelogen.'

Bobby keek haar strak aan. 'En voor je eigen training?'

Jessica keek net zo strak terug. 'Zweet en tranen, lieverd. Zweet en tranen.'

Bobby knikte. 'Je bent dus geen voorstander van steroïden...'

'Nee!'

'Maar andere trainers van de sportschool dan? Of zelfs van buiten de sportschool. Brian heeft in heel korte tijd fantastische resultaten geboekt. Hoe zeker weet je dat hem dat alleen maar met zweet en tranen is gelukt?'

Jessica gaf niet meteen antwoord. Ze beet weer op haar onderlip en kruiste haar armen voor haar borst.

'Ik denk niet dat hij die troep heeft gebruikt,' zei ze ten slotte. 'Maar ik zou er niet op zweren. Er was iets aan de hand met Brian. Hij was net drie weken weer thuis, en deze keer... Hij was humeurig. Somber. Er zat hem iets dwars.'

'Heb je zijn vrouw wel eens ontmoet?'

'Die agente? Nee.'

'Maar hij had het wel over haar.'

Jessica haalde haar schouders op. 'Ze hebben het allemaal over hun vrouw of hun vriendin.'

'Ze?'

'Cliënten. Ik weet niet, trainers lijken wel een beetje op kappers. Wij zijn de geestelijke hulpverleners van de verzorgingsbranche. Cliënten praten. Wij luisteren. Dat is de helft van ons werk.'

'En wat zei Brian dan?'

Jessica haalde nogmaals haar schouders op. Het was duidelijk dat ze zich weer ongemakkelijk voelde.

'Hij is dood, Jessica. Omgebracht in zijn eigen huis. Je moet me helpen begrijpen waarom Brian Darby aan zo'n uitvoerig trainingsprogramma begon en waarom het toch niet genoeg was om hem te redden.'

'Hij hield van haar,' fluisterde Jessica.

'Wie?'

'Brian hield van zijn vrouw. Oprecht, diep, heftig. Ik zou een moord doen voor een man die zo van me hield.'

'Brian hield van Tessa.'

'Ja. En voor haar wilde hij sterker zijn. Voor haar en Sophie. Hij maakte altijd het grapje dat hij wel een grote kerel moest worden omdat twee vrouwen beschermen vier keer zo hard werken was.'

'Beschermen?' vroeg Bobby fronsend.

'Ja, dat woord gebruikte hij. Ik denk dat hij het een keer verkloot heeft en dat Tessa hem op zijn kop heeft gegeven. Sophie moest beschermd worden. Hij nam het heel serieus.'

'Ben je wel eens met Brian naar bed geweest?' vroeg Bobby plotseling.

'Nee. Ik rotzooi niet met mijn cliënten.' Ze wierp hem een kwade blik toe. 'Klootzak,' mompelde ze.

Bobby liet zijn penning weer zien. '"Meneer klootzak" voor jou.'

Jessica haalde alleen maar haar schouders op.

'Heeft Tessa Brian wel eens bedrogen? Misschien is hij ergens achter gekomen en is hij daardoor extra gestimuleerd om een grotere vent te worden.'

'Daar heeft hij nooit iets over gezegd. Maar...' Ze aarzelde even. 'Er is geen man die dat aan een vrouw gaat vertellen. Vooral niet aan een mooie meid als ik. Kom op, dat is bijna hetzelfde als zeggen: ik ben een lulletje. Mannen vinden dat vrouwen daar zelf maar achter moeten komen.'

Daar kon Bobby niets tegen inbrengen. 'Maar Brian geloofde niet dat zijn vrouw van hem hield.'

Weer die aarzeling. 'Ik weet het niet. Ik had de indruk… Tessa zit bij de politie, hè? Ik had wel een beetje het idee dat ze een harde was. Het moest allemaal op haar manier, anders was het einde oefening. Brian moest soms heel veel voor haar overhebben. Maar dat betekende niet dat ze hem een man uit duizenden vond. Het betekende alleen maar dat ze van hem verwachtte dat hij veel voor haar overhad, en al helemaal wanneer het om Sophie ging.'

'Had ze veel regels met betrekking tot haar dochter?'

'Brian werkte hard. Als hij thuis was, wilde hij ontspannen. Maar Tessa wilde dat hij op Sophie paste. Volgens mij was dat elke keer weer een issue. Maar hij sprak nooit kwaad over haar,' voegde Jessica daar snel aan toe. 'Zo iemand was hij niet.'

'Wat voor iemand?'

'Zo'n kerel die zijn vrouw zwart loopt te maken. Geloof me, daar hebben we er hier genoeg van.'

'Waarom was Brian dan humeurig?' pakte Bobby de draad weer op. 'Wat is er gebeurd, de laatste keer dat hij op zee was?'

'Ik weet het niet. Hij heeft er nooit iets over gezegd. Hij leek er alleen… ellendig aan toe.'

'Denk je dat hij zijn vrouw sloeg?'

'Nee!' zei Jessica ontsteld.

'Ze heeft wel een medisch verleden dat strookt met mishandeling,' hield Bobby haar voor.

Jessica hield echter voet bij stuk. 'Uitgesloten.'

'Echt?'

'Echt.'

'Hoe kun je dat weten?'

'Omdat hij lief was. En lieve jongens slaan hun vrouw niet.'

'Nogmaals: hoe kun jij dat weten?'

Ze staarde hem aan. 'Omdat ik zelf een vent heb gehad die zijn vrouw sloeg. Ik ben vijf lange jaren met hem getrouwd geweest. Totdat mijn ogen opengingen, ik aan mijn conditie ging werken en hem het huis uit schopte.'

Ze strekte demonstratief haar armen. Hij kon heel goed geloven dat ze de viervoudige fitnesskampioene van New England was. 'Brian hield van zijn vrouw. Hij sloeg haar niet en hij heeft het niet verdiend om te sterven. Zijn we klaar?'

Bobby stak zijn hand in zijn zak en haalde een adreskaartje tevoorschijn. 'Denk erover na waarom Brian na zijn terugkeer "humeurig" zou kunnen zijn geweest. En als je iets te binnen schiet, bel me dan.'

Toen Jessica zijn kaartje aanpakte keek ze naar zijn uitgestrekte arm, die er lang niet zo afgetraind en gespierd uitzag als die van haar.

'Daar zou ik je mee kunnen helpen,' zei ze.

'Nee.'

'Waarom niet? Om het geld? Je bent rechercheur, ik kan een deal met je sluiten.'

'Je kent mijn vrouw niet,' zei Bobby.

'Zit zij ook bij de politie?'

'Nee hoor. Maar ze is wel heel goed met wapens.'

Bobby pakte zijn recordertje en zijn aantekenboekje en maakte dat hij wegkwam.

18

Het was voor D.D. een fluitje van een cent om Tessa's jeugdvriendin Juliana MacDougall, meisjesnaam Howe, op te sporen. Ze was drie jaar getrouwd, had een kind en woonde in een huisje in Arlington. Misschien had D.D. een beetje gelogen. Ze had gezegd dat ze op dezelfde middelbare school had gezeten en dat ze oud-scholieren opspoorde voor een aanstaande reünie.

Hé, niet iedereen zat nou eenmaal te wachten op een telefoontje van een rechercheur, en nóg minder mensen stonden waarschijnlijk te trappelen om meer vragen te beantwoorden over een schietpartij die tien jaar eerder een broer van hen het leven had gekost.

D.D. kreeg Juliana's adres, stelde vast dat ze thuis was en reed ernaartoe. Onderweg luisterde ze haar voicemail af. Een van de berichten was van Alex, die haar opgewekt een goede morgen en veel succes met de vermissingszaak wenste. Hij liet haar weten dat hij in de stemming was om pasta alfredo klaar te maken, als zij tenminste in de stemming was om die op te eten.

Haar maag rammelde. En trok toen samen. En rammelde toen weer. Echt weer iets voor haar, om een baby te hebben die net zo eigenzinnig en wispelturig was als zij.

Ze zou Alex moeten bellen. Ze zou vanavond tijd moeten vrijmaken, al was het maar een halfuurtje, om even met elkaar te praten. Ze probeerde zich in te beelden hoe het gesprek zou verlopen, maar dat lukte haar nog niet zo goed.

ZIJ: Weet je nog dat je een keer hebt gezegd dat jij en je eerste vrouw een paar jaar geleden zwanger probeerden te worden maar dat dat niet lukte? Ik heb nieuws voor je: jij blijkt toen níét het probleem te zijn geweest.'

HIJ:

ZIJ:

HIJ:

ZIJ:

Het was niet echt een gesprek. Misschien kwam het doordat ze niet zoveel fantasie had, of doordat ze geen ervaring had met dit soort dingen. Ze was zelf beter in 'Bel jij mij maar niet, ik bel jou wel'-gesprekken.

Zou hij zeggen dat hij met haar wilde trouwen? En zou zij daartoe bereid zijn, als het niet voor zichzelf was dan toch wel in het belang van de baby? Of maakte dat tegenwoordig niet meer uit? Ging ze er alleen maar van uit dat hij haar zou bijstaan? Of zou hij er gewoon van uitgaan dat zij hem nooit zou verlaten?

Ze kreeg weer buikpijn. Ze wilde niet meer zwanger zijn. Het was te verwarrend en ze was niet goed met grote levensvragen. Ze voerde liever meer elementaire discussies, bijvoorbeeld over de vraag waarom Tessa Leoni haar man had gedood, en wat dat te maken had met het feit dat ze tien jaar geleden Thomas Howe had doodgeschoten.

Kijk, aan zo'n vraag had je nog eens wat.

D.D.'s navigatiesysteem bracht haar naar een doolhof van kleine zijstraatjes in Arlington. Een straatje links hier, twee rechts daar, en toen kwam ze tot stilstand voor een vrolijk rood geschilderd huis met wit lijstwerk en een ondergesneeuwde voortuin die even groot was als D.D.'s auto. D.D. parkeerde langs de stoeprand, pakte haar zware jas en liep naar de voordeur.

Juliana MacDougall deed na één keer bellen open. Ze had lang, vaalblond haar dat was samengebonden in een slordige paardenstaart en droeg een spijkerbroek. Op haar dijbeen hield ze een dikke, kwijlende baby in evenwicht. Ze keek D.D. nieuwsgierig aan, maar verstarde toen D.D. haar politiepenning liet zien.

‘Brigadier-rechercheur D.D. Warren van de BPD. Mag ik binnenkomen?’

‘Waar gaat het over?’

‘Alsjeblieft.’ D.D. gebaarde het huis in, dat lag bezaaid met speelgoed. ‘Het is koud buiten. Ik denk dat het voor ons allemaal aangenamer is om binnen te praten.’

Juliana tuitte haar lippen en hield toen zonder een woord te zeggen de deur voor D.D. open. Het huis had een betegeld halletje dat uitkwam op een kleine huiskamer met mooie ramen en een recentelijk gepolitoerde hardhouten vloer. Het huis rook naar nieuwe verf en babypoeder: een nieuw gezinnetje dat zich in een nieuw huisje vestigde.

De donkergroene bank, het enige meubelstuk in de kamer, werd in beslag genomen door een wasmand. Blozend zette Juliana de plastic mand op de grond, zonder haar grip op de baby te verliezen. Toen ze eindelijk zat, ging ze op de rand van het kussen zitten, met haar kind midden op schoot, als een soort eerste verdedigingslinie.

D.D. nam plaats op het andere uiteinde van de bank en keek aandachtig naar de kwijlende baby. De kwijlende baby staarde terug, stopte toen een hele vuist in zijn of haar mond en maakte een geluid dat klonk als: ‘Kaa’.

‘Lief hoor,’ zei D.D. met een stem die duidelijk sceptisch klonk. ‘Hoe oud?’

‘Nathaniel is negen maanden.’

‘Een jongetje.’

‘Ja.’

‘Loopt hij al?’

‘Hij heeft net leren kruipen,’ zei Juliana trots.

‘Grote jongen,’ zei D.D., en toen was haar voorraad babyonderwerpen op. Goeie genade, hoe moest ze ooit moeder worden als ze niet eens met een andere moeder kon praten?

‘Heb je een baan?’ vroeg D.D.

‘Ja,’ zei Juliana trots. ‘Ik voed mijn kind op.’

D.D. nam genoegen met dat antwoord en ging verder. 'Goed,' zei ze kortaf. 'Ik neem aan dat je het nieuws over het vermiste meisje in Allston-Brighton hebt gevolgd.'

Juliana keek haar wezenloos aan. 'Wat?'

'Dat Amber Alert. De zesjarige Sophie Leoni uit Allston-Brighton die wordt vermist?'

Juliana keek D.D. met een fronsende blik aan en drukte de baby iets steviger tegen zich aan. 'Wat heb ik daarmee te maken? Ik ken geen kinderen uit Allston-Brighton. Ik woon in Arlington.'

'Wanneer heb je Tessa Leoni voor het laatst gezien?' vroeg D.D.

Juliana reageerde onmiddellijk. Ze verstijfde en ontweek D.D.'s blik. Met haar blauwe ogen keek ze naar de hardhouten vloer. Een vierkant blokje met de letter 'O' en een plaatje van een olifant lag bij haar voet, waar ze een slipper aan droeg. Ze raapte het op en gaf het aan de baby, die het hele ding in zijn mond probeerde te proppen.

'Hij krijgt tandjes,' mompelde ze afwezig, terwijl ze een rode wang van haar kindje streelde. 'Dat arme joch heeft in geen nachten geslapen en dreint de hele dag omdat hij wil worden vastgehouden. Ik weet dat alle baby's dat hebben, maar ik had niet gedacht dat het zo moeilijk zou zijn om mijn eigen kind pijn te zien lijden. Om te weten dat ik alleen maar kan wachten.'

D.D. zei niets.

'Soms wieg ik hem 's nachts heen en weer als hij huilt, en dan huil ik met hem mee. Ik weet dat het sentimenteel klinkt, maar ik heb het gevoel dat het hem helpt. Misschien vindt niemand het fijn om in zijn eentje te huilen, zelfs baby's niet.'

D.D. zei niets.

'O god,' riep Juliana MacDougall opeens uit. 'Sophie Leoni. *Sophia* Leoni. Het is de dochter van Tessa. Tessa heeft een meisje gekregen. O mijn gód.'

Toen klapte Juliana Howe helemaal dicht. Ze zat daar alleen maar met haar baby'tje, dat nog steeds aan zijn houten blokje sabbelde.

'Wat heb je die avond gezien?' vroeg D.D. voorzichtig aan de jonge moeder. Ze hoefde niet te verduidelijken welke avond ze bedoelde. De kans was heel groot dat Juliana's hele leven nog altijd om dat ene moment draaide.

'Niks. Niet echt. Ik sliep nog half toen ik een geluid hoorde en naar beneden ging. Ik zag Tessa en Tommy op de bank. Toen hoorde ik een hard geluid en Tommy stond op. Hij deed een soort stap achteruit en viel. Tessa stond op. Ze zag me en begon te huilen. Toen ze haar hand uitstak zag ik dat ze een pistool vasthield. Dat was het eerste wat ik echt zag. Tessa had een pistool. Vanaf dat moment drong alles tot me door.'

'Wat deed je?'

Het bleef even stil. Toen zei Juliana: 'Het is lang geleden.'

D.D. wachtte.

'Ik begrijp het niet. Waarom nu opeens deze vragen? Ik heb alles aan de politie verteld. Ik dacht dat de zaak helemaal was afgerond. Tommy had een reputatie... Die man van de politie zei dat Tessa niet het eerste meisje was dat hij iets had aangedaan.'

'Wat denk jij?'

Juliana haalde haar schouders op. 'Hij was mijn broer...' fluisterde ze. 'Eerlijk gezegd probeer ik er niet over na te denken.'

'Geloofde je wat Tessa die avond zei? Dat je vriendin probeerde zichzelf te beschermen?'

'Dat weet ik niet.'

'Had ze ooit eerder laten merken dat ze in Tommy geïnteresseerd was? Vroeg ze wel eens naar zijn rooster? Flirtte ze wel eens met hem?'

Juliana schudde haar hoofd en keek D.D. nog altijd niet aan.

'Maar je hebt haar sindsdien nooit meer gesproken. Je hebt haar verstoten. Net als haar vader.'

Nu werd Juliana rood. Ze pakte haar baby steviger vast. Toen hij begon te jammeren liet ze meteen weer los.

'Er was iets aan de hand met Tommy,' zei ze opeens.

D.D. wachtte.

'Mijn ouders wilden het niet zien. Maar hij was... gemeen. Als hij iets wilde, dan nam hij het. Zelfs toen we klein waren... als ik speelgoed had dat hij wilde hebben...' Ze haalde weer haar schouders op. 'Hij maakte liever iets kapot dan dat hij het mij liet houden. Mijn vader zei altijd dat jongens nou eenmaal zo zijn en dat ik het maar moest laten gaan. Ik leerde er wel van: als Tommy iets wilde, liep je hem niet voor de voeten.'

'Je denkt dat hij Tessa heeft aangerand.'

'Wat ik denk, is dat ik niet verbaasd was toen rechercheur Walthers ons vertelde dat er ook andere meisjes over Tommy hadden gebeld. Mijn ouders waren er helemaal ondersteboven van. Mijn vader... die gelooft het nog steeds niet. Maar ik wel. Als Tommy iets wilde, liep je hem niet voor de voeten.'

'Heb je dat ooit aan Tessa verteld?'

'Ik heb Tessa Leoni al tien jaar niet meer gesproken.'

'Waarom niet?'

'Gewoon.' Ze haalde voor de zoveelste keer haar schouders op. 'Tommy was niet alleen mijn broer, hij was de zoon van mijn ouders. En toen hij stierf... Mijn ouders zijn al hun spaargeld kwijtgeraakt aan Tommy's begrafenis. En toen mijn vader het niet kon opbrengen om weer aan het werk te gaan, raakten we ons huis kwijt. Mijn ouders moesten zich failliet laten verklaren. Uiteindelijk zijn ze gescheiden. Mijn moeder en ik zijn bij een tante ingetrokken. Mijn vader kreeg een zenuwinzinking. Hij zit in een inrichting, waar hij zijn dagen slijt door Tommy's plakboek te bekijken. Hij kan er niet overheen komen. Voor hem is de wereld een vreselijke plek waar iemand je kind kan vermoorden terwijl de politie de zaak verdoezelt.'

Juliana streelde de wang van haar eigen kind. 'Wel gek,' mompelde ze. 'Ik dacht altijd dat ik uit een perfect gezin kwam. Dat was ook wat Tessa zo gaaf aan me vond. Ik kwam uit een geweldig gezin, heel anders dan dat van haar. Toen veranderden we op één avond in een gezin als het hare. Ik raakte niet alleen mijn broer kwijt, mijn ouders verloren ook hun zoon.'

'Heeft ze ooit geprobeerd contact met je op te nemen?'

'De laatste woorden die ik tegen Tessa Leoni gesproken heb, waren: "Je moet nú naar huis gaan!" En dat deed ze. Ze pakte haar pistool en rende het huis uit.'

'Kwam je haar nooit tegen in de buurt?'

'Haar vader schopte haar de deur uit. Toen woonde ze niet meer in de buurt.'

'Heb je je nooit afgevraagd hoe het met haar ging? Heb je je nooit zorgen gemaakt over je allerbeste vriendin, die je eigen broer van zich af moest slaan? Jij hebt haar die avond uitgenodigd om te komen logeren. Volgens haar eerste verklaring had Tessa gevraagd of Tommy die avond thuis zou zijn.'

'Dat weet ik niet meer.'

'Heb je tegen Tommy gezegd dat ze zou komen?'

Juliana perste haar lippen samen. Opeens zette ze de baby op de grond en stond ze op. 'Ik wil dat u nu weggaat. Ik heb Tessa al tien jaar niet meer gesproken. Ik wist niet dat ze een dochter had, en ik heb al helemaal geen idee waar ze uithangt.'

Maar D.D. bleef zitten waar ze zat, op de rand van de bank, en ze keek op naar Tessa's voormalige beste vriendin.

'Waarom heb je Tessa die avond in de huiskamer laten slapen?' drong D.D. verder aan. 'Als het een logeerpartijtje was, waarom heb je je beste vriendin dan niet wakker gemaakt zodat ze mee kon naar je kamer? Wat heeft Tommy gezegd dat je moest doen?'

'Hou op!'

'Je vermoedde het, hè? Je wist wat hij van plan was, en daarom kwam je naar beneden. Je was bang voor je broer, je maakte je zorgen om je vriendin. Heb je Tessa gewaarschuwd, Juliana? Heeft ze daarom dat pistool meegenomen?'

'Nee!'

'Je wist dat je vader niet zou luisteren. Jongens zijn nu eenmaal jongens. Zo te horen had je moeder zich de boodschap al eigen gemaakt. Dat betekende dat jij en Tessa er alleen voor stonden. Twee meisjes van zestien die zich proberen te verzetten tegen een bruut van een broer. Dacht ze dat ze hem gewoon zou afschrikken? Dat alles voorbij zou zijn als ze maar met haar pistool zwaaide?'

Juliana antwoordde niet. Haar gezicht was grauw geworden.

'Alleen ging het pistool af,' ging D.D. verder op een toon alsof ze een luchtig gesprek voerde. 'En Tommy werd geraakt. Tommy ging dóód. Jullie hele gezin viel uit elkaar. Allemaal omdat Tessa en jij eigenlijk niet wisten waar jullie mee bezig waren. Wie kwam er op het idee om die avond dat pistool mee te nemen?'

'Ga weg.'

'Jij? Zij? Wat dáchten jullie?'

'Ga weg!'

'Ik ga je telefoongegevens natrekken. Eén telefoontje, meer heb ik niet nodig. Eén telefoontje van Tessa en jouw kersverse gezinnetje valt ook uit elkaar, Juliana. Ik ruk het helemaal uit elkaar als ik erachter kom dat je iets voor me verzwijgt.'

'Ga weg!' gilde Juliana. De baby reageerde op de stemverheffing van zijn moeder en begon te krijsen.

D.D. stond op. Ze hield haar blik gericht op Juliana MacDougalls bleke gezicht, de gespannen schouders, de verwilderde blik. Ze leek net een hert dat verstarde in de koplampen van een auto. Ze leek op een vrouw die zat verstrikt in een tien jaar oude leugen.

D.D. deed nog één laatste poging: 'Wat is er die avond gebeurd, Juliana? Wat verzwijg je voor me?'

'Ik hield van haar,' zei de vrouw onverwacht. 'Tessa was mijn allerbeste vriendin, en ik hield van haar. Toen stierf mijn broer, ons gezin ging kapot en mijn wereld werd een hel. Ik ga niet terug. Niet voor haar, niet voor u, voor niemand. Ik weet niet wat er met Tessa gebeurd is en het kan me ook niet schelen. Nu wil ik dat u weggaat uit mijn huis en dat u mij en mijn gezin niet meer lastigvalt.'

Juliana hield de deur open. Haar baby zat nog steeds te snikken op de grond. D.D. gaf toe en ging eindelijk weg. De deur sloeg met een klap achter haar dicht, en om haar boodschap kracht bij te zetten draaide Juliana het slot dicht.

Maar toen D.D. zich omdraaide kon ze haar door het raam zien. De vrouw tilde haar huilende zoontje op en wiegde de baby tegen haar borst. Om het kind te troosten of om zich door hem te laten troosten?

Misschien maakte het niet uit. Misschien werkte het gewoon zo.

Juliana MacDougall hield van haar zoon. Zoals haar ouders van haar broer hadden gehouden. Zoals Tessa Leoni van haar dochter hield.

Cirkels, dacht D.D. Stukken van een groter patroon. Ze kon het alleen niet uit elkaar trekken en ook niet opnieuw in elkaar leggen.

Ouders hielden van hun kinderen. Sommige ouders zouden er alles voor overhebben om ze te beschermen. En andere ouders...

D.D. begon een slecht gevoel te krijgen.

Toen ging haar mobieltje.

19

Brigadier-rechercheur D.D. Warren en rechercheur Bobby Dodge kwamen me om 11.43 uur halen. Ik hoorde hun snelle, doelgerichte voetstappen in de gang. Ik had een fractie van een seconde, die ik gebruikte om de blauwe knoop in het achterste gedeelte van de onderste la van mijn ziekenhuiskastje te verbergen.

Mijn enige verbinding met Sophie. Mijn enige overbodige herinnering dat ik het volgens de regels moest spelen.

Misschien kon ik een keer terugkomen om de knoop op te halen. Als ik geluk had, kon ik dat misschien samen met Sophie doen en konden we het oog van Gertrude in veiligheid brengen en weer aan het emotieloze poppengezicht vastmaken.

Als ik geluk had.

Ik was net op de rand van mijn bed gaan zitten toen het gordijn met een harde ruk werd opengetrokken en D.D. naast mijn bed stond. Ik wist wat er ging komen, maar toch moest ik op mijn onderlip bijten om mijn gil van protest te onderdrukken.

'*Het enige wat ik wil met kerst zijn mijn twee voortanden, mijn twee voortanden, mijn…*'

Te laat realiseerde ik me dat ik het liedje neuriede. Gelukkig scheen geen van beide rechercheurs het te horen.

'Tessa Marie Leoni,' begon D.D., en ik zette me schrap. 'Je wordt gearresteerd wegens de verdenking van moord op Brian Anthony Darby. Ik wil je verzoeken te gaan staan.'

Meer voetstappen in de gang. Vermoedelijk de aanklager en zijn assistent, die het grote moment niet wilden missen. Of misschien een paar hoge pieten van de BPD, altijd in voor een foto die veel publiciteit kreeg. En waarschijnlijk ook een paar kopstukken van de staatspolitie. Die zouden mij, een jonge, mishandelde agente, nu nog niet laten vallen. Ze konden het zich niet veroorloven om zo ongevoelig te zijn.

Ik realiseerde me dat de pers zich nu ongetwijfeld verzamelde op de parkeerplaats, en ik was er zelf van onder de indruk hoe rustig en afstandelijk ik was terwijl ik ging staan en mijn polsen uitstak naar mijn collega's. Shane zou zo wel komen, als vertegenwoordiger van de vakbond. En mijn advocaat. Of misschien zouden ze me treffen in het gerechtsgebouw, waar ik officieel zou worden beschuldigd van de moord op mijn man.

Ik had een flashback van de keer dat ik aan een keukentafel zat, met mijn haar dat nog nat was van het douchen en in mijn nek druppelde terwijl er een stevige rechercheur over me heen gebogen stond die telkens weer opnieuw aan me vroeg: '*Waar had je dat pistool vandaan, waarom had je dat pistool meegenomen, wat bracht je ertoe om met dat pistool te schieten...*'

Mijn vader, die onbewogen in de deuropening stond, met zijn armen over zijn vuilwitte T-shirt gekruist. En ik, die op dat moment al begreep dat ik hem kwijt was. Dat het niet meer uitmaakte wat ik antwoordde. Ik was schuldig, en ik zou altijd schuldig blijven.

Soms is dat de prijs die je voor liefde betaalt.

Rechercheur Warren las me mijn rechten voor. Ik zei niets; wat viel er nog te zeggen? Ze deed me handboeien om en wilde me al wegvoeren toen ze met het eerste probleem geconfronteerd werd: ik had geen kleren aan. Mijn uniform was meteen na mijn aankomst in het ziekenhuis in een zak gestopt en gemarkeerd als bewijs en gisteren afgegeven bij het forensisch laboratorium. En dus droeg ik alleen een operatiehemd, en zelfs D.D. begreep wat het politieke risico was wanneer iemand van de Bostonse politie werd gefotografeerd die een toegetakelde staatsagente meesleurde die alleen maar een operatiehemd droeg.

Zij en rechercheur Dodge gingen een eindje van mijn bed staan om snel met elkaar te overleggen. Ik ging weer op de rand van het bed zitten. Er was een verpleegkundige binnengekomen, die de ontwikkelingen bezorgd gadesloeg. Nu kwam ze naar mij toe lopen.

'Hoofd?' vroeg ze kortaf.

'Dat doet pijn.'

Ze controleerde mijn hartslag, liet me met mijn ogen haar vinger volgen en knikte toen tevreden. Kennelijk had ik alleen maar pijn en was mijn toestand niet kritiek. Toen ze zich ervan had vergewist dat haar patiënt geen direct gevaar liep, verliet ze de kamer weer.

'We kunnen geen gevangenispak gebruiken,' zei D.D. zacht tegen Bobby. 'Haar advocaat zal aanvoeren dat we de rechter hebben beinvloed als we haar in het oranje voorgeleiden. Met een operatiehemd hebben we hetzelfde probleem, maar dan omdat we overkomen als ongevoelige horken. We moeten kleren hebben. Een eenvoudige spijkerbroek en een trui, zoiets.'

'Laat een agent langs haar huis rijden,' mompelde Bobby terug.

D.D. keek hem even aan en draaide zich toen om om mij te bestuderen.

'Heb je een favoriete outfit?' vroeg ze.

'Wal-Mart,' zei ik terwijl ik opstond.

'Wat?'

'Er zit hier vlakbij een Wal-Mart. Mijn broekmaat is 36, truien medium. Ook graag ondergoed en sokken en schoenen.'

'Ik ga geen kleren voor je kopen,' zei D.D. koppig. 'We halen wel wat bij jou thuis.'

'Nee,' zei ik, en ik ging weer zitten.

D.D. keek me kwaad aan, maar zij was degene die mij arresteerde, dus waar zou ze kwaad om moeten zijn? Ik wilde geen kleren van thuis, persoonlijke spullen die in de gevangenis van me zouden worden afgenomen en gedurende mijn hele verblijf zouden worden weggeborgen. Ik kwam daar nog liever aan in een operatiehemd. En waarom niet? Die aanblik zou me medelijden opleveren, en ik kon alle hulp gebruiken die ik maar kon krijgen.

Kennelijk bedacht D.D. dat ook. Er werd een geüniformeerde agent opgetrommeld die instructies kreeg. Hij knipperde nog niet eens met zijn ogen toen hij te horen kreeg dat hij vrouwenkleren moest gaan kopen. Hij verdween de gang op en liet mij weer alleen achter met D.D. en Bobby.

Het kon niet anders of er waren nog anderen in de gang. Zo groot waren ziekenhuiskamers niet, dus ze konden net zo goed op de gang wachten tot het spektakel begon.

Ik telde af, al wist ik niet tot wat.

'Wat heb je gebruikt?' vroeg D.D. opeens. 'IJszakken? Sneeuw? Het is nogal eigenaardig, weet je. Ik zag gisteren die vochtige plek op de keldervloer en vroeg me af wat het was.'

Ik zei niets.

Ze liep met half toegeknepen ogen naar me toe, alsof ze een bijzondere diersoort bestudeerde. Ik zag dat ze tijdens het lopen één hand over haar buik uitspreidde en de andere hand op haar heup hield. Ook viel me op dat ze een bleek zag en donkere kringen onder haar ogen had. Kennelijk hield ik de brave rechercheur 's nachts wakker. Eén-nul voor mij.

Ik bekeek haar met mijn goede oog. Daagde haar uit om naar mijn gezwollen, auberginekleurige gezicht te kijken en een oordeel te vellen.

'Heb je de patholoog wel eens ontmoet?' vroeg D.D. Ze veranderde van tactiek en begon nu meer een gesprek. Ze kwam voor me staan. Vanuit mijn positie, zittend op de rand van het ziekenhuisbed, moest ik naar haar opkijken.

Ik zei niets.

'Ben is goed. Een van de beste die we ooit hebben gehad. Misschien zou een andere patholoog het niet hebben gezien. Maar Ben is gek op details. Kennelijk werkt het bij het lichaam net als bij ander vlees. Je kunt het bevriezen en weer laten ontdooien, maar dan vinden er wel veranderingen plaats in de structuur. Hij had het gevoel dat er iets niet klopte met het vlees op de ledematen van je man. Daarom legde hij een paar monsters onder de microscoop, en ik begrijp geen reet van alle technische details, maar het komt erop neer dat hij een beschadiging op cellulair niveau vaststelde die optreedt als menselijk weefsel bevroren wordt. Je hebt je man doodgeschoten, Tessa. En toen heb je hem ingevroren.'

Ik zei niets.

D.D. boog zich dichter naar me toe. 'Maar ik snap iets niet. Je wou duidelijk tijd winnen. Je moest iets doen. Wat, Tessa? Wat heb je gedaan terwijl het lichaam van je man bevroren in de kelder lag?'

Ik zei niets. In plaats daarvan luisterde ik naar een liedje in mijn hoofd. '*Het enige wat ik wil met kerst zijn mijn twee voortanden, mijn twee voortanden, mijn twee voortanden, mijn twee voortanden...*'

'Waar is ze?' fluisterde D.D., alsof ze mijn gedachten kon lezen. 'Wat heb je met je kleine meisje gedaan, Tessa? Waar is Sophie?'

'Wanneer ben je uitgerekend?' vroeg ik, en D.D. deinsde achteruit alsof ze was neergeschoten, terwijl Bobby twee meter verderop diep inademde.

Ik concludeerde dat hij het niet had geweten. Of misschien had hij het wel geweten maar tegelijkertijd ook niet, zoals dat soms gaat bij mannen. Dat vond ik interessant.

'Is hij de vader?' vroeg ik.

'Hou je kop,' snauwde D.D.

Toen herinnerde ik het me weer. 'Nee,' corrigeerde ik mezelf, alsof D.D. niets had gezegd. Ik keek naar Bobby. 'Jij bent met een andere vrouw getrouwd, die van die zaak met die inrichting, een paar jaar geleden. En jij hebt nu een baby, hè? Dat heb ik nog niet zo lang geleden gehoord.'

Hij zei niets. Hij staarde me alleen maar aan met koele grijze ogen. Dacht hij dat ik zijn gezin bedreigde? Was dat ook zo?

Misschien had ik het gewoon nodig om over koetjes en kalfjes te praten, omdat ik anders allemaal verkeerde dingen zou kunnen zeggen. Ik had bijvoorbeeld sneeuw gebruikt, omdat dat makkelijk te scheppen was en geen tastbaar bewijs achterliet, zoals lege ijszakken. En Brian was zwaar, zwaarder dan ik had gedacht. Al dat trainen en gewichtheffen, alleen maar zodat ik samen met een huurmoordenaar twintig kilo extra gewicht de trap af kon zeulen, die geliefde, onberispelijke garage van hem in.

Ik had gehuild toen ik de sneeuw boven op het dode lichaam van mijn man schepte. De hete tranen vormden gaatjes in de witte sneeuw, en toen moest ik er meer sneeuw op scheppen, terwijl mijn handen de hele tijd onbeheersbaar trilden. Ik dwong mezelf geconcentreerd te blijven. Een schep vol sneeuw, toen een tweede, toen een derde. Er waren er drieëntwintig nodig.

Drieëntwintig scheppen sneeuw om een volwassen man te bedekken.

Ik had Brian gewaarschuwd. Ik had hem meteen verteld dat ik een vrouw was die te veel wist. Met een vrouw die weet wat ik allemaal weet, valt niet te spotten.

Drie tampons om de kogelgaten dicht te stoppen. Drieëntwintig scheppen sneeuw om het lichaam te verbergen.

Het enige wat ik wil met kerst zijn mijn twee voortanden, mijn twee voortanden, mijn twee voortanden…

Ik hou nog meer van jou, had hij tegen me gezegd terwijl hij stierf.

Stomme, zielige klootzak.

Ik zei niets meer. D.D. en Bobby bleven ook tien, vijftien minuten zitten zonder een woord te zeggen. Drie politiemensen die geen oogcontact maakten. Uiteindelijk vloog de deur met een klap open en kwam Ken Cargill binnenvallen. Zijn zwarte wollen jas fladderde om hem heen en zijn dunner wordende bruine haar zat in de war. Hij bleef staan, zag de handboeien om mijn polsen en wendde zich tot D.D. met alle woede van een goede advocaat.

'Wat heeft dit te betekenen!' schreeuwde hij.

'Uw cliënt, Tessa Marie Leoni, is aangeklaagd in verband met de dood van haar echtgenoot, Brian Anthony Darby. We hebben haar haar rechten voorgelezen en wachten nu op vervoer naar het gerechtsgebouw.'

'Wat is de aanklacht?' wilde Cargill weten. Hij klonk oprecht verontwaardigd.

'Moord.'

Zijn ogen werden groot. 'Móórd? Denken jullie dat ze hem met voorbedachten rade om het leven heeft gebracht? Zijn jullie gek geworden? Wie heeft opdracht gegeven tot die aanklacht? Hebben jullie de afgelopen tijd zelfs maar naar mijn cliënte gekéken? Het blauwe oog, het gebroken jukbeen en, o ja, de hérsenschudding?'

D.D. staarde hem alleen maar aan en richtte zich toen weer op mij. 'Was het ijs of sneeuw, Tessa? Kom op, als je het niet aan mij wilt vertellen, doe het dan voor je advocaat. Vertel hem hoe je het lichaam hebt ingevroren.'

'Wát?'

Ik vroeg me af of alle advocaten naar de toneelschool gingen of dat hun acteertalent was aangeboren, net als bij politieagenten.

De geüniformeerde agent was er weer. Hij was half buiten adem, dus kennelijk had hij het hele stuk door het ziekenhuis gerend, met de bovenmaatse Wal-Mart-tas in zijn armen. Hij duwde de tas in de handen van D.D., die Cargill mocht uitleggen waarom ik een nieuwe garderobe kreeg.

D.D. maakte mijn handboeien los. Ik kreeg de stapel nieuwe kleren aangereikt, zonder kleerhangers en andere scherpe voorwerpen, en mocht me in de badkamer terugtrekken om me om te kleden. De Bostonse agent had goed werk geleverd. Een spijkerbroek met wijde pijpen, zo stijf als een plank omdat hij zo nieuw was. Een groene trui met een ronde hals. Een sportbeha, eenvoudig ondergoed, eenvoudige sokken, stralend witte tennisschoenen.

Met langzame bewegingen trok ik de beha en de trui heel voorzichtig aan over mijn toegetakelde hoofd. De spijkerbroek ging makkelijker, maar het lukte me niet om mijn veters te strikken. Daarvoor trilden mijn vingers te erg.

Weet je wat het vooral zo moeilijk maakte om mijn man met sneeuw te bedekken?

Wachten tot hij was doodgebloed. Wachten tot zijn hart niet meer klopte en het laatste restje bloed tot stilstand was gekomen en was afgekoeld in zijn borst, omdat hij anders zou gaan druppelen. Hij zou een spoor veroorzaken, en zelfs als dat heel klein zou zijn en ik het zou schoonmaken met bleekmiddel, zou de luminol het aan het licht brengen.

Dus was ik gaan zitten, op een harde stoel in de keuken, waar ik een nachtwake hield waarvan ik nooit had gedacht dat ik die ooit zou moeten houden. En de hele tijd kon ik maar niet besluiten wat erger was. Een jongen neerschieten en op de vlucht slaan met het bloed nog aan mijn handen? Of een man doodschieten en gaan zitten wachten tot zijn bloed was opgedroogd zodat ik alles goed kon opruimen?

Ik had de drie kogelgaten in Brians borst als veiligheidsmaatregel dichtgestopt met een tampon.

'Wat doe je?' had de man willen weten.

'Er mag geen bloedspoor komen,' had ik rustig uitgelegd.

'O,' had hij gezegd, en hij had me mijn gang laten gaan.

Drie bloederige tampons. Twee voortanden. Grappig hoe die talismannen je kracht kunnen geven.

Ik neuriede het liedje. Ik strikte de veters van mijn schoenen. Toen stond ik op en nam nog één moment de tijd om mezelf in de spiegel te bekijken. Ik herkende mijn eigen spiegelbeeld niet. Dat misvormde gezicht, die uitgeholde wangen, dat slappe donkerbruine haar.

Ik bedacht dat het goed was dat ik me een vreemde voor mezelf voelde. Dat kwam goed uit voor alles wat op het punt stond te gebeuren.

'Sophie,' mompelde ik, omdat ik het nodig had om de naam van mijn dochter te horen. 'Ik hou nog meer van jou, Sophie.'

Toen deed ik de badkamerdeur open en stak opnieuw mijn armen uit.

De handboeien waren koel en gleden met een klik om mijn polsen.

Het was tijd. D.D. aan de ene kant, Bobby aan de andere. Mijn advocaat sloot de rij.

We liepen de felwitte gang in, waar de aanklager zich van de muur af duwde, klaar om de optocht trots en triomfantelijk aan te voeren. Ik zag de luitenant-kolonel, die onbewogen en met een ondoorgrondelijke uitdrukking naar zijn geboeide agente keek. Ik zag andere mannen in uniform, namen die ik kende, handen die ik had geschud.

Ze keken me niet aan, dus deed ik ze een plezier door ook niet naar hen te kijken.

We liepen de gang door, naar de grote glazen deuren en de gillende meute journalisten die aan de andere kant stond te wachten.

Straal gezag uit. Laat ze nooit merken dat je 'm knijpt.

De deuren gleden open en de wereld explodeerde in een zee van witte lampen.

20

'We moeten opnieuw beginnen,' zei D.D. anderhalf uur later. Ze hadden Tessa in het gerechtsgebouw overgedragen aan de districtspolitie van Suffolk County. De aanklager zou haar in staat van beschuldiging stellen. Tessa's advocaat zou zijn zegje doen, er zou een borgsom worden vastgesteld en de rechter zou de aanklager toestemming geven om Tessa Leoni in hechtenis te houden tot aan de voorwaarden van haar borgstelling was voldaan. Dan zou Tessa op borgtocht vrijkomen of worden overgebracht naar de gevangenis. Aangezien de aanklager zou aanvoeren dat Tessa vluchtgevaarlijk was en zou verzoeken geen borgsom te bepalen, was de kans groot dat Tessa op dit moment al onderweg was naar de vrouwenafdeling van de gevangenis.

Maar daarmee waren niet al hun problemen opgelost.

'We hebben onze tijdlijn vastgesteld aan de hand van Tessa's eerste verklaring tegenover de politie,' zei D.D. nu. Ze waren terug op het hoofdbureau van de BPD, waar D.D. in alle haast alle leden van de taskforce had opgetrommeld. 'Op basis van haar verhaal zijn we ervan uitgegaan dat Brian Darby zondagochtend is doodgeschoten, na een ruzie waarbij fysiek geweld is gebruikt. Volgens de patholoog is Darby's lichaam echter vóór zondagochtend bevroren geweest en waarschijnlijk ontdooid voor Tessa's indrukwekkende opvoering.'

'Kan hij zeggen hoe lang het lichaam bevroren is geweest?' vroeg Phil vanaf de voorste rij.

D.D. liet die vraag beantwoorden door Neil, aangezien die bij de autopsie aanwezig was geweest.

'Waarschijnlijk korter dan vierentwintig uur,' deelde Neil mee. 'Ben zei dat hij cellulaire beschadiging kon zien die zich voordoet bij bevroren ledematen, maar niet bij bevroren inwendige organen. Dat betekent dat het lichaam is ingevroren, echter niet lang genoeg om door en door te bevriezen. De ledematen, het gezicht, de vingers en de tenen wel, maar niet tot diep in de romp. Waarschijnlijk is het lichaam dus tussen de twaalf en vierentwintig uur ingevroren geweest. Ben kan alleen maar een schatting maken omdat de tijdlijn beïnvloed moet zijn door de kamertemperatuur. Dan moet je op zijn minst een paar uur rekenen voordat het lichaam weer op kamertemperatuur is... Hij vermoedt – let wel: vermoedt – dat Brian Darby vrijdagavond of zaterdagochtend om het leven is gebracht.'

'Dus dat betekent,' zei D.D., die de aandacht weer op zichzelf richtte, 'dat we alle buren, vrienden en familie opnieuw zullen moeten ondervragen. Wanneer heeft iemand Brian Darby voor het laatst levend gezien of gesproken? Hebben we het over vrijdagavond of zaterdagochtend?'

'Hij heeft vrijdagavond met zijn mobiele telefoon gebeld,' zei een andere rechercheur, Jake Owens. 'Dat zag ik toen ik gisteren zijn telefoongegevens doornam.'

'Lang? Heeft hij echt iemand gesproken?'

'Acht of negen minuten, dus er is niet alleen een boodschap achtergelaten. Ik zal het nummer natrekken en eens babbelen met degene die gebeld is.'

'Zoek uit of die persoon met Brian heeft gesproken,' beval D.D. gedecideerd, 'en of het niet Tessa was die zijn telefoon heeft gebruikt.'

'Ik snap het niet.' Phil had alle achtergrondchecks gedaan en was als geen ander op de hoogte van de details van de zaak. 'We denken dat Tessa haar man heeft doodgeschoten en vervolgens het lichaam heeft ingevroren – en dat ze op zondagochtend die hele toestand in scène heeft gezet. Maar waaróm?'

D.D. haalde haar schouders op. 'Gek genoeg wilde ze ons dat niet vertellen.'

'Ze had meer tijd nodig,' zei Bobby, die tegen de voorste muur stond geleund. 'Een andere goede reden is er niet. Ze moest tijd zien te rekken.'

'Waarvoor?' vroeg Phil.

'De meest waarschijnlijke verklaring lijkt me dat ze haar dochter kwijt moest.'

Die opmerking benam iedereen de adem. D.D. keek Bobby afkeurend aan. Ze was duidelijk niet blij met zijn giswerk, maar dat vond hij helemaal niet erg. Híj was er niet blij mee geweest om van een verdachte in een moordonderzoek te moeten horen dat D.D. zwanger was. Je mocht hem ouderwets noemen, maar dat was hem in het verkeerde keelgat geschoten en hij was er pissig over.

'Jij denkt dat zij haar dochter iets heeft aangedaan?' vroeg Phil nu, met bedachtzame stem. Hij had thuis vier kinderen.

'Een van de buren heeft de Denali van Brian op zaterdagmiddag bij het huis zien wegrijden,' zei Bobby. 'Aanvankelijk gingen we ervan uit dat Brian degene was die reed. Aangezien de mensen van het lab denken dat er een dood lichaam achter in de auto lag, gingen we er verder van uit dat Brian zijn stiefdochter om het leven had gebracht en zich wilde ontdoen van het bewijs. Alleen was Brian Darby zaterdagmiddag al dood. En dat betekent dat hij niet degene is geweest die een lijk vervoerde.'

D.D. trok haar lippen samen maar knikte. 'Ik denk dat we rekening moeten houden met de mogelijkheid dat Tessa Leoni haar hele gezin heeft omgebracht. Aangezien Sophie vrijdag op school was, gok ik dat zich op vrijdagavond, voordat Tessa's dienst begon, of op zaterdagochtend na haar dienst, bij hen thuis iets vreselijks heeft afgespeeld. Brians lichaam werd ingevroren in de garage terwijl het lichaam van Sophie naar een onbekende locatie is gebracht en daar is gedumpt. Tessa meldde zich zaterdagavond weer voor haar werk. En zondagochtend was het tijd voor de voorstelling.'

'Ze heeft het in scène gezet,' mompelde Phil. 'Ze deed het voorkomen alsof haar man Sophie iets had aangedaan. Toen raakten zij en Brian in gevecht en schoot ze hem uit noodweer dood.'

D.D. knikte, en Bobby ook.

'Maar die verwondingen in haar gezicht dan?' vroeg Neil, die achterin zat. 'Het is uitgesloten dat ze de hele zaterdagnacht gesurveilleerd heeft met een hersenschudding en een gebroken jukbeen. Ze kon gisteren niet eens staan, laat staan dat ze auto kon rijden.'

'Goed punt,' zei D.D. instemmend. Ze ging voor het whiteboard staan, waar ze *Tijdlijn* had opgeschreven, en schreef daarbij: *Tessa Leoni's verwondingen: zondagochtend*. 'De wonden moeten kort geleden zijn toegebracht. Kan een arts dat bevestigen?' vroeg ze aan Neil, die vroeger ambulancebroeder was geweest en hun medische deskundige was.

'Dat is moeilijk te zeggen met hersenschuddingen,' antwoordde Neil. 'De een herstelt sneller dan de ander. Maar gezien de ernst van de verwondingen kan het bijna niet anders dan dat ze zo laat mogelijk zijn toegebracht. Ze zal niet meer echt goed kunnen hebben functioneren nadat ze zulke enorme klappen op haar hoofd heeft gekregen.'

'Wie heeft haar toegetakeld?' vroeg iemand anders.

'Een handlanger,' mompelde Phil op de voorste rij.

D.D. knikte. 'We moeten niet alleen onze tijdlijn aanpassen, deze informatie betekent dat we ook de hele omvang van de zaak opnieuw moeten bekijken. Als Brian Darby zijn vrouw niet geslagen heeft, wie heeft dat dan wel gedaan, en waarom?'

'Een minnaar,' zei Bobby zacht. 'Dat is de meest logische verklaring. Waarom doodde Tessa haar man en dochter? Omdat ze van ze af wilde. Waaróm wilde ze van ze af? Omdat ze een nieuw iemand had ontmoet.'

'Heb je wel eens geruchten gehoord?' vroeg D.D. aan hem. 'Op het bureau bijvoorbeeld?'

Bobby schudde zijn hoofd. 'Maar ik heb ook niet zulke goede contacten. Ik ben rechercheur, geen agent. We moeten met de luitenant praten.'

'Dat is het eerste wat we vanmiddag gaan doen,' verzekerde D.D. hem.

'Ik moet zeggen dat deze theorie beter past bij wat Darby's baas, Scott Hale, te melden had,' zei Phil. 'Ik heb hem om elf uur gesproken en hij bezwoer me dat Darby geen greintje agressie in zich had. De bemanning van een tanker leeft onder vrij grote druk. Mensen slapen alleen, ze hebben heimwee en zijn gestrest terwijl ze zeven dagen per week continu in touw zijn. Als machinist moest Darby alle technische crisissituaties oplossen, en naar het schijnt gaan er op grote schepen grote dingen mis – water in de brandstof, doorgebrande elektrische systemen, storingen in de controlesoftware. Toch heeft Hale nooit meegemaakt dat Darby zijn zelfbeheersing verloor. Integendeel: hoe groter het probleem, des te gemotiveerder Darby was om een oplossing te vinden. Het gaat er bij Hale absoluut niet in dat zo iemand thuis zijn vrouw in elkaar slaat.'

'Darby was een voorbeeldige werknemer,' zei D.D.

'Darby was van iedereen de favoriete machinist. En kennelijk was hij heel goed in Guitar Hero – ze hebben een recreatieruimte aan boord.'

D.D. zuchtte en sloeg haar armen over elkaar. Ze wierp een blik op Bobby – ze keek meer zijn kant uit dan dat ze hem echt aankeek. 'Wat ben jij wijzer geworden in de sportschool?' vroeg ze.

'Brian heeft de afgelopen maanden een programma gevolgd met zware oefeningen om breder te worden. Zijn personal trainer was er heel stellig over dat hij geen steroïden gebruikte en dat hij alles met bloed, zweet en tranen bereikte. Ze hoorde hem alleen maar goede dingen zeggen over zijn vrouw, al vond ze het wel zwaar voor hem om getrouwd te zijn met een staatsagente. O, en de afgelopen drie weken, sinds hij terug was van zijn laatste reis, was Darby ontegenzeggelijk humeurig, maar hij wilde er niet over praten.'

'Wat bedoel je met "humeurig"?'

'Zijn trainer zei dat hij somberder leek, nukkiger. Ze heeft er een paar keer naar gevraagd, omdat ze vermoedde dat hij thuis problemen had, maar hij wilde er niets over kwijt. Voor wat het waard is: dat maakt hem vrij uniek. Kennelijk storten de meeste cliënten hun hart uit tijdens het trainen. Als je naar een sportschool gaat, ga je naar de biechtstoel.'

Daar leefde D.D. duidelijk van op. 'Dus er zat Darby iets dwars, maar hij wilde er niet over praten.'

'Misschien was hij erachter gekomen dat zijn vrouw een affaire had,' zei Neil. 'Sinds hij terug was, zei je, dus dat betekent dat hij zijn vrouw net twee maanden alleen had gelaten...'

'Op het schip is niet alleen een recreatieruimte,' zei Phil, 'maar ook een computerruimte voor de bemanning. Ik ben toestemming aan het regelen om kopieën te krijgen van alle e-mails die Darby heeft ontvangen en verzonden. Misschien levert dat iets op.'

'Dus Tessa leert een andere man kennen,' dacht D.D. hardop, 'en besluit haar man koud te maken. Maar waarom moest ze hem vermoorden? Waarom geen scheiding?'

Ze stelde de vraag aan alle aanwezigen.

'Voor de levensverzekering,' zei iemand.

'Het kwam haar beter uit,' zei iemand anders. 'Misschien dreigde hij zich tegen een scheiding te verzetten.'

'Misschien had Darby belastende informatie over haar en dreigde hij haar problemen te bezorgen als ze van hem ging scheiden.'

D.D. schreef alle suggesties op, en vooral de derde optie leek haar te interesseren. 'Tessa Leoni heeft zelf gezegd dat ze een alcoholist is die op haar zestiende al iemand om het leven had gebracht. Als ze dat wil bekennen, wat wil ze dan níét vertellen?'

D.D. wendde zich weer tot de groep. 'Goed, dan is er nog de vraag waarom ze haar dochter zou ombrengen. Brian is Sophies stiefvader, dus hij kan geen voogdijschap over haar eisen. Het is één ding om een huwelijk te beëindigen. Waarom zou ze haar eigen kind doden?'

Op deze vraag werd minder snel gereageerd. Het was uitgerekend Phil die het ten slotte aandurfde om een antwoord te geven: 'Omdat haar minnaar geen kinderen wil. Zo gaat het toch? Er zijn zat vrouwen geweest die hun kinderen hebben vermoord omdat die in de weg zaten. Tessa wilde een nieuw leven beginnen. Sophie kon daar geen deel van uitmaken, en dus moest Sophie dood.'

Daar had niemand iets aan toe te voegen.

'We moeten achterhalen wie die minnaar is,' mompelde Bobby.

'We moeten Sophies lichaam vinden.' D.D. zuchtte nog dieper dan eerst. 'We moeten voor eens en voor altijd bewijzen waartoe Tessa Leoni in staat is.'

Ze legde haar stift neer en liet haar blik over het whiteboard glijden.

'Oké, mensen. Dit zijn onze aannames: Tessa Leoni heeft haar man en kind om het leven gebracht, hoogstwaarschijnlijk vrijdagavond of zaterdagochtend. Ze heeft het lichaam van haar man in de garage ingevroren. Ze heeft haar dochter zaterdagmiddag ergens met de auto gedumpt. Toen heeft ze zich gemeld voor haar werk – terwijl ze ondertussen waarschijnlijk het lichaam van haar man in de keuken liet ontdooien – en toen ze weer naar huis ging, liet ze zich lens slaan door haar minnaar en belde ze haar collega's van de staatspolitie. Wel een verhaal. Nu wil ik dat jullie als de sodemieter féíten voor me gaan zoeken. Ik wil e-mails en voicemails en telefoontjes tussen haar en haar minnaar. Ik wil een buurman die haar ijs heeft zien uitladen of sneeuw heeft zien scheppen. Ik wil precies weten waar de witte Denali van Brian zaterdagmiddag heen is gereden. Ik wil Sophies lichaam vinden. En als het inderdaad zo is gegaan, dan wil ik dat Tessa voor de rest van haar leven wordt opgeborgen. Nog vragen?'

'Wat gebeurt er met het Amber Alert?' vroeg Phil terwijl hij opstond.

'Dat blijft actief tot we Sophie Leoni hebben gevonden, op welke manier dan ook.'

De leden van de taskforce begrepen wat ze bedoelde: tot ze het kind hadden gevonden of tot ze het lichaam van het kind hadden gevonden. De rechercheurs liepen in een rij het vertrek uit. Toen stonden alleen Bobby en D.D. nog bij elkaar.

Hij duwde zich als eerste van de muur en liep naar de deur.

'Bobby.'

Haar stem had net genoeg onzekerheid om hem te laten omdraaien.

'Ik heb het Alex nog niet eens verteld,' zei ze. 'Oké? Ik heb het Alex nog niet eens verteld.'

'Waarom niet?'

'Omdat...' Ze haalde haar schouders op. 'Daarom niet.'

'Ga je de baby houden?'

Haar ogen werden groot. Ze gebaarde driftig naar de deur en hij kwam haar tegemoet door die dicht te doen. 'Zie je, dáárom heb ik niks gezegd,' viel ze uit. 'Dit is precies het gesprek waar ik geen zin in had!'

Hij staarde haar alleen maar aan. Ze had één hand uitgespreid over de onderkant van haar buik. Hoe was het mogelijk dat hem dat niet eerder was opgevallen – hem, een voormalig sluipschutter. De manier waarop ze haar buik bijna beschermend heen en weer wiegde. Hij voelde zich ontzettend stom en realiseerde zich nu dat hij de vraag nooit had hoeven stellen. Door de manier waarop ze daar stond, wist hij het antwoord al: ze hield de baby. Daarom was ze zo bang.

Brigadier-rechercheur D.D. Warren werd moeder.

'Het komt wel goed,' zei hij.

'O god!'

'D.D., je bent altijd hartstikke goed geweest in wat je wilde doen. Waarom zou het nu dan anders gaan?'

'O god,' zei ze opnieuw, met een nog wildere blik in haar ogen.

'Kan ik iets voor je halen? Water? Een augurk? Of wat dacht je van gembersnoepjes? Annabelle leefde op die dingen. Ze zei dat haar maag er rustig van werd.'

'Gembersnoepjes?' Ze liet het even bezinken. Ze leek nu wat minder over haar toeren, wat nieuwsgieriger. 'Echt?'

Bobby glimlachte naar haar, kwam naar haar toe lopen en gaf haar, omdat hij het gevoel had dat hij dat moest doen, een knuffel. 'Gefeliciteerd,' fluisterde hij in haar oor. 'Ik meen het, D.D. Welkom in het avontuur van je leven.'

'Denk je?' Haar ogen waren een beetje betraand, en toen verbaasde ze hen allebei door hem ook een knuffel te geven. 'Bedankt, Bobby.'

Hij klopte haar op haar schouder. Zij leunde met haar hoofd tegen zijn borst. Toen richtten ze zich op het whiteboard en gingen weer aan het werk.

21

Terwijl ik met mijn handen geboeid voor mijn middel voor hem stond, las de aanklager de aanklacht voor. Volgens hem had ik met voorbedachten rade en moedwillig mijn eigen man doodgeschoten. Bovendien waren er redenen om aan te nemen dat ik mogelijk ook mijn eigen dochter om het leven had gebracht. De aanklager wilde dat er, gezien de ernst van de beschuldigingen, geen borgsom werd vastgesteld.

Mijn advocaat, Cargill, protesteerde luidkeels. Ik was een goede staatsagent met een voortreffelijke staat van dienst. De bewijslast was onvoldoende, en het was absurd om te denken dat zo'n respectabele agent en toegewijde moeder zich tegen haar hele gezin zou keren.

De aanklager wees erop dat uit de ballistische kenmerken al was gebleken dat de kogels in de borst van mijn man uit mijn dienstwapen kwamen.

Cargill wierp mijn blauwe oog, gebroken jukbeen en hersenschudding in de strijd. Het was duidelijk dat iets me tot mijn daad gedreven had.

De aanklager wees erop dat dat misschien hout zou hebben gesneden als het lichaam van mijn man niet na zijn dood was ingevroren.

De rechter was duidelijk onthutst toen hij dat hoorde en keek geschrokken mijn kant op.

Welkom in mijn wereld, wilde ik tegen hem zeggen. Maar ik zei niets, toonde geen enkele emotie, omdat zelfs het kleinste gebaar, of het nu tevreden, kwaad of verdrietig zou zijn, tot hetzelfde resultaat zou leiden: hysterie.

Sophie, Sophie, Sophie.

Het enige wat ik wil met kerst zijn mijn twee voortanden, mijn twee voortanden, mijn twee voortanden.

Ik stond op het punt in zingen uit te barsten. En toen zou ik eenvoudigweg willen gillen, want dat was wat een moeder wilde doen als ze de dekens van het lege bed van haar kind terugsloeg. Ze wilde gillen, maar daar had ik nooit de kans voor gekregen.

Ik had beneden een geluid gehoord en weer gedacht dat het Sophie was. En ik was haar slaapkamer uit gerend, de trap af en de keuken in, en daar was mijn echtgenoot, en er was een man die een pistool tegen de slaap van mijn echtgenoot hield.

'Van wie hou je?' had hij gezegd, en in die korte tijd werd me de keuze voorgehouden. Ik kon doen wat me gezegd werd en mijn dochter redden. Of ik kon me verzetten en mijn hele gezin verliezen.

Brian staarde me aan en gebruikte zijn ogen om me duidelijk te maken wat ik moest doen. Want al was hij dan een zielige prutser, hij was nog altijd mijn echtgenoot en, nog belangrijker, Sophies vader. De enige man die ze ooit 'papa' had genoemd.

Hij hield van haar. Ondanks al zijn fouten en tekortkomingen hield hij van ons allebei.

Grappig toch hoe je dingen pas werkelijk waardeert als het te laat is.

Ik had mijn politieriem op de keukentafel gelegd.

En de man was naar voren gestapt, had mijn Sig Sauer uit de holster gegrist en had Brian drie keer in zijn borst geschoten.

Beng, beng, beng.

Mijn man stierf. Mijn dochter was verdwenen. En ik, de opgeleide politieagent, stond daar alleen maar, als verdoofd, met een gil die gevangen zat in mijn longen.

Ik hoorde de klap van een hamer.

Ik schrok zo dat ik weer helemaal bij de les was. Intuïtief schoot mijn blik naar de klok: 14.43 uur. Deed tijd er nog toe? Ik hoopte van wel.

'De borgsom wordt vastgesteld op een miljoen dollar,' verklaarde de rechter gedecideerd.

De aanklager glimlachte. Cargill trok een grimas.

'Rustig blijven,' mompelde Shane achter me. 'Alles komt goed. Rustig blijven.'

Ik beloonde zijn platitudes niet met een antwoord. De vakbond van de staatspolitie had uiteraard geld beschikbaar om borgsommen te betalen, zoals er ook bijstand werd verleend als een agent juridische hulp nodig had. Helaas bedroeg dat potje van de vakbond bij lange na geen miljoen dollar. Voor zoveel geld was tijd nodig, om nog maar te zwijgen over het feit dat er een speciale stemming nodig zou zijn. En dat betekende waarschijnlijk dat ik pech had.

Alsof de vakbond de handen verder vuil wilde maken aan een vrouwelijke agent die werd beschuldigd van de moord op haar man en kind. Alsof mijn zestienhonderd mannelijke collega's daar ooit vóór gingen stemmen.

Ik zei niets. Ik toonde geen emotie, omdat de gil weer in me opborrelde, een beklemmend gevoel in mijn borst dat steeds sterker werd. Ik wou dat ik het blauwe knoopje had, ik wou dat ik het had kunnen houden, omdat ik dan op een perverse manier helder had kunnen blijven denken. De knoop betekende Sophie. De knoop betekende dat Sophie ergens daarbuiten was, en dat ik haar alleen maar hoefde te vinden.

Een bewaker kwam aanlopen en legde zijn hand op mijn elleboog. Hij trok me naar voren en ik begon te lopen, de ene voet voor de andere, omdat dat was wat je deed, wat je móést doen.

Cargill kwam naast me lopen. 'Familie?' vroeg hij zachtjes.

Ik snapte wat hij bedoelde. Had ik familie die mijn borgsom kon betalen? Ik dacht aan mijn vader, voelde de gil in mijn borst omhoogkomen naar mijn keel. Ik schudde mijn hoofd.

'Ik zal met Shane overleggen en je zaak voorleggen aan de vakbond,' zei hij, maar ik kon voelen dat hij nu al zijn twijfels had.

Ik dacht terug aan mijn superieuren, die me niet eens hadden aangekeken toen ik door de ziekenhuisgang liep. De *walk of shame*. De eerste van vele.

'Ik kan vragen om een voorkeursbehandeling in de gevangenis,' zei Cargill. Hij praatte nu snel, want we naderden de deur van de arrestantencel, waar ik officieel zou worden weggevoerd. 'Je bent een agent van de staatspolitie. Als je daarom vraagt, geven ze je een eigen cel.'

Ik schudde mijn hoofd. Ik was al eens in de Suffolk County Jail geweest: de afdeling waar gevangenen in afzondering zaten opgesloten was de meest deprimerende van de hele gevangenis. Ik zou mijn eigen cel krijgen, maar dan zou ik ook drieëntwintig uur per dag opgesloten zitten. Geen voorrechten als een pasje voor de fitnessruimte of een uurtje in de bibliotheek, en geen gemeenschappelijke ruimte met een klein tv'tje en de oudste hometrainer ter wereld om de tijd mee te doden. Grappig om te bedenken welke spullen ik heel snel als luxeartikelen zou beschouwen.

'Laat je anders medisch onderzoeken,' zei hij op dringende toon. Dan zou ik op de medische afdeling terechtkomen.

'Bij al die andere psychopaten zeker,' mompelde ik, omdat de laatste keer dat ik in de gevangenis was geweest alle schreeuwlelijken daar hadden gezeten en vierentwintig uur per dag, zeven dagen per week gilden tegen zichzelf, de bewaarders en de andere gevangenen. Ze hadden er natuurlijk alles voor over om de stemmen in hun hoofd te overschreeuwen.

We waren bij de arrestantencel aangekomen, waar de bewaker Cargill een doordringende blik toewierp. Heel even aarzelde mijn uitgeputte advocaat. Hij staarde me aan met iets van medelijden en ik wou dat hij dat niet had gedaan, want nu steeg de gil vanuit mijn keel bijna op naar mijn donkere mondholte. Ik moest mijn lippen op elkaar persen en mijn kaken op elkaar klemmen om te voorkomen dat hij me ontsnapte.

Ik was sterk. Ik was taai. Ik maakte hier niets mee wat ik niet al eerder had meegemaakt. Normaal gesproken was ik degene aan de andere kant van de tralies, maar dat waren details, details.

Cargill pakte mijn geboeide handen vast en kneep in mijn vingers.

'Je kunt altijd om me vragen, Tessa,' mompelde hij. 'Je hebt het recht om te allen tijde met je advocaat te overleggen. Ik kom wanneer je maar wilt.'

Toen was hij weg. De deur van de arrestantencel ging open. Ik liep struikelend naar binnen en voegde me bij vijf andere vrouwen met net zo'n bleek en emotieloos gezicht als het mijne. Terwijl ik keek, liep een van hen wankelend naar de roestvrijstalen wc, trok haar zwarte spandex minirokje omhoog en begon te plassen.

'Wat sta je nou te kijken, trut?' vroeg ze gapend.

De celdeur sloeg met een klap achter me dicht.

Ik zal de schuifelgang van South Bay introduceren. Om deze aloude manoeuvre om naar de gevangenis getransporteerd te worden uit te voeren, moet een gedetineerde haar armen door de arm van de personen aan weerszijden van haar steken en vervolgens haar handen voor haar middel in elkaar klemmen. Daarna krijgt ze handboeien om haar polsen. Wanneer alle gedetineerden een 'krakeling' vormen met de vrouwen links en rechts van hen, worden de enkels op dezelfde manier geboeid en kan een rij bestaande uit zes vrouwen naar de politiebus beginnen te schuifelen.

Aan de ene kant van de bus zitten de vrouwen, aan de andere de mannen. De twee groepen worden van elkaar gescheiden door een doorzichtige plaat plexiglas. De vrouw met het gebleekte blonde haar naast me zat het grootste deel van de rit suggestieve bewegingen met haar tong te maken. De zwaar getatoeëerde zwarte man van ruim honderdtwintig kilo tegenover ons spoorde haar met zijn heupen aan.

Ik denk dat ze nog drie minuten nodig hadden gehad om hun transactie af te ronden, maar helaas voor hen waren we in de gevangenis aangekomen.

Het politiebusje reed naar binnen. Een enorme metalen garagedeur kwam ratelend naar beneden en werd hermetisch afgesloten. Toen pas gingen de deuren van het busje open.

De mannen stapten als eersten uit. Ze verlieten het voertuig als één lange rij geboeiden en gingen de toegangssluis in. Even later was het onze beurt.

Uitstappen was het moeilijkst. Ik voelde de groepsdruk om niet te struikelen of te vallen omdat ik dan de hele rij zou meesleuren. Ik viel toch al op doordat ik blank was en nieuwe kleren aanhad; de meeste medegedetineerden leken hun geld te verdienen in de seks- en drugshandel. De schonere vrouwen werkten waarschijnlijk voor geld. De minder schone werkten voor drugs.

De meesten van hen waren de hele nacht op geweest, en te oordelen naar de verschillende geuren hadden ze het maar druk gehad.

Interessant genoeg haalde de vrouw met het oranje haar rechts van me haar neus op voor de specifieke geur van ontsmettingsmiddelen die mij omringde en mijn gloednieuwe spijkerbroek. Het meisje links van me (achttien, negentien jaar?) daarentegen bekeek aandachtig mijn zwaar gehavende gezicht en zei: 'Geef hem de volgende keer gewoon zijn geld, schat, dan pakt hij je niet zo hard aan.'

Er gingen deuren open. We schuifelden de toegangssluis in. De deuren achter ons gingen dicht, de deuren links van ons gingen met een metalig geluid open.

Pal voor me zag ik de controlekamer, die werd bemand door twee bewaarders die een donkerblauw uniform droegen. Ik keek omlaag omdat ik bang was dat ik misschien een bekend gezicht zou zien.

We strompelden verder, schuifelden schouder aan schouder en heup aan heup door een lange gang met vaalgeel geschilderde muren van betonnen blokken. We inhaleerden de scherpe geur die overal in overheidsinstellingen hangt: een combinatie van zweet, bleekmiddel en menselijke apathie.

We arriveerden bij het 'smerige hok', een ruimte die veel weg had van de cel in het gerechtsgebouw. Langs een van de muren stond een harde houten bank, en verder bevonden zich in het vertrek één metalen wc, een wasbak en twee telefoontoestellen. We kregen te horen dat we alleen collect call mochten bellen en dat de persoon die gebeld werd door middel van een automatisch afgespeelde boodschap te horen kreeg dat de oproep afkomstig was uit de Suffolk County Jail.

Onze boeien werden losgemaakt en de bewaarder vertrok. De metalen deur ging met een klap dicht, en dat was het dan.

Ik wreef over mijn polsen en zag toen dat ik de enige was die dat deed. Alle anderen stonden al in de rij voor een van de telefoons. Klaar om iemand te bellen die de borgsom wilde betalen.

Ik sloot niet aan in de rij. In plaats daarvan ging ik op de houten bank zitten om naar de hoeren en drugsdealers te kijken, die nog steeds meer mensen hadden die van hen hielden dan ik.

De bewaarder riep mijn naam als eerste. Ik wist dat het ging gebeuren, maar toch raakte ik even in paniek. Mijn handen grepen de rand van de bank vast. Ik wist niet of ik wel los kon laten.

Tot dusver had ik alles goed weten af te handelen. Maar nu het vervolg. Agent Leoni zou officieel ophouden te bestaan. Gevangene 55669021 zou haar plaats innemen.

Ik kon het niet. Ik vertikte het.

De bewaarder riep opnieuw mijn naam. Hij stond op de gang voor de metalen deur en staarde me door het raampje recht aan. En ik wist dat hij het wist. Natúúrlijk wist hij het. Er kwam een vrouwelijke staatsagent bij ze binnen. Er deden vast de sappigste roddels over me de ronde. Een vrouw die ervan beschuldigd werd haar man te hebben omgebracht en werd verdacht van het vermoorden van haar zesjarige dochter. Het soort gevangenen waar bewaarders in de regel een grondige hekel aan hadden.

Ik dwong mezelf overeind te komen van de bank.

Straal gezag uit, dacht ik, een beetje verwilderd. Laat ze nooit merken dat je 'm knijpt.

Ik wist de deur te halen. De bewaarder deed me handboeien om en legde zijn hand op mijn elleboog. Hij hield me stevig vast, zijn gezicht onbewogen.

'Deze kant op,' zei de bewaarder terwijl hij een ruk naar links aan mijn arm gaf.

We gingen terug naar de controlekamer, waar ik allerlei basale informatie moest geven: mijn lengte, gewicht, geboortedatum, namen van naaste verwanten, contactinformatie, adressen, telefoonnummers, bijzondere tatoeages enzovoorts. Toen namen ze een foto van me terwijl ik voor een muur van betonblokken stond en een bord vasthield met het nummer erop dat mijn nieuwe identiteit zou vormen. Het eindproduct werd mijn nieuwe identiteitskaart, die ik te allen tijde bij me moest dragen.

Weer de gang door. Weer een nieuw vertrek, waar ik mijn kleren uit moest trekken en poedelnaakt op mijn hurken moest gaan zitten terwijl een vrouwelijke bewaarder een zaklamp op al mijn lichaamsholten richtte. Ik kreeg een vaalbruin gevangenispak – één broek, één shirt – een enkel paar fletse witte sneakers, die 'Air Cabrals' werden genoemd als eerbetoon aan de sheriff, Andrea Cabral, en een doorzichtige plastic tas. In de tas zaten een doorzichtige tandenborstel ter grootte van een pink, een klein, doorzichtig flesje deodorant, doorzichtige shampoo en witte tandpasta. De toiletartikelen waren doorzichtig om het moeilijker te maken er drugs in te verstoppen. De tandenborstel was klein, zodat gevangenen er weinig aan hadden als ze er later een steekwapen van wilden maken.

Als ik meer toiletartikelen wilde, zoals conditioner, handcrème of lippenbalsem, dan moest ik die kopen in de gevangeniswinkel. Lippenbalsem kostte 1 dollar 10, crème 2 dollar 21. Ik kon ook betere tennisschoenen kopen, die kostten tussen de 28 en 47 dollar.

Toen moest ik naar het kantoortje van de verpleegkundige. Ze controleerde mijn blauwe oog, mijn gezwollen wang en de snee in mijn hoofd. Toen moest ik de standaard medische vragen beantwoorden, terwijl ik werd ingeënt tegen tuberculose, altijd een belangrijk punt van aandacht in gevangenissen. De verpleegkundige nam uitvoerig de tijd voor de psychologische evaluatie, misschien omdat ze wilde proberen vast te stellen of ik het soort vrouw was dat onbezonnen dingen kon doen, zoals mezelf ophangen met te vaak gebleekte lakens.

De verpleegkundige tekende mijn medische beoordeling af. Vervolgens begeleidde de bewaarder me door de gang naar de liften. Hij drukte op de knop voor de negende verdieping, waar de vrouwen zaten die nog berecht moesten worden. Er waren twee opties, afdeling 1-9-1 en afdeling 1-9-2. Ik kreeg 1-9-2.

Op deze afdelingen zaten tussen de zestig en tachtig vrouwen. Zestien cellen per afdeling. Twee of drie vrouwen per cel.

Ik werd naar een cel gebracht waar maar één andere vrouw verbleef. Erica Reed heette ze. Ze lag te slapen op het bovenste bed en had haar persoonlijke bezittingen uitgestald op het onderste. Ik mocht het me gemakkelijk maken op het slagersblok dat dienstdeed als bureau.

Zodra de metalen deur achter me in het slot viel, begon Erica op haar verkleurde nagels te bijten, waarbij een rij zwarte tanden zichtbaar werd. Een crystal meth-verslaafde. Dat verklaarde haar bleke, ingevallen gezicht en haar slappe bruine haar.

'Ben jij de smeris?' vroeg ze meteen, en ze klonk heel enthousiast. 'Iedereen zei al dat er een smeris kwam! Ik hoop zo dat jij de smeris bent!'

Op dat moment besefte ik dat ik nog dieper in de problemen zat dan ik had gedacht.

22

Luitenant-kolonel Gerard Hamilton had niet bepaald enthousiast geklonken toen D.D. en Bobby hadden gevraagd of ze hem konden spreken, maar hij schikte zich in zijn lot. Een van zijn agenten was betrokken bij een 'ongelukkig voorval'. Natuurlijk moest het onderzoeksteam hem vragen stellen.

Uit beleefdheid spraken D.D. en Bobby bij hem op kantoor af. Hij gaf D.D. een hand en begroette Bobby vervolgens met een meer familiaire klap op de schouder. Het was duidelijk dat de mannen elkaar kenden en D.D. was dankbaar dat Bobby erbij was. Waarschijnlijk zou Hamilton zich zonder zijn aanwezigheid niet zo collegiaal hebben opgesteld.

Ze liet Bobby het voortouw nemen terwijl zij Hamiltons kantoor bestudeerde. De staatspolitie van Massachusetts stond bekend om haar voorliefde voor militair aandoende hiërarchie en titels. Waar D.D. in een bescheiden, sober ingerichte kantoorruimte werkte, deed die van Hamilton haar denken aan het kantoor van een vooraanstaand politicus. Aan de met houten panelen bedekte muren hingen foto's in zwarte lijsten van Hamilton met alle belangrijke politici uit Massachusetts, inclusief een extra grote van de politiechef met de Republikeinse senator van Massachusetts, Scott Brown. D.D. zag een diploma hangen van UMass Amherst, en nog een ander van de FBI-academie. Met de indrukwekkende verzameling geweitakken boven zijn bureau liet de luitenant-kolonel duidelijk zien hoe bedreven hij was in de jacht, maar voor de zekerheid hing er ook nog een foto waarop Hamilton gekleed in een groen werktenue en oranje jachtvest naast zijn laatste vangst stond.

D.D. stond niet lang stil bij de foto's. Ze begon de indruk te krijgen dat de kleine Warren vegetariër was. Rood vlees was vies. Droge muesli daarentegen begon steeds beter te klinken.

'Natuurlijk ken ik agent Leoni,' zei Hamilton nu. De luitenant-kolonel zag er voornaam uit – goed verzorgd, atletisch gebouwd, met donker haar dat grijs werd bij de slapen en een permanent gebruind gezicht als gevolg van vele activiteiten in de buitenlucht. D.D. wilde wedden dat de jonge mannelijke agenten hem openlijk bewonderden en dat de jonge vrouwelijke agenten hem stiekem sexy vonden. Was Tessa Leoni een van hen? En waren die gevoelens wederzijds?

'Prima agent,' vervolgde hij op neutrale toon. 'Jong maar bekwaam. Nooit incidenten of klachten gehad.'

Tessa's dossier lag geopend op Hamiltons bureau. De luitenant-kolonel bevestigde dat Tessa vrijdag- en zaterdagnacht had gewerkt. Vervolgens bekeek hij samen met Bobby haar logboeken, waar D.D. geen chocola van kon maken. Rechercheurs hielden zich bezig met actieve zaken, losten zaken op, regelden rechterlijke machtigingen, ondervroegen getuigen, verhoorden verdachten enzovoort enzovoort. Staatsagenten hielden zich, onder meer, bezig met het aanhouden van voertuigen, aanhoudingen in het verkeer, noodoproepen, betekende dagvaardingen, in beslag genomen goederen en het verlenen van allerlei soorten bijstand. D.D. vond het allemaal niet zoveel met echt politiewerk te maken hebben.

Hoe dan ook had Tessa pittige logboeken, ook nog afgelopen vrijdag- en zaterdagnacht. Alleen al zaterdag had ze twee automobilisten aangehouden wegens rijden onder invloed, en de tweede keer had ze niet alleen de bestuurder in hechtenis laten nemen maar ook moeten regelen dat de auto van de verdachte werd weggesleept.

Bobby trok een gezicht. 'Hebt u het papierwerk al gezien?' vroeg hij, tikkend op de processen-verbaal van de twee aanhoudingen.

'Ik heb het een paar uur geleden van de commandant gekregen. Ziet er goed uit.'

Bobby keek naar D.D. 'Dan had ze zaterdagnacht absoluut geen hersenschudding. Het lukt mij nauwelijks om deze formulieren in te vullen als ik helemaal helder ben, laat staan met een zware verwonding aan mijn hoofd.'

'Is ze zaterdagnacht door iemand gebeld?' vroeg D.D. aan de luitenant-kolonel.

Hamilton haalde zijn schouders op. 'Onze agenten patrouilleren met hun eigen mobiele telefoon, niet alleen met hun officiële pieper. Ze kan door allerlei mensen privé gebeld zijn. Maar niet via de officiële kanalen.'

D.D. knikte. Het verbaasde haar dat staatsagenten hun mobieltje nog bij zich mochten hebben. Vaak waren mobiele telefoons bij de politie verboden, omdat het meer dan eens voorkwam dat geüniformeerde agenten, die vaak als eerste op een plaats delict arriveerden, persoonlijke foto's met hun toestel maakten. Misschien vonden ze een kerel die zichzelf voor zijn kop had geschoten er grappig uit zien. Of misschien wilden ze een collega van een ander bureau een bijzondere bloedspetter laten zien. Juridisch gezien vormde elke foto van een plaats delict echter bewijs waar de verdediging volledige inzage in moest hebben. Dat betekende dat als zulke foto's opdoken nádat er een vonnis in de zaak was uitgesproken, alleen al het bestaan ervan voldoende reden was om de zaak te seponeren.

De aanklager was niet bepaald blij als dat gebeurde. Sterker nog, hij werd dan ronduit onaangenaam.

'Heeft Leoni wel eens een berisping gekregen?' vroeg D.D.

Hamilton schudde zijn hoofd.

'Heeft ze veel vrije dagen opgenomen? Ze is een jonge moeder die de helft van het jaar alleen is met haar kind.'

Hamilton bladerde het dossier door en schudde zijn hoofd. 'Bewonderenswaardig,' zei hij. 'Het is niet makkelijk te voldoen aan de eisen die je werk aan je stelt en tegelijkertijd in de behoeften van het gezin te voorzien.'

'Amen,' mompelde Bobby.

Ze leken het allebei echt te menen. D.D. beet op haar onderlip. 'Hoe goed kende u haar?' vroeg ze opeens aan de luitenant-kolonel. 'Gezamenlijke uitjes om het groepsgevoel te versterken, met z'n allen naar de kroeg, dat soort dingen?'

Voor het eerst aarzelde Hamilton. 'Ik kende haar niet echt goed,' zei hij ten slotte. 'Leoni had de reputatie afstandelijk te zijn. In een paar functioneringsgesprekken is dat aangestipt. Ze was een heel betrouwbare agent die haar werk prima deed. Ze gaf blijk van een goed beoordelingsvermogen. Maar op sociaal gebied bleef ze gereserveerd. Dat was een bron van enige zorg. Zelfs staatsagenten, die meestal in hun eentje surveilleren, moeten oog hebben voor het groepsgevoel. Je moet er zeker van zijn dat je collega's je altijd dekken. Leoni's collega's hadden respect voor haar professionaliteit. Maar niemand had echt het gevoel dat hij haar persoonlijk kende. En in dit vak, waarin werk en privé nogal door elkaar heen lopen...'

Hamiltons stem stierf weg. D.D. begreep wat hij bedoelde en was geïntrigeerd. Als je bij de politie werkte, had je geen gewone baan. Het was niet een kwestie van inklokken, doen wat je moest doen en je dienst overdragen aan je collega. Bij de politie werken was een roeping. Je was toegewijd aan je werk en je team en schikte je naar het leven dat erbij hoorde.

D.D. had zich afgevraagd of Tessa misschien te close was geweest met een andere agent of zelfs met een leidinggevende, zoals de luitenant-kolonel. Zo te horen was ze echter juist niet close genoeg.

'Mag ik u iets vragen?' vroeg Hamilton onverwacht.

'Mij?' Geschrokken knipperde D.D. met haar ogen. Toen knikte ze.

'Doet u wel eens iets gezelligs met uw collega's? Ergens een biertje drinken, samen pizza eten, bij iemand thuis een wedstrijd kijken?'

'Tuurlijk. Maar ik heb geen gezin,' bracht D.D. naar voren. 'En ik ben ouder. Tessa Leoni is een jonge, knappe moeder die te maken heeft met een bureau waar alleen maar mannen werken. Klopt het dat ze uw enige vrouwelijke agent is?'

'In Framingham wel, ja.'

D.D. haalde haar schouders op. 'Er werken nou eenmaal weinig vrouwen bij de politie. Als Tessa Leoni niet zo heel intiem wilde worden met haar collega's, kan ik haar dat niet kwalijk nemen.'

'We hebben er nooit klachten over gehad dat ze seksueel is lastiggevallen,' zei Hamilton meteen.

'Niet alle vrouwen zitten op de rompslomp te wachten.'

Die opmerking beviel Hamilton niet. Zijn gezicht betrok en hij zag er intimiderend, ja zelfs hard uit.

Op bitse toon zei hij: 'We hebben Leoni's leidinggevende op het bureau aangespoord haar meer mogelijkheden te bieden om zich betrokken te voelen. Laten we zeggen dat dat gemengde resultaten heeft opgeleverd. Ik twijfel er niet aan dat het moeilijk is om de enige vrouw te zijn in een organisatie die wordt gedomineerd door mannen. Aan de andere kant leek Leoni er zelf weinig aan te willen doen om de afstand minder groot te maken. Heel eerlijk gezegd werd ze gezien als iemand die nogal op zichzelf was. En zelfs agenten die hun best deden om een vriendschap met haar...'

'Zoals Shane Lyons?' onderbrak D.D. hem.

'Zoals Shane Lyons, ja,' bevestigde Hamilton. 'Hun pogingen waren vergeefs. Als je echt als team wilt samenwerken, moet je het hart en het verstand van je collega's voor je winnen. Daar slaagde Leoni maar half in.'

'Over hart en verstand gesproken,' zei Bobby. Hij klonk verontschuldigend, alsof hij het vervelend vond de luitenant-kolonel te moeten reduceren tot roddelaar. 'Is het u wel eens ter ore gekomen dat Leoni een verhouding had met een andere agent? Of was er misschien een agent die geïnteresseerd was in haar, of die belangstelling nu wederzijds was of niet?'

'Ik heb wat om me heen gevraagd. De collega met wie Tessa Leoni het best bevriend was, was Shane Lyons, al loopt die relatie meer via de echtgenoot dan via Leoni.'

'Kende u hem?' vroeg D.D. nieuwsgierig. 'Haar man, Brian Darby? Of Sophie, haar dochter?'

Tot haar verrassing antwoordde Hamilton somber: 'Ik kende ze allebei. Ik heb ze door de jaren heen verscheidene malen ontmoet op barbecues en familiefeestjes. Sophie is een mooie kleine meid. Wijs voor haar leeftijd, voor zover ik het me kan herinneren.' Er verschenen rimpels op zijn voorhoofd en even leek hij het moeilijk te hebben. 'Je kon zien dat Leoni heel veel van haar hield. Dat idee had ik tenminste altijd als ik ze samen zag. De manier waarop Tessa haar dochter vasthield. Ze was gek op haar. De gedachte...'

Hamilton keek weg. Hij schraapte zijn keel en klemde toen zijn handen in elkaar op het bureau. 'Echt een treurige geschiedenis,' mompelde de luitenant-kolonel, tegen niemand in het bijzonder.

'En Brian Darby?' vroeg Bobby.

'Die kende ik al voordat ik Tessa leerde kennen. Brian was een goede vriend van Shane Lyons. Hij verscheen een jaar of acht, negen voor het eerst op barbecues. Hij is zelfs een paar keer met ons mee geweest naar een wedstrijd van de Boston Bruins, en hij kwam wel eens naar een pokeravond.'

'Ik wist niet dat u en Shane Lyons zo close waren,' zei D.D. fronsend.

Hamilton keek haar streng aan. 'Als mijn agenten me uitnodigen voor een familiefeestje, probeer ik altijd te komen. Kameraadschap is belangrijk, en bovendien zijn informele bijeenkomsten van onschatbare waarde voor het openhouden van de communicatielijnen tussen de agenten en de leiding. Dat gezegd hebbende, onderneem ik waarschijnlijk niet vaker dan drie, vier keer per jaar iets met Lyons en zijn "posse", zoals hij ze noemt.'

'Wat vond u van Brian?' vroeg Bobby.

'Hij volgde het ijshockey en was fan van de Red Sox, dus ik vond hem een prima kerel.'

'Sprak u hem vaak?'

'Bijna nooit. Bij de meeste uitstapjes deden we echte mannendingen – we gingen naar wedstrijden, we speelden zelf wedstrijden of we gokten op wedstrijden. En ja,' zei hij terwijl hij zich op D.D. richtte, alsof hij al vooruitliep op wat ze zou gaan zeggen, 'het zou kunnen dat Leoni zich buitengesloten voelde door dat soort activiteiten. Al meen ik me te herinneren dat zij de Red Sox ook volgt en dat ze met haar gezin naar heel wat wedstrijden is geweest.'

D.D. keek hem kwaad aan. Ze vond het vreselijk als ze zo makkelijk te doorgronden was.

'En is de alcoholverslaving van Leoni ooit ter sprake gekomen?' vroeg Bobby kalm.

'Ik was op de hoogte van de situatie,' antwoordde Hamilton. 'Voor zover ik weet had Leoni met succes een twaalfstappenprogramma doorlopen en wist ze op het rechte spoor te blijven. Ook wat dat betreft zijn er nooit incidenten of klachten geweest.'

'En die hele toestand dat ze op haar zestiende iemand heeft doodgeschoten?' vroeg D.D.

'Daar gaan we nog ontzettend veel gedonder mee krijgen,' zei Hamilton zwaarmoedig.

Hamiltons ongezouten uitspraak overviel D.D. Het duurde even voordat ze begreep wat hij bedoelde. De pers zou dieper gaan spitten in het verleden van de nieuwste femme fatale uit Boston en willen weten waar de staatspolitie mee bezig dacht te zijn door een agent in dienst te nemen die een gewelddadig verleden had.

Yep, de luitenant-kolonel zou een hoop uit te leggen hebben.

'Luister,' zei de chef van de staatspolitie. 'Leoni is nooit beschuldigd van een misdrijf. Ze heeft aan al onze andere eisen voldaan. Als we haar sollicitatie hadden geweigerd, zou dat discriminatie zijn geweest. En voor de goede orde: ze is met vlag en wimpel geslaagd voor de academie en voerde haar politietaken voorbeeldig uit. We konden onmogelijk weten...'

'Denkt u dat ze het heeft gedaan?' onderbrak D.D. hem. 'U kende haar man en haar kind. Denkt u dat Tessa hen allebei heeft gedood?'

'Wat ik denk is: hoe langer ik dit werk doe, hoe minder ik me verbaas over dingen die me wel zouden moeten verbazen.'

'Hebt u wel eens geruchten gehoord over huwelijksproblemen tussen haar en Brian?' vroeg Bobby.

'Die zou ik als laatste gehoord hebben,' verzekerde Hamilton hem.

'Opvallende veranderingen in haar gedrag, met name de afgelopen drie weken?'

Hamilton hield zijn hoofd een beetje schuin. 'Hoezo de laatste drie weken?'

Bobby keek zijn baas alleen maar aan. Maar D.D. begreep het. Brian Darby was nog maar drie weken thuis geweest en volgens zijn personal trainer had hij slecht in zijn vel gezeten nadat hij van zijn laatste reis was teruggekomen.

'Er schiet me één situatie te binnen,' zei Hamilton onverwacht. 'Die had echter geen betrekking op Leoni, maar op haar man.'

D.D. en Bobby wierpen elkaar een blik toe.

'Ongeveer een halfjaar geleden,' vervolgde Hamilton, die niet echt hun kant uit keek. 'Eens denken... het zal november zijn geweest. Shane Lyons had een avondje in Foxwoods geregeld. We waren met een heleboel, en Brian Darby was er ook bij. Zelf heb ik een show gezien en ik heb vijftig dollar verspeeld in het casino, toen ben ik gestopt. Maar Brian... Toen het tijd werd om te gaan, konden we hem niet meekrijgen. Nog één rondje, nog één rondje, dit was echt het laatste. Op het laatst kregen Shane en hij ruzie, waarbij Shane hem letterlijk meetrok uit het casino. De andere jongens deden er lacherig over, maar mij leek het vrij duidelijk dat Brian Darby beter niet terug kon gaan naar Foxwoods.'

'Had hij een gokprobleem?' vroeg Bobby met fronsende blik.

'Ik zou zeggen dat hij een meer dan gemiddelde belangstelling had voor gokken. Ik zou zeggen dat als Shane hem niet bij de roulettetafel had weggetrokken, Brian daar nu nog steeds naar de ronddraaiende getallen zou zitten kijken.'

Bobby en D.D. keken elkaar aan. D.D. zou meer met dit verhaal kunnen als Brian niet vijftigduizend dollar op de bank had staan. Gokverslaafden hadden over het algemeen geen halve ton aan spaargeld. Toch keken ze aandachtig naar de luitenant-kolonel.

'Zijn Shane en Brian de laatste tijd weer in het casino geweest?' vroeg Bobby.

'Dat zouden jullie aan Lyons moeten vragen.'

'Heeft Leoni het ooit over financiële problemen gehad? Heeft ze wel eens gevraagd of ze mocht overwerken of zo?'

'Afgaand op de logboeken,' zei Hamilton langzaam, 'heeft ze de laatste tijd meer gewerkt.'

Maar wel met vijftigduizend dollar op de bank, dacht D.D. Wie had het met zo'n bedrag nou nodig om over te werken?

'Er is nog iets anders wat jullie moeten weten,' zei Hamilton zacht. 'Ik wil dat jullie goed begrijpen dat dit strikt vertrouwelijk is. En misschien heeft het wel niets met Tessa Leoni te maken. Maar... jullie hadden het over de afgelopen drie weken en het geval wil dat we juist twee weken geleden een intern onderzoek zijn gestart. Een externe accountant was tot de ontdekking gekomen dat er op onregelmatige wijze geld van de vakbondsrekening was gehaald. De accountant denkt dat het geld is verduisterd, waarschijnlijk van binnenuit. We proberen dat geld nu te traceren.'

D.D. zette grote ogen op. 'Wat fijn dat u ons dat vertelt. En zo snél ook.'

Bobby wierp haar een waarschuwende blik toe.

'Over hoeveel geld hebben we het?' vroeg hij op gematigde toon.

'Tweehonderdvijftigduizend dollar.'

'En dat geld wordt al twee weken vermist?'

'Ja. Maar de verduistering is twaalf maanden eerder begonnen, een reeks betalingen aan een verzekeringsmaatschappij die helemaal niet blijkt te bestaan.'

'Maar de cheques zijn wel verzilverd,' zei Bobby.

'Stuk voor stuk,' beaamde Hamilton.

'Wie heeft ze getekend?'

'Moeilijk te zeggen. Maar het geld is elke keer op een rekening in Connecticut gestort die vier weken geleden is opgeheven.'

'Dus die nepverzekeringsmaatschappij diende om betalingen binnen te krijgen ter waarde van een kwart miljoen en is vervolgens weer opgedoekt.'

'Dat is inderdaad wat de onderzoekers denken.'

'De bank moet informatie voor jullie hebben,' zei Bobby. 'Ging het bij alle transacties om dezelfde bank?'

'De bank heeft volledige medewerking verleend. We hebben videoopnamen gekregen van een vrouw met een rode honkbalpet en een donkere zonnebril. Dat is de belangrijkste aanwijzing – we zoeken een vrouw die over inside-information beschikt over de vakbond van de staatspolitie.'

'Zoals Tessa Leoni,' mompelde D.D.

De luitenant-kolonel sprak haar niet tegen.

23

Als je iemand dood wil hebben, dan is de gevangenis daar de ideale plek voor. Het feit dat de Suffolk County Jail minimaal beveiligd was, wilde niet zeggen dat het er niet wemelde van de gewelddadige misdadigers. De veroordeelde moordenaar die net twintig jaar had doorgebracht in de zwaarst beveiligde gevangenis van Massachusetts, zat hier misschien wel de achttien maanden voor inbraak uit waartoe hij boven op de straf voor de moord was veroordeeld. Misschien zat mijn celgenoot Erica vast voor het dealen van drugs, prostitutie of diefstal. Maar het kon ook zijn dat ze de laatste drie vrouwen had vermoord die haar meth van haar hadden willen afpakken.

Toen ik het aan haar vroeg, lachte ze alleen maar haar twee rijen zwarte tanden bloot.

Op afdeling 1-9-2 zaten nog vierendertig andere vrouwen die net zo waren als zij.

Omdat we nog in afwachting waren van onze berechting, werden we afgezonderd van de algemene gevangenispopulatie, op een afgesloten afdeling waar ons eten werd gebracht, waar de verpleegkundige bij ons langskwam en waar we bezig werden gehouden. Op de afdeling was intimidatie echter aan de orde van de dag, zodat geweld op allerlei manieren de kop kon opsteken.

Erica nam de dagindeling met me door. De ochtend begon om zeven uur, wanneer de bewaarder de gevangenen telde. Vervolgens kregen we ontbijt geserveerd in onze cel, gevolgd door een paar uur 'recreatietijd'. We konden dan onze cel uit en zonder boeien over de afdeling lopen, of televisie kijken in de gemeenschappelijke ruimte, of een douche nemen (pal naast de gemeenschappelijke ruimte waren drie douches, zodat iedereen zich ook met douchende medegevangenen kon vermaken als er niets op tv was), of een poosje op de knarsende hometrainer (de verbale beledigingen van je medegevangenen niet inbegrepen).

Al snel had ik door dat de meeste vrouwen hun tijd doorbrachten met kaarten of roddelen aan de ronde roestvrijstalen tafels die in het midden van de afdeling stonden. Een vrouw kwam dan aan een tafel zitten, kreeg een roddel te horen, vertelde er zelf ook een paar en ging vervolgens langs bij de cel van een buurvrouw, waar ze het nieuwtje als eerste kon vertellen. En zo gingen de vrouwen rond, van tafel naar tafel en van cel naar cel. De sfeer deed me denken aan een zomerkamp, waar iedereen dezelfde kleding droeg, in stapelbedden sliep en geobsedeerd was door jongens.

Om elf uur gingen alle vrouwen terug naar hun cel. De gevangenen werden voor de tweede keer geteld, waarna de lunch volgde. Vervolgens opnieuw recreatietijd. Om drie uur opnieuw een telling. Avondeten rond vijven. Om elf uur 's avonds werden de gevangen voor de laatste keer geteld, waarna de lichten uitgingen, wat echter niet betekende dat het dan stil werd. In de gevangenis bestond er niet zoiets als stilte, en al helemaal niet in een gevangenis waar zowel mannen als vrouwen zaten.

Ik kwam er al snel achter dat de vrouwen op de drie bovenste verdiepingen van de 'toren' van de Suffolk County Jail zaten. Een ondernemende vrouw (of man) had ontdekt dat de sanitaire leidingen van de bovenste verdiepingen in verbinding stonden met de lager gelegen verdiepingen. Dat betekende dat een vrouwelijke gevangene – mijn celgenoot Erica bijvoorbeeld – haar hoofd in de porseleinen toiletpot kon steken om te 'praten' met een willekeurige man op een lagere verdieping. Al is praten niet echt wat een man wil doen. Zie het meer als de gevangenisversie van *sexting*.

Erica zei schunnige dingen en ergens onder ons kreunde een onbekende man. Erica zei nog meer schunnige dingen: *Harder, sneller, kom op schatje, ik wrijf over m'n tieten voor jou, kun je voelen dat ik voor jou over m'n tieten wrijf?* (Dat heb ik verzonnen, want Erica had geen tieten. Door de meth was al het vet en weefsel van haar botten verdwenen, ook haar borsten. Zwarte tanden, zwarte nagels, geen borsten. Erica zou de show stelen in een campagne tegen drugsgebruik onder tienermeisjes: zo ziet je lichaam eruit als je aan de meth gaat.)

De onbekende man negen verdiepingen onder ons wist dat echter niet. Hij dacht waarschijnlijk dat Erica een wellustige blondine was, of misschien die geile Latijns-Amerikaanse stoot die hij een keer op de medische afdeling had gespot. Hij rukte zich tevreden af en Erica begon aan de tweede ronde.

Net als de vrouw in de cel naast ons, en de cel daarnaast, en de cel daarnaast. De godganse nacht lang.

Een gevangenis is een heel sociale plek.

De Suffolk County Jail bestaat uit meerdere gebouwen. Helaas konden alleen de mannen die op de lager gelegen verdiepingen van de toren verbleven via de wc's communiceren met de vrouwen op de bovenste drie verdiepingen. Uiteraard leidde dat tot grote frustratie bij de mannen in de andere gebouwen.

De ondernemende mannen in gebouw 3 hadden echter uitgevogeld dat wij vanuit onze cellen hun ramen konden zien. Erica legde uit dat we 's ochtends als eerste moesten kijken of er boodschappen waren aangebracht voor de ramen van gebouw 3. Zo konden sokken, ondergoed en T-shirts ingenieus gerangschikt zijn tot een reeks getallen of letters. Natuurlijk kon je met sokken lang niet alles spellen en daarom was er een code ontwikkeld. De vrouwen van afdeling 1-9-2 schreven de code op, en als we dan naar de bibliotheek gingen wisten we in welk boek we een completere boodschap konden vinden (*neuk me*, *neuk me*, *neem me*, *neem*, *o wat ben je mooi kun je voelen hoe hard ik word...*).

Gevangenispoëzie, verzuchtte Erica. Ze bekende dat spelling niet haar sterkste kant was, maar ze deed altijd haar best om terug te schrijven en liet dan in dezelfde roman een nieuw berichtje (*ja*, *ja*, *JA!*) achter.

Met andere woorden: gevangenen van verschillende afdelingen konden met elkaar communiceren, vrouwelijke gedetineerden met mannen elders in de gevangenis die al veroordeeld waren en vice versa. De kans was dus heel groot dat de hele gevangenispopulatie op de hoogte was van mijn aanwezigheid, en een onervaren gedetineerde op de ene afdeling kon worden geholpen door een gevangene van een andere afdeling die al meer gehard was.

Ik vroeg me af hoe het zou gaan.

Bijvoorbeeld wanneer mijn hele afdeling onder begeleiding negen verdiepingen naar beneden ging, naar de bibliotheek. Of een van de weinige keren dat we naar het fitnesscentrum gingen. Of tijdens het bezoekuur, wat ook een groepsactiviteit was en waarbij een grote ruimte vol stond met een stuk of tien tafels en iedereen door elkaar heen ging zitten.

Het zou voor een medegevangene een fluitje van een cent zijn om naast me te komen zitten, een mes tussen mijn ribben te steken en te verdwijnen.

Ongelukken gebeuren nou eenmaal, nietwaar? En al helemaal in de gevangenis.

Ik overdacht het zo goed mogelijk. Hoe zou ik het zelf aanpakken als ik een vrouwelijke gevangene was die een getrainde agent te grazen probeerde te nemen? Bij nader inzien: misschien wel niet met openlijk geweld. Ten eerste zou een agent in staat moeten zijn een aanval af te weren. Ten tweede werden we de paar keer dat de afdeling ergens heen ging – naar de bibliotheek of het fitnesscentrum of het bezoekuur – begeleid door een stel uit de kluiten gewassen bewaarders die erop voorbereid waren om er ogenblikkelijk op los te slaan.

Nee, ik zou voor vergif gaan.

Gif was al eeuwenlang een wapen waar vrouwen de voorkeur aan gaven. Je kon het makkelijk naar binnen smokkelen. Elke gedetineerde mocht vijftig dollar per week uitgeven in het winkeltje. De meesten leken hun centen uit te geven aan bamisoep, tennisschoenen en toiletartikelen. Met hulp van buitenaf was het een koud kunstje om een beetje arsenicum in het zakje bamisoep te stoppen, of in de dop van de zojuist aangeschafte handlotion, enzovoort enzovoort.

Ik hoefde maar één moment afgeleid te zijn en Erica kon het door mijn eten roeren. Of anders later, als Sheera, een andere gevangene, me in de gemeenschappelijke ruimte toast met pindakaas aanbood.

Arsenicum kon worden vermengd met lotions, haarproducten, tandpasta. Elke keer als ik mijn huid insmeerde, mijn haar waste, mijn tanden poetste...

Word je op die manier gek? Door je te realiseren op welke manieren je allemaal dood kunt gaan?

En als dat gebeurde, hoeveel mensen zou dat dan iets kunnen schelen?

20.23 uur. Ik zat in mijn eentje op een dunne matras voor een raam met dikke spijlen. De zon was allang onder. Ik staarde naar de kille duisternis achter het glas, terwijl achter me de tl-buizen onophoudelijk te fel brandden.

En heel even zou ik willen dat ik die spijlen kon ombuigen, dat ik het hoge raam open kon krijgen en, negen verdiepingen boven het kolkende Boston, de frisse maartavond in kon stappen om te zien of ik kon vliegen.

Alles loslaten. Het donker in storten.

Ik duwde met mijn hand tegen het glas. Staarde de diepdonkere avond in. En vroeg me af of Sophie ergens naar hetzelfde donker staarde. Of ze kon voelen dat ik probeerde haar te bereiken. Of ze wist dat ik er nog was en van haar hield en haar zou vinden. Ze was mijn Sophie en ik zou haar redden, net zoals ik had gedaan toen ze zich in de kofferbak had opgesloten.

Maar eerst moesten we allebei dapper zijn.

Brian moest dood. Dat had die man zaterdagochtend in mijn keuken tegen me gezegd. Brian was heel stout geweest en moest dood. Maar Sophie en ik mochten blijven leven. Als ik maar deed wat me werd opgedragen.

Ze hadden Sophie. Om haar terug te krijgen moest ik de schuld op me nemen voor de dood van mijn man. Ze hadden zelfs een paar suggesties voor me. Ik kon dingen in scène zetten en me beroepen op noodweer. Brian zou dan nog steeds dood zijn, maar ik zou de dans ontspringen en Sophie zou op een miraculeuze manier worden gevonden en met me worden herenigd. Mijn baan bij de politie zou ik waarschijnlijk kwijtraken, maar hé, ik zou mijn dochter terug hebben.

Terwijl ik daar zo midden in de keuken stond, mijn oren nog nagalmend van de schoten en met de geur van kruit en bloed nog in mijn neus, had me dat een goede deal geleken. Ik had ja gezegd, op alles, op alles.

Het enige wat ik wilde, was Sophie.

'Alsjeblieft,' had ik gesmeekt, gesméékt in mijn eigen huis. 'Doe mijn dochter niets aan. Ik zal het doen. Als zij maar ongedeerd blijft.'

Nu begon het natuurlijk tot me door te dringen hoe dom ik was geweest. Brian moest dood en iemand ánders moest daarvoor de schuld op zich nemen? Als Brian dood moest, waarom was er dan niet met zijn remmen geknoeid of hadden ze geen 'ongeluk' in scène gezet als hij weer ging skiën? Brian was heel vaak alleen, en de man in het zwart had genoeg andere dingen kunnen doen dan Brian doodschieten en zijn vrouw opdragen de schuld op zich te nemen. Waarom had hij dat gedaan? Waarom ik?

Sophie zou op miraculeuze wijze worden gevonden? Hoe dan? Ronddolend in een groot warenhuis? Of zou ze misschien wakker worden op een parkeerplaats langs de snelweg? De politie zou haar natuurlijk ondervragen, en van kinderen was bekend dat ze als getuige onbetrouwbaar waren. Misschien kon de man haar zo bang maken dat ze niets zou zeggen, maar waarom zou je dat risico nemen?

En bovendien: waarom zou ik zelf blijven zwijgen als mijn dochter eenmaal bij me terug was? Misschien ging ik dán wel naar de politie. Waarom zou je dat risico nemen?

Ik begon steeds meer te denken dat iemand die in koelen bloede drie keer op een man kon schieten, waarschijnlijk geen onnodige risico's nam.

Ik begon steeds meer te denken dat iemand die in koelen bloede drie keer op een man kon schieten, veel meer belangen had dan hij toegaf.

Wat had Brian gedaan? Waarom moest hij dood?

En had hij zich in de laatste seconde van zijn leven gerealiseerd dat hij Sophie en mij vrijwel zeker ook ook de dood zou injagen?

Ik voelde de metalen spijlen tegen de beide kanten van mijn hand drukken. Ze waren niet zo rond als ik had gedacht maar hadden ongeveer dezelfde vorm als verticale jaloezieën.

Die man wilde me in de gevangenis hebben, besefte ik nu. Hij en de mensen voor wie hij ongetwijfeld werkte wilden me uit de weg hebben.

Voor de eerste keer in drie dagen lachte ik.

Er stond ze een kleine verrassing te wachten. Want tijdens die bloederige nasleep, terwijl mijn oren nog nagalmden en mijn ogen opengesperd waren van afgrijzen, had ik me vastgeklampt aan één gedachte. Ik moest tijd rekken, ik moest de boel vertragen.

Vijftigduizend dollar had ik de man geboden die zojuist mijn echtgenoot had vermoord. Vijftigduizend dollar als hij me vierentwintig uur de tijd gaf om 'mijn zaken op orde te krijgen'. Als ik de schuld op me ging nemen voor de dood van mijn man en in de gevangenis belandde, dan moest ik dingen regelen voor mijn dochter. Dat had ik tegen hem gezegd.

En misschien vertrouwde hij me wel niet, misschien was hij wel argwanend geweest, maar een halve ton was een halve ton en toen ik hem had uitgelegd dat ik Brians lichaam kon invriezen…

Hij was onder de indruk geweest. Niet geschokt. Onder de indruk. Kennelijk hield hij wel van vrouwen die het lichaam van hun man goed konden houden met sneeuw.

De anonieme huurmoordenaar had dus vijftigduizend dollar aangenomen, en in ruil daarvoor kreeg ik vierentwintig uur de tijd om 'mijn verhaal kloppend te maken'.

In vierentwintig uur blijk je een heleboel te kunnen doen. Vooral wanneer je zo'n vrouw bent die emotieloos sneeuw over de man heen kan scheppen die ooit had beloofd dat hij alijd van haar zou houden en voor haar zou zorgen, dat hij haar nooit zou verlaten.

Ik dacht nu niet aan Brian. Ik was er niet klaar voor, ik kon me de herinneringen niet veroorloven. En dus concentreerde ik me op het belangrijkste.

'Van wie hou je?'

De huurmoordenaar had gelijk. Daar draait het in het leven uiteindelijk om. Van wie hou je?

Sophie. Ergens daarbuiten in datzelfde donker, mijn dochter. Zes jaar oud, een hartvormig gezicht, grote blauwe ogen en een tandeloze lach die de zon kon laten stralen. Sophie.

Brian was voor haar gestorven. Nu zou ik voor haar overleven.

Alles om mijn dochter terug te krijgen.

'Ik kom,' fluisterde ik. 'Wees dapper, schattebout. Wees dapper.'

'Wat?' vroeg Erica vanaf het bovenste stapelbed, waar ze gedachteloos kaarten omdraaide.

'Niks.'

'Dat raam breekt niet, hoor,' deelde ze mee. 'Zo kom je nooit weg!' Erica giechelde, alsof ze een geweldige mop had verteld.

Ik draaide me naar mijn celgenoot toe. 'Erica, die telefoon in de gemeenschappelijke ruimte, kan ik daarmee bellen?'

Ze stopte met het omdraaien van de kaarten.

'Wie ga je bellen?' vroeg ze belangstellend.

'Ghostbusters,' zei ik met een stalen gezicht.

Erica giechelde weer. Toen vertelde ze me wat ik moest weten.

24

Bobby wilde even ergens gaan eten. D.D. niet.

'Je moet beter voor jezelf gaan zorgen,' deelde Bobby haar mee.

'En jij moet ophouden me zo te betuttelen!' snauwde ze terwijl ze door de straten van Boston reden. 'Daar heb ik vroeger al nooit iets van moeten hebben, en ik moet er nog steeds niets van hebben.'

'Nee.'

'Pardón?'

'Ik zei nee. En je kunt me niet dwingen.'

D.D. draaide net zo lang in haar stoel heen en weer tot ze hem recht aan kon staren. 'Wist je dat ze denken dat zwangere vrouwen vanwege de veranderingen in hun hormonen gestoord zijn? Dat betekent dat ik je nu kan vermoorden en dat ik daarmee wegkom als er ook maar één moeder in de jury zit.'

Bobby glimlachte. 'Ha, dat zei Annabelle ook altijd!'

'O, in godsnaam...'

'Je bent zwanger,' onderbrak hij haar. 'Mannen vinden het fijn om zwangere vrouwen te betuttelen. Dan hebben we iets omhanden. Stiekem vinden wij het ook heerlijk om met baby's te tutten. Ha, wedden dat Phil een paar sokjes gaat breien als je de baby de eerste keer meeneemt om kennis te maken met je team? En Neil... die zorgt vast voor mooie pleisters en het eerste fietshelmpje.'

D.D. staarde hem aan. Ze had nog helemaal niet nagedacht over sokjes, pleisters of het kind meenemen naar haar werk. Eerst moest ze nog verwerken dat ze een baby kréég, laat staan dat ze al bezig was met het léven met de baby.

Ze had een sms'je van Alex gekregen: **Hoorde van arrestatie, hoe verloopt de strijd verder?**

Ze had niet geantwoord. Ze wist niet wat ze moest zeggen. Ja, ze hadden Tessa Leoni gearresteerd, maar het was ze niet gelukt de zesjarige Sophie te vinden. En de zon was voor de tweede keer ondergegaan, wat betekende dat het nu zesendertig uur geleden was dat het eerste Amber Alert was uitgegeven, maar dat Sophie waarschijnlijk al twee volle dagen werd vermist. Alleen deed het Amber Alert er hoogstwaarschijnlijk niet toe. Het was zeer aannemelijk dat Tessa Leoni haar hele gezin had vermoord, inclusief Sophie.

D.D. hield zich niet bezig met een vermissing, ze leidde een moordonderzoek om het lichaam van een kind te vinden.

Ze was er nog niet klaar voor om daar nu al aan te denken. Ze was niet toe aan Alex' zachtmoedige maar altijd indringende vragen. Ook wist ze niet hoe ze dat gesprek zo zou moeten sturen dat ze kon zeggen: *O ja, ik ben zwanger, dat wist je nog niet, maar Bobby Dodge weet er alles van, want hij heeft het gehoord van een vrouwelijke moordverdachte.*

Dit was nou precies zo'n situatie waardoor D.D. een workaholic was. Want ze zou zich een stuk beter voelen als ze Sophie vond en Tessa zou ontmaskeren. Terwijl praten met Alex over iets wat zijn hele wereld op zijn kop zou zetten alles alleen maar onzekerder zou maken.

'Wat jij nodig hebt is, falafel,' zei Bobby. 'Annabelle was er gek op toen ze zwanger was. Het is het vlees, hè? Je kunt de geur van vlees niet verdragen.'

D.D. knikte. 'Eieren vind ik ook niet geweldig.'

'Mediterraan eten dus, vanwege de grote verscheidenheid aan vegetarische gerechten.'

'Hou jij van falafel?' vroeg D.D. achterdochtig.

'Nee, ik hou van Big Macs, maar dat is voor jou nu waarschijnlijk niet...'

D.D. schudde haar hoofd.

'Goed, falafel dan.'

Bobby wist waar ze het in de buurt konden krijgen, kennelijk een favoriet tentje van Annabelle. Hij ging naar binnen om te bestellen. D.D. bleef in de auto om uit de buurt te blijven van etensgeuren en om haar voicemail af te luisteren. Als eerste beantwoordde ze Phils telefoontje. Ze vroeg hem de financiën van Brian Darby nog eens onder de loep te nemen en ook uitgebreider onderzoek te doen naar andere rekeningen of transacties, mogelijk onder een andere naam. Als Darby een gokprobleem had, zou dat te zien moeten zijn aan zijn bankrekening doordat er grote bedragen waren bij- en afgeschreven, of misschien een reeks geldopnamen in een casino.

Vervolgens belde ze Neil, die alle werkzaamheden in het ziekenhuis voor zijn rekening had genomen. Hij had navraag gedaan naar Tessa's medische geschiedenis en nu wilde D.D. alles weten over die van Brian. Had hij het afgelopen jaar zijn knieschijven gebroken (misschien een skiongeluk, mijmerde D.D.) – of was hij bijvoorbeeld van een hoge trap gevallen? Neil zei geïntrigeerd dat hij er meteen mee aan de slag zou gaan.

Op het speciale nummer kwamen steeds minder telefoontjes binnen van mensen die Sophie hadden gezien, maar wel meer meldingen over de witte Denali. De stad bleek vergeven te zijn van de witte SUV's, wat betekende dat de taskforce extra mankracht nodig had om alle tips na te trekken. D.D. stelde voor dat alle waarnemingen van het voertuig rechtstreeks werden doorgegeven aan het driekoppige team dat de laatste uren van de wagen in kaart probeerde te brengen. Dat betekende dat iedereen vierentwintig uur per dag aan de slag moest, dat alle verzoeken om over te werken automatisch moesten worden ingewilligd en dat ze als ze meer mankracht nodig hadden, elders mensen moesten weghalen.

Het had duidelijk prioriteit om te achterhalen waar Brian Darby's SUV zaterdagmiddag was geweest – ze moesten dat precies vaststellen en Sophies lichaam vinden.

De gedachte aan Sophie deprimeerde D.D. Toen ze klaar was met bellen staarde ze uit het raam.

Het was een koude avond. Voetgangers haastten zich over het

trottoir, hun kraag strak over hun oren en hun gehandschoende handen diep in hun zakken. Het sneeuwde nog niet, maar je voelde dat er sneeuw op komst was. Een koude, gure avond, dat paste wel bij D.D.'s stemming.

De arrestatie van Tessa Leoni gaf haar geen goed gevoel, al zou ze dat wel willen. De agente zat haar dwars. Ze was te jong en te beheerst. Te knap en te kwetsbaar. Voor D.D. waren dat allemaal verkeerde combinaties.

Tessa loog tegen ze. Over haar man, over haar dochter, en als Hamiltons theorie klopte ook over tweehonderdvijftigduizend dollar aan verdwenen vakbondsgeld. Had Tessa het geld gestolen? Maakte het deel uit van haar 'nieuwe leven'? Had ze een kwart miljoen dollar gegapt, haar gezin uit de weg geruimd en was ze jong, knap en rijk de zonsondergang tegemoet gereden?

Of was het toch de echtgenoot geweest? Had hij zulke hoge gokschulden dat een eerlijke man die nooit kon betalen? Misschien was het zijn idee geweest het geld van de staatspolitie te verduisteren en had hij haar onder druk gezet om mee te doen. Je moest achter je man staan. Maar toen ze het geld eenmaal in handen had, realiseerde ze zich wat voor enorm risico ze had genomen en bedacht ze hoe aantrekkelijk het zou zijn om haar handen helemaal vrij te hebben. Waarom zou je dat onrechtmatig verkregen geld afgeven als je het allemaal voor jezelf kon houden?

Ze had ook een heel aardig plan. Ze zou haar man neerzetten als kindermoordenaar en iemand die zijn eigen vrouw sloeg. Vervolgens zou ze uit noodweer met hem afrekenen. Als het stof weer was neergedaald, kon Tessa rustig ontslag nemen bij de politie en naar een andere staat verhuizen, waar ze kon leven als een weduwe die tweehonderdvijftigduizend dollar van de levensverzekering had gekregen.

Het plan zou gewerkt hebben, dacht D.D., als de patholoog de door bevriezing veroorzaakte cellulaire beschadiging niet had opgemerkt.

Misschien was dat de reden waarom Tessa had geprobeerd Ben onder druk te zetten het lichaam van haar man vrij te geven: om te voorkomen dat de autopsie plaats zou vinden, en dat het overhaast zou gebeuren als het er dan toch van kwam. Ben zou heel snel zijn werk doen en er zou geen haan naar kraaien.

Klasse, Ben, dacht D.D. Toen realiseerde ze zich dat ze doodop was. Ze had vandaag nog niet gegeten en afgelopen nacht weinig geslapen. Haar lichaam gaf het op. Ze moest even slapen. Ze moest Alex bellen.

Lieve help, wat moest ze in vredesnaam tegen Alex zeggen?

Het portier ging open en Bobby stapte in. Hij hield een bruine papieren zak in zijn hand waar allerlei opwindende, curieuze geuren uit kwamen. D.D. snoof ze voorzichtig één voor één op, en voor de verandering protesteerde haar maag niet. Ze snoof dieper, en opeens had ze geweldige trek.

'Falafel!' beval ze.

Bobby gaf haar een klopje op haar hand en was al bezig haar broodje uit de zak te halen. 'Wie zei er nou dat mannen vrouwen niet moesten betuttelen...'

'Geef, geef, geef!'

'Ik hou ook van jou, D.D. Ik hou ook van jou.'

Ze aten. Eten was lekker. Eten gaf energie. Eten gaf kracht.

Toen ze klaar waren, veegde D.D. verzadigd haar mond af, maakte haar handen schoon en deed het afval weer in de bruine papieren zak.

'Ik heb een plan,' zei ze.

'Is het een plan waarbij ik naar huis ga, naar mijn vrouw en kind?'

'Nee. Een plan waarbij we naar het huis van Shane Lyons gaan en hem in het bijzijn van zijn vrouw en kinderen ondervragen.'

'Ik doe mee.'

Ze klopte hem op zijn hand. 'Ik hou ook van jou, Bobby. Ik hou ook van jou.'

Lyons woonde in een bescheiden huis uit de jaren vijftig, ruim een kilometer van het huis van Brian Darby. Vanaf de straat zag het huis er ouderwets maar goed onderhouden uit. Het had een kleine voortuin die bezaaid was met allerlei sneeuwscheppen en glimmende sleeën. Langs de oprijlaan, waar Lyons' surveillancewagen stond, zag D.D. de restanten van een sneeuwpop en van wat een sneeuwfort leek te zijn geweest.

Bobby moest een paar rondjes rijden om een parkeerplek te vinden. Toen dat niet lukte parkeerde hij op een plek waar hij achter de wagen van Lyons niet mocht staan. Wat had je eraan om bij de politie te werken als je niet soms een loopje met de regels kon nemen?

Tegen de tijd dat D.D. en Bobby uitstapten, stond Lyons al op de veranda. De brede staatsagent droeg een vale spijkerbroek en een flanellen shirt en zijn gezicht had een koele, weinig uitnodigende uitdrukking.

'Wat is er?' vroeg hij bij wijze van begroeting.

'We willen je een paar vragen stellen,' zei D.D.

'Niet bij mij thuis.'

D.D. liet Bobby het voortouw nemen. Hij was ook van de staatspolitie en was er bovendien veel beter in om de aardige agent te spelen.

'We willen ons niet opdringen,' zei Bobby op sussende toon. 'We waren bij Darby's huis,' loog hij. 'Er zijn ons een paar dingen onduidelijk, en omdat we toch in de buurt waren...'

'Ik neem mijn werk niet mee naar huis.' Lyons had nog steeds een waakzame uitdrukking op zijn rode gezicht, maar keek niet meer zo vijandig. 'Ik heb drie kinderen. Die hoeven niets over Sophie te horen. Ze zijn zo al bang genoeg.'

'Ze weten dat ze wordt vermist,' zei D.D. Hij wierp haar een blik toe.

'Ze hoorden het op de radio toen hun moeder ze naar school bracht. Amber Alert, hè...' Hij haalde zijn brede schouders op. 'Je ontkomt er niet aan. Dat is natuurlijk ook precies de bedoeling. Maar ze kennen Sophie. Ze begrijpen niet wat er met haar gebeurd kan zijn.' Zijn stem werd scherper. 'Ze begrijpen niet waarom hun vader, de superagent, haar nog niet thuis heeft gebracht.'

'Dan kunnen we elkaar een hand geven,' zei Bobby. Hij en D.D. stonden nu voor het trapje naar het huis. 'Wij willen Sophie vinden en thuisbrengen.'

Lyons liet zijn schouders zakken. Hij leek eindelijk te zwichten. Even later deed hij de deur open en gebaarde dat ze naar binnen konden gaan. Ze kwamen in het halletje, waar de met houten panelen bedekte muren vol hingen met jassen en de plavuisvloer bezaaid was met laarzen. Het was een klein huis, en het was D.D. meteen duidelijk wie hier de lakens uitdeelde: drie jonge jongens, tussen de vijf en negen jaar oud, die het volle vertrek binnenstormden om de bezoekers welkom te heten, de een nog harder schreeuwend van opwinding dan de ander. Hun moeder, een knappe vrouw van in de dertig met krullend bruin haar tot op de schouders, kwam haastig achter hen aan. Ze keek geërgerd.

'Bedtijd!' deelde ze de jongens mee. 'Naar jullie kamer. Ik wil jullie pas weer zien als jullie je tanden hebben gepoetst en je pyjama hebben aangetrokken!'

Drie jongens staarden haar aan en bleven roerloos staan.

'Wie het eerste boven is!' riep de oudste jongen opeens, en de drie schoten als een speer weg, over elkaar heen buitelend om als eerste bij de trap te komen.

Hun moeder zuchtte.

Shane schudde zijn hoofd.

'Dit is mijn vrouw, Tina,' zei hij tegen D.D. en Bobby. Tina gaf hun een hand, maar D.D. kon zien dat ze gespannen was door de kleine groeven om haar mond en de manier waarop ze intuïtief naar haar man keek, alsof ze door hem gerustgesteld wilde worden.

'Sophie?' fluisterde ze met dikke keel.

'Geen nieuws,' zei Shane zacht. Hij legde zijn handen op de schouders van zijn vrouw, en D.D. vond het echt een ontroerend gebaar. 'Ik moet hier even wat afhandelen, oké? Ik weet dat ik had gezegd dat ik de jongens naar bed zou brengen...'

'Geeft niet, hoor,' zei Tina werktuiglijk.

'We zitten in de voorkamer.'

Weer knikte Tina. D.D. kon voelen dat ze naar hen keek terwijl ze Shane vanuit de hal volgden naar de keuken. Ze vond de vrouw er nog steeds bezorgd uitzien.

Naast de keuken bevond zich een klein vertrek. Het leek een overdekte veranda te zijn geweest, die Shane had voorzien van ramen en waar hij een klein gaskacheltje had neergezet. Het vertrek was duidelijk afgestemd op de Stoere Man, met een breedbeeldtelevisie, twee grote bruine ligstoelen en een overvloed aan sportsouvenirs. Echt een plek waar de gestreste staatsagent zich kon terugtrekken om bij te komen van zijn dag, concludeerde D.D.

Ze vroeg zich af of de echtgenote een soortgelijke plek had waar ze zich terug kon trekken, omdat ze wilde wedden dat een leven met drie jongens zwaarder was dan acht uur per dag surveilleren.

Er was niet echt zitruimte voor drie personen, tenzij je de zitzakken in de hoek meetelde, dus bleven ze staan.

'Mooi huis,' zei Bobby, eens temeer de aardige politieman.

Lyons haalde zijn schouders op. 'We hebben het gekocht vanwege de locatie. Je kunt het nu niet zien, maar de achtertuin loopt over in een park, dus we hebben heel veel groene ruimte. Ideaal voor barbecues. Heel belangrijk als je drie jongens hebt.'

'Dat is waar ook,' zei D.D. 'Je staat bekend om je barbecues. Zo hebben Tessa en Brian elkaar ook ontmoet.'

Lyons knikte, maar zei niets. Hij had zijn armen voor zijn borst gekruist, wat D.D. een verdedigende houding vond. Of misschien was het een agressieve houding, als ze zag hoe strak de spieren in zijn schouders en borstkas stonden.

'We hebben luitenant-kolonel Hamilton gesproken,' zei Bobby.

Verbeeldde D.D. het zich of verstrakte Lyons even?

'Hij had het erover dat je verschillende uitjes had georganiseerd. Je weet wel, een avondje uit met de jongens naar de Red Sox of het casino.'

Lyons knikte.

'We begrepen dat Brian Darby vaak meeging.'

'Als hij er was,' zei Lyons. Hij haalde opnieuw zijn schouders op, alsof hij nergens op vastgepind wilde worden.

'Vertel ons eens iets over Foxwoods,' zei D.D.

Lyons staarde haar aan en wendde zich toen tot Bobby. 'Vraag gewoon wat je wil vragen.'

'Oké. Had Brian Darby voor zover je weet een gokprobleem?'

'Voor zover ik weet...' Plotseling zuchtte de agent. Hij schudde zijn armen los. 'Godverdomme,' zei hij.

D.D. vatte dat op als een ja.

'Hoe erg was het?' vroeg ze.

'Weet ik niet. Hij wilde er niet met me over praten. Hij wist dat ik het afkeurde. Maar Tessa belde me een keer, ongeveer een halfjaar geleden. Brian was op zee, boven was de badkuip gaan lekken. Ik gaf haar de naam van een loodgieter en daar heeft ze toen contact mee opgenomen. Er moesten een paar leidingen worden vervangen en er moest een stapelmuurtje worden gerenoveerd. Toen het allemaal klaar was, waren ze denk ik zo'n acht-, negenhonderd dollar kwijt. Maar toen ze het geld wilde opnemen van de spaarrekening, was het er niet.'

'Was het er niet?' herhaalde D.D.

Lyons haalde zijn schouders op. 'Volgens Tessa zouden ze dertigduizend dollar aan spaargeld moeten hebben, maar dat was niet zo. Uiteindelijk heb ik haar het geld geleend om de aannemer te kunnen betalen. En toen Brian terugkwam...'

'Wat is er gebeurd?'

'We zijn de confrontatie met hem aangegaan. Samen. Tessa wilde dat ik erbij was. Ze zei dat ze als een zeikende echtgenote zou overkomen als ze het alleen deed. Maar als we het samen deden, Brians vrouw en zijn beste vriend, dan zou hij wel moeten luisteren.'

'Jullie hebben hem aangesproken op zijn gokverslaving,' zei Bobby. 'Heeft het gewerkt?'

Lyons lachte schamper. 'Of het gewerkt heeft? Brian weigerde niet alleen te erkennen dat hij een probleem had, hij beschuldigde ons er zelfs van dat we een verhouding hadden. We spanden tegen hem samen. Iedereen moest hem hebben.' Lyons schudde zijn hoofd. 'Ik bedoel... je denkt dat je zo'n jongen kent. We waren al hoe lang bevriend? En dan opeens ontspoort hij. Hij vindt het makkelijker om te geloven dat zijn beste vriend met zijn vrouw neukt dan om te erkennen dat hij een gokprobleem heeft en dat je niet goed bezig bent als je je spaarrekening leeghaalt om woekeraars af te betalen.'

'Heeft hij geld geleend van woekeraars?' vroeg D.D. op scherpe toon.

Lyons wierp haar een blik toe. 'Volgens hem niet. Hij zei dat hij het geld had gebruikt om de Denali af te betalen. Dus terwijl we daar zo zitten, pakt Tessa zo koel als een kikker de telefoon en belt hun bank. Alles gaat tegenwoordig automatisch, en ja hoor, de lening voor hun auto bedraagt nog steeds 34.000 dollar. Toen begon hij tegen haar te schreeuwen dat het overduidelijk was dat we met elkaar naar bed gingen. Dat geloof je toch niet?'

'Wat deed Tessa?'

'Ze smeekte hem om hulp te zoeken voordat hij er te diep in wegzakte. Wat hij weigerde te erkennen. Dus uiteindelijk zei ze dat als hij geen probleem had, het hem geen moeite zou moeten kosten om niet te gokken. Helemaal niet meer. Hij zou naar geen enkel casino meer gaan. Hij ging akkoord, nadat hij haar had laten beloven dat ze mij nooit meer zou zien.'

D.D. trok een wenkbrauw op en keek hem aan. 'Als ik het zo hoor, vond hij echt dat Tessa en jij te close waren.'

'Verslaafden geven altijd anderen de schuld van hun problemen,' antwoordde Lyons op vlakke toon. 'Vraag maar aan mijn vrouw. Ik heb haar het hele verhaal verteld, en zij weet altijd waar ik ben, zowel als Brian thuis is als wanneer hij weg is. We hebben geen geheimen voor elkaar.'

'Echt niet? Waarom heb je dit dan niet eerder verteld?' vroeg D.D. 'Het enige wat ik me herinner, is dat hele lulverhaal over dat je niet zo betrokken was bij het huwelijk van Brian en Tessa. En nu, een dag later, ben je hun persoonlijke interventiespecialist.'

Lyons werd rood. Hij balde zijn vuisten naast zijn zij. D.D. keek omlaag, en toen…

'Klootzak!'

Ze greep zijn rechterhand en rukte die omhoog naar het licht. Meteen hief Lyons zijn linkerhand, alsof hij haar achteruit wilde duwen, en een tel later werd er een geladen Sig Sauer tegen zijn slaap gedrukt.

'Als je haar aanraakt, ga je eraan,' zei Bobby.

Beide mannen ademden zwaar terwijl D.D. tussen hen in stond geklemd.

Lyons was zeker twintig kilo zwaarder dan Bobby. Hij was ook sterker, en omdat hij surveilleerde had hij meer ervaring in gevechten van man tegen man. Als hij met een andere politieman te maken zou hebben gehad, was hij misschien in de verleiding gekomen om een beweging te maken om te zien of de ander het echt meende.

Maar Bobby had in het verleden al bewezen dat hij met één enkel schot kon doden. Zoiets negeerden andere politiemensen niet.

Lyons kalmeerde en stond gelaten toe dat D.D. zijn gehavende vuist onder de plafondlamp hield. De knokkels van zijn rechterhand waren paars en gezwollen en hij had op verschillende plekken schaafwonden.

Terwijl Bobby langzaam zijn wapen liet zakken, ging D.D.'s blik omlaag, naar de laarzen met stalen neuzen aan Lyons' voeten. De ronde neuzen. De kneuzing op Tessa's heup die ze van haar advocaat niet hadden mogen bekijken.

'Klootzak,' herhaalde D.D. 'Jij hebt haar geslagen. Jíj was degene die Tessa Leoni verrot heeft geslagen.'

'Ik moest wel,' antwoordde Lyons afgemeten.

'Waarom?'

'Omdat ze me heeft gesmeekt om dat te doen.'

Volgens de nieuwe en verbeterde versie van Lyons' verhaal had Tessa hem op zondagochtend om negen uur hysterisch gebeld. Sophie werd vermist. Brian was dood, een of andere mysterieuze man had het allemaal gedaan. Ze had hulp nodig. Ze wilde dat Lyons kwam, nu, nu, nu.

Lyons was als een speer naar haar huis toe gerend, omdat zijn surveillancewagen te veel zou zijn opgevallen.

Toen hij aankwam, had hij Brian dood in de keuken aangetroffen en stond Tessa, die haar uniform nog aanhad, naast het lijk te huilen.

Tessa had hem een absurd verhaal verteld. Ze was thuisgekomen van patrouille, had haar riem op de keukentafel gelegd en was toen naar boven gelopen om bij Sophie te kijken. Sophies kamer was leeg geweest. Tessa begon net een beetje zenuwachtig te worden toen ze een geluid hoorde in de keuken. Ze was als een haas weer naar beneden gerend, waar ze een man had aangetroffen in een zwartwollen trenchcoat die Brian onder schot hield.

De man had tegen Tessa gezegd dat hij Sophie had meegenomen. Ze kon haar alleen maar terugkrijgen als ze deed wat haar werd opgedragen. Toen had hij Brian met Tessa's pistool drie keer in zijn borst geschoten en was weggegaan.

'En jij slikte dat verhaal?' vroeg D.D. ongelovig aan Lyons. Ze hadden plaatsgenomen op de zitzakken. Het leek bijna een vriendschappelijk onderonsje, ware het niet dat Bobby zijn Sig Sauer op schoot had liggen.

'Eerst niet,' gaf Lyons toe, 'en daar speelde Tessa op in. Als ik haar verhaal niet geloofde, wie dan wel?'

'Denk je dat de man in het zwart een enforcer was?' vroeg Bobby fronsend. 'Iemand die op Brian is afgestuurd door iemand aan wie hij geld schuldig was?'

Lyons zuchtte en keek Bobby aan. 'Brian heeft er een heleboel spiermassa bij gekregen,' zei hij opeens. 'Je vroeg gisteren waarom Brian breder was geworden.'

Bobby knikte.

'Brian begon een jaar geleden met gokken. Drie maanden later had hij zijn eerste "incident". Hij raakte wat te diep in de schulden en werd onder handen genomen door een paar zware jongens van het casino tot hij een terugbetalingsregeling had voorgesteld. Een week later ging hij naar de sportschool. Ik denk dat Brian breder wilde worden om zichzelf te verdedigen. Laat ik alleen zeggen dat hij niet wegging bij de sportschool nadat Tessa en ik de confrontatie met hem waren aangegaan.'

'Hij gokte nog steeds,' zei Bobby.

'Ik vermoed van wel. Dat betekent dat zijn schulden misschien waren opgelopen. En dat die gewapende man geld kwam opeisen.'

D.D. keek hem fronsend aan. 'Maar hij heeft Brian doodgeschoten. Ik zou denken dat het wat lastig werd voor het slachtoffer om te betalen als je hem doodschoot.'

'Ik denk dat Brian dat punt al gepasseerd was. Volgens mij heeft hij de verkeerde mensen pissig gemaakt. Ze wilden zijn geld niet, ze wilden hem dood. Maar hij is de man van een staatsagent. Dit soort moorden kan ongewenste aandacht genereren. Dus bedachten ze een scenario waarbij Tessa zelf de verdachte werd. Zo blijven ze zelf uit beeld terwijl de klus toch geklaard wordt.'

'Dus Brian is stout geweest en wordt vermoord,' zei D.D. 'En Sophie wordt ontvoerd om Tessa in toom te houden.'

'Ja.'

'Dat heeft Tessa je verteld.'

'Ik heb al gezegd waarom...'

D.D. stak een hand op om hem het zwijgen op te leggen. Ze had het verhaal al gehoord, alleen geloofde ze het niet. En het feit dat het verhaal afkomstig was van een agente die al een keer tegen ze gelogen had, maakte het er niet beter op.

'Tessa raakt dus in paniek,' vatte D.D. samen. 'Haar man is doodgeschoten met haar wapen, haar dochter is ontvoerd, en de enige hoop die ze heeft om haar dochter levend terug te zien, is door de schuld van de moord op haar man op zich te nemen.'

'Ja.' Lyons knikte enthousiast.

'Tessa bedenkt een plan: jij slaat haar lens. Dan beweert ze dat Brian het heeft gedaan en dat ze hem uit noodweer heeft doodgeschoten. Op die manier kan ze de schuld op zich nemen en voldoen aan de voorwaarden van de ontvoerders van haar dochter, terwijl ze toch uit de gevangenis blijft.' Dit gedeelte vond D.D. eigenlijk nog niet eens zo gek klinken. Vanwege ervaringen uit het verleden had Tessa Leoni haar sterke punten gebruikt. Slimme vrouw.

Bobby had echter een vraag voor Lyons. 'Maar je hebt haar echt, en dan bedoel ik ook écht, verrot geslagen. Waarom?'

De staatsagent liep rood aan en staarde omlaag naar zijn gehavende vuist. 'Ik kon haar niet slaan,' zei hij met gedempte stem.

'Hoe verklaar je het gebroken jukbeen dan?' vroeg D.D.

'Tessa is een vrouw. Ik sla geen vrouwen. En dat wist ze. Dus begon ze... Op de academie moesten we elkaar slaan. Dat hoorde bij de zelfverdedigingstraining. En de grote jongens zoals ik hadden het daar moeilijk mee. Wij willen bij de politie omdat we een groot rechtvaardigheidsgevoel hebben – wij vechten niet met vrouwen of jongens die kleiner zijn dan wij.' Hij keek naar Bobby. 'Behalve op de academie, waar dat opeens wel moest.'

Bobby knikte, alsof hij het begreep.

'Dus beledigden we elkaar en scholden we elkaar uit, toch? We provoceerden elkaar om in actie te komen, omdat de grote jongens echt serieus moesten slaan als de kleine jongens zich serieus wilden leren verdedigen.'

Bobby knikte weer.

'Laat ik zeggen dat Tessa echt goed was in provoceren. Het moest overtuigend zijn, zei ze. Als er sprake was van mishandeling binnen het huwelijk, dan lag de bewijslast bij haar. Ik moest haar hard slaan. Ik moest haar... bang maken. En dus begon ze te provoceren, en ze bleef maar stangen en zuigen, en toen ze klaar was... verdomme...' Lyons keek weg, naar iets wat alleen hij kon zien. 'Even was er een moment dat ik haar echt wel kon vermoorden.'

'Maar je hield jezelf in bedwang,' zei Bobby zacht.

Hij hees zich overeind. 'Ja.'

'Bravo, hoor,' zei D.D. droog, en de staatsagent werd weer rood.

'En dit heb je zondagochtend gedaan?' informeerde Bobby.

'Om negen uur. Je kunt op mijn mobieltje zien dat ze gebeld heeft. Ik ben naar haar huis gerend, we deden wat we hebben gedaan... Ik weet het niet. Het zal half elf zijn geweest. Ik ging terug naar huis. Zij deed de officiële melding en de rest weten jullie. Er kwamen andere agenten, de luitenant-kolonel. Dat is allemaal echt gebeurd. Ik denk dat Tessa en ik allebei hoopten dat het Amber Alert zou meehelpen. De hele staat is op zoek naar Sophie, Brian is dood, Tessa is gearresteerd. Dan kan die kerel Sophie nu laten gaan, toch? Hij hoeft haar alleen maar achter te laten bij een bushalte of zo. Tessa had gedaan wat ze van haar hadden gevraagd. Sophie zou er ongeschonden vanaf komen.'

Lyons klonk een beetje wanhopig en D.D. nam het hem niet kwalijk. Het verhaal klonk niet erg logisch, en ze vermoedde dat Lyons zelf ook met het uur meer tot die conclusie kwam.

'Hé Lyons,' zei ze. 'Als je op zondagochtend naar Tessa's huis bent gegaan, hoe komt het dan dat Brians lichaam daarvoor ingevroren is geweest?'

'Wat?'

'Brians lichaam. De patholoog heeft vastgesteld dat Brian voor zondagochtend al om het leven is gebracht en is ingevroren.'

'Ik hoorde dat de patholoog... er werd gezegd...' Lyons' stem stierf weg. Hij staarde hen wezenloos aan. 'Ik begrijp het niet.'

'Ze heeft een spelletje met je gespeeld.'

'Niet...'

'Er was zondagochtend helemaal geen geheimzinnige man bij Tessa. Brian is hoogstwaarschijnlijk vrijdagavond of zaterdagochtend gedood. En wat Sophie betreft...'

De stevige agent deed zijn ogen dicht en scheen niet te kunnen slikken. 'Maar ze zei... Voor Sophie. We deden dit... Ik moest haar slaan... Om Sophie te redden.'

'Weet je waar Sophie is?' vroeg Bobby zacht. 'Heb je enig idee waar ze Sophie heen kan hebben gebracht?'

Lyons schudde zijn hoofd. 'Nee. Ze zou Sophie nooit iets aandoen. Jullie begrijpen het niet. Het is uitgesloten dat Tessa Sophie ooit iets zou aandoen. Ze houdt van haar. Het is gewoon... onmogelijk.'

D.D. keek hem ernstig aan. 'Dan ben je nog stommer dan we dachten. Sophie is verdwenen, en aangezien je nu een medeplichtige bent in een moordzaak, zou ik zeggen dat Tessa Leoni je goed genaaid heeft.'

25

Bobby en D.D. besloten Lyons niet te arresteren. Het leek Bobby beter om Interne Zaken in te schakelen, omdat mensen van de staatspolitie Lyons veel beter onder druk konden zetten dan de politie van Boston. Bovendien verkeerde Interne Zaken in een betere positie om eventuele verbanden aan het licht te brengen tussen Lyons' activiteiten en hun andere grote onderzoek: het ontvreemde geld van de vakbond van de staatspolitie.

Bobby en D.D. gingen terug naar het hoofdbureau van de BPD voor het overleg van 23.00 uur.

D.D. was enorm opgeknapt van de falafel. Ze had weer die schittering in haar ogen en stormde met kwieke tred samen met hem de trap op naar de afdeling Moordzaken.

Het net sloot zich. Bobby kon voelen dat ze voor een grote doorbraak stonden en dat het niet lang zou duren voor ze het onvermijdelijke concludeerden: dat Tessa Leoni haar man en kind had vermoord.

Er hoefden alleen nog maar een paar laatste stukjes van de zaak op hun plek te worden gelegd – zoals het opsporen van Sophies lichaam.

De andere leden zaten al te wachten toen D.D. en Bobby binnenkwamen. Phil zag er net zo opgekikkerd uit als D.D. en nam zelfs als eerste het woord.

'Je had gelijk!' riep hij terwijl D.D. naar het whiteboard beende. 'Ze hebben geen halve ton aan spaargeld – het hele bedrag is zaterdagochtend opgenomen. De transactie stond nog niet vermeld toen ik het eerste overzicht kreeg. En wat dacht je hiervan: het geld was twaalf dagen eerder ook al opgenomen en toen zes dagen later weer teruggestort. Ze zijn druk in de weer geweest met die vijftigduizend dollar.'

'Hoe is het de laatste keer van de rekening gehaald?' vroeg D.D.

'Met een cheque aan toonder.'

Bobby floot zachtjes tussen zijn tanden. 'Dat is een hele smak geld zo handje contantje.'

'Is de rekening opgeheven door een man of een vrouw?' vroeg D.D.

'Door Tessa Leoni,' antwoordde Phil. 'De kasbediende herkende haar. Ze had haar uniform nog aan.'

'Ze was haar nieuwe leven aan het regelen,' zei D.D. meteen. 'Als er onderzoek naar haar zou worden gedaan vanwege de moord op haar man, zouden hun gezamenlijke bezittingen bevroren kunnen worden. Dus haalde ze eerst het geld van de rekening om het veilig weg te bergen. Wedden dat als we die vijftigduizend dollar vinden, we ook nog een kwart miljoen aantreffen?'

Bobby vertelde de geïntrigeerde Phil dat de staatspolitie bezig was met een onderzoek naar vervreemd geld. De beste aanwijzing die ze hadden, was dat de rekening was opgeheven door een vrouw met een rode honkbalpet en een donkere zonnebril.

'Ze hadden het geld nodig,' zei Phil. 'Ik heb nog wat meer graafwerk gedaan. Op papier lijkt het alsof Tessa en Brian hun zaakjes goed voor elkaar hadden, maar je wil niet weten hoeveel creditcardschulden Sophie al heeft.'

'Wát?'

'Precies. Het lijkt erop dat Brian Darby zes creditcards heeft geactiveerd op naam van Sophie en dat hij daarvoor een afzonderlijke postbus heeft gebruikt. Ik heb een schuld van veertigduizend dollar ontdekt die de afgelopen negen maanden is ontstaan. Er zijn een paar afbetalingen gedaan, maar die zijn altijd weer gevolgd door grote geldopnames, in de meeste gevallen bij Foxwoods.'

'Dus Brian Darby heeft een gokprobleem. Lul.'

Phil grinnikte. 'Voor de lol heb ik de data waarop er geld is opgenomen vergeleken met het werkrooster van Brian, en daaruit bleek dat Sophie alleen grote geldbedragen heeft opgenomen wanneer Brian thuis was. Dus ja, ik vermoed dat Brian Darby de toekomst van zijn stiefdochter vergokte.'

'Wanneer was de laatste transactie?' vroeg Bobby.

'Zes dagen geleden. Daarvóór heeft hij een afbetaling gedaan – misschien na de eerste keer dat die vijftigduizend dollar van de spaarrekening werd gehaald. Hij heeft aflossingen betaald voor de creditcards en is toen weer aan het gokken geslagen en heeft flink gewonnen, of hij heeft een flink bedrag geleend, want hij heeft binnen zes dagen die vijftig mille aan spaargeld volledig teruggestort. Wacht even...' Phil fronste zijn wenkbrauwen.

'Nee,' corrigeerde de rechercheur zichzelf. 'Hij heeft een groot bedrag geleend, want uit de laatste creditcardafschriften blijkt dat er grote geldopnames zijn gedaan, wat betekent dat Brian de afgelopen zes dagen dieper in de schulden kwam, maar dat hij toch die halve ton kon terugstorten op zijn spaarrekening. Het kan niet anders dan dat hij een persoonlijke lening heeft afgesloten. Misschien om ervoor te zorgen dat zijn vrouw niets zou merken.'

Bobby keek D.D. aan. 'Als Darby diep in de schulden zat bij woekeraars, dan is het best mogelijk dat er een enforcer bij hem langs is gestuurd.'

D.D. haalde haar schouders op. Ze lichtte de leden van de taskforce in over de herziene verklaring van Shane Lyons, die had gezegd dat Tessa Leoni hem zondagochtend had gebeld en had beweerd dat een geheimzinnige huurmoordenaar haar kind had ontvoerd en haar man had vermoord. Als ze haar kind terug wilde, moest zij de schuld op zich nemen. Vervolgens was Shane Lyons bereid geweest haar te helpen door haar tot moes te slaan.

Toen ze klaar was met haar verhaal keken de meeste collega-rechercheurs haar fronsend aan.

'Wacht even hoor,' zei Neil. 'Heeft ze Lyons zondag gebeld? Maar toen was Brian al vierentwintig uur dood.'

'Iets wat ze verzuimd heeft hem te vertellen, wat eens te meer bewijst dat ze een dwangmatige leugenaar is.'

'Ik ben nagegaan met wie Darby vrijdagavond heeft gebeld,' zei rechercheur Jake Owens. 'Helaas ging het om een prepaid telefoon. Er valt onmogelijk na te gaan wie er heeft gebeld, al wijst het gebruik van een prepaid telefoon erop dat het iemand is geweest die niet in de gaten wil worden gehouden – zoals een woekeraar.'

'En Brian blijkt onlangs twee "ongelukken" te hebben gehad,' zei Neil. 'In augustus is hij behandeld aan meerdere kneuzingen in zijn gezicht, die volgens hem waren ontstaan tijdens een wandeling. Even kijken...' Neil bladerde door zijn aantekeningen. 'Ik heb hier met Phil aan gewerkt – o ja, Brian is van september tot en met oktober op zee geweest. Hij kwam 3 november terug en was op 16 november weer op de spoedeisende hulp, nu met gebroken ribben. Hij zei dat hij die had opgelopen doordat hij van een ladder was gevallen toen hij een lek aan zijn dak repareerde.'

Phil zei: 'Van alle creditcards van Sophie Leoni was in november de limiet bereikt, dus als Brian nog meer schulden heeft gemaakt, heeft hij haar kredietruimte niet kunnen gebruiken om die af te lossen.'

'Is er geld opgenomen van de persoonlijke rekeningen?' vroeg D.D.

'Er is in juli een grote opname gedaan – 42.000 dollar. Maar dat geld is vlak voordat Brian in september ging varen weer teruggestort, en daarna ben ik tot aan de afgelopen twee weken geen noemenswaardige opnames meer tegengekomen.'

'De interventie,' merkte Bobby op. 'Een halfjaar geleden hebben Tessa en Shane Brian geconfronteerd met zijn gokprobleem, waar Tessa achter was gekomen doordat er opeens dertig mille was verdwenen. Hij heeft het geld teruggestort...'

'Door veel te winnen of veel te lenen?' mompelde D.D.

Bobby haalde zijn schouders op. 'Toen is hij heimelijk doorgegaan met gokken door een aantal valse creditcards te gebruiken, waarvan de afschriften naar een aparte postbus werden gestuurd zodat Tessa ze nooit te zien zou krijgen. Tot twee weken geleden, toen Brian

Darby kennelijk een terugval had en deze keer vijftig mille opnam. Misschien is Tessa daar achter gekomen, wat mogelijk verklaart waarom het geld zes dagen later alweer is teruggestort.'

'En waarom zij het zaterdagochtend misschien heeft opgenomen,' bracht Phil naar voren. 'Ze wilde helemaal geen nieuw leven beginnen, volgens mij deed Tessa Leoni haar uiterste best om het oude te redden.'

'Des te meer reden om haar echtgenoot om het leven te brengen,' stelde D.D. Ze ging bij het whiteboard staan. 'Goed. Wie denkt dat Brian een gokprobleem had?'

Alle leden van de taskforce staken een hand op. Ze was het met hen eens en maakte een aantekening op het whiteboard.

'Oké. Brian Darby gokte. En kennelijk niet met succes. Het probleem was zo groot dat hij steeds hogere schulden had, fraude pleegde met creditcards en misschien een paar keer onder handen werd genomen door de plaatselijke zware jongens. En toen?'

De rechercheurs staarden haar aan. Zij staarde terug.

'Hé, doe gerust mee. We gingen ervan uit dat de minnaar van Tessa Leoni haar verrot had geslagen. In plaats daarvan blijkt het een collega te zijn geweest die dacht dat hij haar een dienst bewees. Nu kunnen we de helft van dat verhaal bevestigen – Brian Darby gokte inderdaad. Brian Darby had mogelijk een schuld die zo hoog was dat hij bezoek kreeg van een enforcer. Wat kunnen we daaruit opmaken?'

D.D. schreef een nieuw kopje op het whiteboard: *Motief*.

'Als ik Tessa Leoni was en erachter kwam dat mijn man niet alleen nog steeds gokte maar dat die waardeloze klootzak tienduizenden dollars aan creditcardschulden had die op naam van mijn dochter stonden, dan zou ik hem alleen daarom al vermoorden. Interessant genoeg is het feit dat je je man een klootzak vindt geen gegronde reden voor noodweer, wat betekent dat Tessa nog altijd beter af is als ze zich beroept op mishandeling en zich verrot laat slaan door Lyons.'

Verscheidene rechercheurs knikten instemmend. Natuurlijk was Bobby degene die haar redenering onderuithaalde.

'Dus ze houdt zo veel van haar dochter dat ze van slag is over de fraude met de creditcards, maar toch brengt ze haar om?'

D.D. tuitte haar lippen. 'Daar zit wat in.' Ze keek het vertrek rond. 'Iemand?'

'Misschien heeft ze Sophie niet opzettelijk gedood,' opperde Phil. 'Misschien was het een ongeluk. Zij en Brian hadden ruzie, Sophie stond in de weg. Misschien werd Sophies dood nog een extra reden om Brian dood te schieten. Alleen was nu haar hele gezin dood en was haar man doodgeschoten met haar dienstwapen – wat betekende dat er automatisch een onderzoek zou plaatsvinden,' voegde Phil eraan toe. 'En dus raakte Tessa in paniek. Ze moest een geloofwaardig verhaal bedenken...'

'Ze heeft zich al eerder op noodweer kunnen beroepen,' merkte Bobby op. 'Bij die schietpartij met Tommy Howe.'

'Ze vriest Brians lichaam in om tijd te rekken, neemt Sophies lichaam mee in de auto en bedenkt de volgende ochtend een verhaal om zowel Shane Lyons als ons te laten geloven wat we moeten geloven,' maakte D.D. het voor hem af. 'Op zondagochtend wordt alles in scène gezet.'

'En stel dat ze zaterdagochtend die vijftig mille heeft opgenomen omdat ze erachter was gekomen dat Brian weer gokte?' zei een andere rechercheur. 'Brian kwam erachter of zij ging de confrontatie met hem aan. Toen is het uit de hand gelopen.'

D.D. knikt en schreef een nieuwe aantekening op het bord: *Waar is het geld?*

'Het zal moeilijk worden om dat te achterhalen,' waarschuwde Phil. 'Het was een cheque aan toonder, wat betekent dat hij onder elke mogelijke naam bij elke willekeurige bank kan zijn ingeleverd. Of hij is bij een dealer verzilverd.'

'Wel een grote cheque voor de meeste dealers,' zei Bobby.

'Ze krijgen een vast percentage,' bracht Phil daartegen in. 'Vooral als Tessa van tevoren heeft laten weten dat ze kwam, zijn er genoeg in zo'n cheque geïnteresseerd. Bankcheques zijn net zo veilig als goud, en de concurrentie is groot in die sector.'

'En als Tessa het geld nodig had?' vroeg D.D. opeens. 'Als zij een betaling moest doen?'

Dertig paar ogen keken haar aan.

'Dat is ook een mogelijkheid,' dacht ze hardop. 'Brian Darby had een gokprobleem. Hij had het niet in de hand en sleurde Tessa en Sophie als een zinkend schip met zich mee. Nu is Tessa een vrouw die al eerder heel diep is gezonken. Dat overkomt haar niet nog eens. Ze heeft zich keihard ingezet om opnieuw een leven op te bouwen, in de eerste plaats in het belang van haar dochter. Dus wat kan ze doen? Scheiden kost tijd, en wie weet wat voor puinhoop Brian van hun financiën maakt voordat de scheiding rond is.'

'Misschien,' dacht D.D. hardop verder, 'misschien was er inderdaad een enforcer. Misschien huurde Tessa hem wel in: een huurmoordenaar om haar man eindelijk uit zijn lijden te verlossen. Alleen zorgde de man in het zwart voor zijn eigen verzekering, Sophie Leoni, opdat Tessa niet opeens van gedachten kon veranderen en hem arresteerde.'

Bobby keek haar aan. 'Ik dacht dat je ervan overtuigd was dat ze haar eigen dochter had vermoord?'

D.D. legde onwillekeurig haar hand op haar buik. 'Wat moet ik zeggen? Ik word soft op m'n ouwe dag. Trouwens, een jury zal misschien geloven dat een vrouw haar gokverslaafde man doodt, maar een moeder die haar kind vermoordt, is een stuk moeilijker te verkopen.'

Ze keek even naar Phil. 'We moeten achterhalen waar dat geld is. Ga na of het absoluut zeker is dat Tessa het heeft opgenomen. Probeer te ontdekken wat de financiën nog meer kunnen opleveren. En morgen zullen we Tessa's advocaat bellen om te zien of we weer eens een praatje kunnen maken. De meeste mensen zijn een stuk spraakzamer als ze vierentwintig uur in een gevangenis hebben gezeten. Heeft het speciale nummer verder nog iets opgeleverd?' vroeg ze.

Dat bleek niet het geval te zijn.

'De laatste rit van de witte Denali?' probeerde ze hoopvol.

'Op basis van het verbruik zou ik zeggen dat de auto binnen een straal van honderdzestig kilometer van Boston is gebleven,' meldde de rechercheur die het onderzoek naar de Denali leidde.

'Prachtig. Dus we hebben het gebied gereduceerd tot, wat zal het zijn, een kwart van de staat?'

'Zo ongeveer.'

D.D. rolde met haar ogen en legde de stift neer. 'Is er nog meer wat we moeten weten?'

'Pistool,' zei iemand achter in het vertrek. Rechercheur John Little.

'Wat is daarmee?' vroeg D.D. 'Ik dacht dat het Onderzoeksteam Vuurwapengebruik dat had overgedragen om onderzocht te worden.'

'Niet Tessa's pistool,' zei Little. 'Dat van Brian.'

'Had Brian een pistool?' vroeg D.D. verrast.

'Hij heeft twee weken geleden een vergunning gekregen voor een Glock .40. Het stond niet op de lijst met bewijsmateriaal dat in het huis of in de auto in beslag is genomen.'

De rechercheur staarde haar verwachtingsvol aan. D.D. staarde terug.

'Je vertelt me dat Brian Darby een pistool had,' zei ze.

'Ja. Hij heeft twee weken geleden de vergunning aangevraagd.'

'Misschien was breder worden niet genoeg meer,' mompelde Bobby.

D.D. gebaarde naar hem dat hij stil moest zijn. 'Hallo. Zullen we even naar het grotere plaatje kijken? Brian Darby had een Glock .40 en wij hebben geen idee waar dat ding is. Dat is geen kattenpis, Little.'

'De wapenvergunning is nog maar net verwerkt,' bracht rechercheur Little daar defensief tegen in. 'We hebben het de laatste tijd een beetje druk. Lees je geen kranten? Het einde der tijden is nabij, en schijnbaar wil de halve stad zich daartegen wapenen.'

'We moeten dat pistool hebben,' zei D.D. afgemeten. 'Ten eerste: stel dat dit het wapen is waarmee Sophie Leoni om het leven is gebracht?'

Er viel een stilte in het vertrek.

'Precies,' zei ze. 'Genoeg gepraat. Genoeg theorieën. We hebben te maken met de dode echtgenoot van een agent van de staatspolitie en met een vermist meisje van zes. Ik wil Sophie Leoni. Ik wil het pistool van Brian Darby. En als dat bewijs bevestigt wat we al vermoeden, dan wil ik dat we zo veel belastende feiten verzamelen dat Tessa Leoni de rest van haar ellendige leven achter de tralies doorbrengt. Iedereen wegwezen. Haal die feiten boven tafel.'

Het was maandagavond elf uur, en de rechercheurs kwamen haastig overeind.

26

In het leven van elke vrouw doet zich een moment voor waarop ze beseft dat ze echt van een man houdt, maar dat hij het gewoon niet waard is.

Bij mij duurde het bijna drie jaar voordat ik dat punt met Brian had bereikt. Misschien waren er altijd al signalen geweest. Misschien was ik in het begin gewoon zo blij met een man als Brian, die heel veel van mij en Sophie hield, dat ik die signalen negeerde. Ja, hij had zijn buien. Na het eerste halfjaar, dat één grote huwelijksreis was, werd het huis zijn persoonlijke domein waar hij op een bijna ziekelijke manier alles precies inrichtte zoals hij het wilde, waar hij Sophie en mij elke dag weer de les las als we een kopje of een bord op het aanrecht lieten staan, of een tandenborstel niet terugzetten in de houder, of een krijtje op tafel lieten liggen.

Brian hield van precisie en zorgvuldigheid, sterker nog, hij kon niet zonder.

'Ik ben heel precies, maar dat moet ook wel als je een technisch beroep hebt,' zei hij. 'Geloof me, je wil geen dam laten bouwen door een slordige ingenieur.'

Sophie en ik deden ons best. Ik hield mezelf voor dat ik compromissen moest sluiten. Dat was de prijs die je voor een gezin betaalde: je gaf een paar van je eigen voorkeuren op om de goede vrede te bewaren. Bovendien zou Brian weer weggaan, en dan konden Sophie en ik acht weken lang onbezorgd in het hele huis onze troep laten slingeren. Jassen over de keukenstoelen. Een stapel tekeningen en knutselwerkjes op de hoek van het aanrecht. Ja, we leefden ons helemaal uit als Brian op zee was.

Toen moest ik op een dag de loodgieter betalen en kwam ik tot de ontdekking dat onze spaarrekening helemaal leeg was.

Het is niet makkelijk om onder ogen te moeten zien dat je veel te goedgelovig bent geweest. Ik wist dat Brian naar Foxwoods ging. En specifieker: ik wist van de avonden waarop hij stinkend naar drank en sigaretten thuiskwam maar beweerde dat hij had gewandeld. Hij had verscheidene keren tegen me gelogen, en ik had het genegeerd. Als ik zou aandringen, zou ik ook een antwoord krijgen dat ik niet wilde horen. En dus drong ik niet aan.

Ondertussen gaf mijn man toe aan zijn innerlijke demonen en vergokte hij al ons spaargeld.

Shane en ik gingen de confrontatie met hem aan. Hij ontkende. Niet erg overtuigend, maar op een bepaald moment viel er weinig meer te doen of te zeggen. Het geld verscheen op een magische manier weer op de rekening en opnieuw stelde ik niet veel vragen, omdat ik niet wilde weten wat ik niet wilde weten.

Sindsdien zag ik mijn man als twee verschillende mensen. Je had goede Brian, de man op wie ik verliefd was geworden, die Sophie van school haalde en met haar ging sleeën tot ze rode wangen hadden van het lachen. Goede Brian maakte pannenkoekjes met stroop voor me als ik thuiskwam van mijn nachtdienst. Hij masseerde mijn rug, die pijn deed van het kogelvrije vest. Hij hield me in zijn armen terwijl ik sliep.

Dan had je slechte Brian. Slechte Brian schreeuwde tegen me als ik vergat het aanrecht schoon te vegen nadat ik de afwas had gedaan. Slechte Brian was kortaangebonden en afstandelijk en zapte niet alleen naar elk stoer mannenprogramma dat hij maar kon vinden, maar zette de tv harder als Sophie of ik probeerde te protesteren.

Slechte Brian rook naar sigaretten, drank en zweet. Hij trainde de godganse dag, met het fanatisme van een man die iets te vrezen had. Dan was hij weer dagen achter elkaar verdwenen – om tijd met *de jongens* door te brengen, beweerde slechte Brian, terwijl we allebei wisten dat hij er alléén op uit ging, omdat zijn vrienden hem al lang geleden hadden opgegeven.

Maar zo was slechte Brian. Hij kon zijn vrouw, de staatsagente, een leugen vertellen terwijl hij haar recht in de ogen keek.

Daardoor vroeg ik me altijd af: zou hij een andere echtgenoot zijn als ik een andere vrouw was?

Slechte Brian brak mijn hart. Vervolgens verscheen goede Brian dan weer lang genoeg om het goed te maken. Zo ging het telkens weer opnieuw; zo maakten we onze rit over de achtbaan van het leven.

Maar aan elke rit komt een einde.

Die van goede Brian en die van slechte Brian eindigden op precies hetzelfde moment, op de smetteloze vloer van onze keuken.

Slechte Brian kan mij of Sophie geen pijn meer doen.

Het zal nog wel een tijdje duren voordat ik goede Brian heb losgelaten.

Dinsdagochtend, zeven uur.

De vrouwelijke bewaarder begon met het tellen van de gevangenen en de afdeling kwam officieel tot leven. Erica was al een uur wakker en lag in de foetushouding heen en weer te schudden op haar bed, terwijl ze strak naar iets keek wat alleen zij kon zien en binnensmonds mompelde.

Ik gokte dat ze iets na middernacht in bed was gaan liggen. Ik had geen horloge om en er hing geen klok in de cel, dus moest ik schatten hoe laat het was. Dat gaf me de hele nacht iets te doen – ik denk dat het nu... negen minuten voor half drie, voor half vier, voor half vijf is.

Eén keer viel ik in slaap, en ik droomde over Sophie. We roeiden op een kolkende zee tegen de steeds hoger wordende golven in.

'Bij me blijven,' gilde ik tegen haar. 'Bij me blijven, ik zal je beschermen!'

Maar haar hoofd verdween onder het zwarte water en ik dook en dook en dook, maar kon mijn dochter niet meer vinden.

Toen ik wakker werd, proefde ik zout op mijn lippen. Daarna sliep ik niet meer.

Je hoorde 's nachts allemaal geluiden in de toren. Naamloze vrouwen die naamloze kreunende mannen opwonden. Het gerammel van buizen. Het gedruis van een enorm gebouw dat maar geen goede houding kon vinden. Ik had het gevoel dat ik in een of ander reusachtig beest zat dat me in het geheel had doorgeslikt. Ik legde voortdurend mijn hand tegen de muur, alsof de aanraking met de ruwe stenen me houvast gaf. Toen stond ik op om te plassen, omdat de beschutting van de nacht de meeste privacy bood.

De vrouwelijke bewaarder was bij onze cel aangekomen. Ze wierp een blik op de schuddende Erica en keek toen naar mij. Even kruisten onze blikken elkaar, een glimp van herkenning, voordat ze zich afwendde.

Kim Watters. Ze had een relatie met een van de jongens van het bureau en was een paar keer met de groep mee uit eten geweest. Natuurlijk. Bewaarder in de Suffolk County Jail. Nu wist ik het weer.

Ze liep naar de volgende cel. Erica schokte harder heen en weer. Ik staarde uit het getraliede raam en probeerde mezelf ervan te overtuigen dat het niets uitmaakte dat ik mijn eigen gevangenisbewaarder persoonlijk kende.

Half acht. Ontbijt.

Erica was opgestaan. Ze mompelde nog steeds en keurde mij geen blik waardig. Ze was geagiteerd. Haar hersenen waren helemaal naar de klote door de meth. Ze zou eigenlijk naar een afkickcentrum moeten. Wat zij nodig had was geestelijke verzorging, geen gevangenisstraf. Maar ja, dat gold voor de meeste gevangenen.

We kregen kleffe pannenkoekjes, appelmoes en melk. Erica deed de appelmoes over haar pannenkoekjes, rolde alles op tot één geheel en propte het in drie reuzenhappen naar binnen. Met vier slokken werkte ze de melk weg. Toen loerde ze naar mijn dienblad.

Ik had geen trek. De pannenkoekjes voelden als natte zakdoekjes op mijn tong. Ik staarde Erica aan en begon ze toch langzaam op te eten.

Erica ging op de wc zitten. Ik draaide me om om haar privacy te gunnen.

Ze lachte.

Later gebruikte ik mijn plastic tas om mijn tanden te poetsen en deodorant op te doen. Toen... Toen wist ik niet goed wat ik moest doen. Welkom op mijn eerste dag in de gevangenis.

Toen was het recreatietijd. De bewaarder deed onze deur open. Sommige vrouwen gingen hun cel uit, andere bleven binnen. Ik hield het niet meer uit. Het drie meter hoge plafond en het brede raam gaven de illusie van ruimte, maar het bleef een gevangeniscel. Ik had nu al een overdosis tl en smachtte naar natuurlijk zonlicht.

Ik liep naar het zitgedeelte in de gemeenschappelijke ruimte, waar zes vrouwen *Good Morning America* zaten te kijken. De toon van het programma was me veel te opgewekt, dus zocht ik mijn heil bij de vier ronde, zilverkleurige tafels waar twee vrouwen zaten te hartenjagen terwijl een derde zat te giechelen om iets wat alleen zij begreep.

Er ging een douche aan. Ik keek niet. Ik wilde het niet weten.

Toen hoorde ik een raar geluid, alsof iemand tegelijkertijd in en uit probeerde te ademen.

Ik draaide me om. De bewaarder, Kim Watters, leek wel een dansje te doen. Haar lichaam hing in de lucht en haar voeten schoten heen en weer, alsof ze de grond probeerden te bereiken maar die niet konden vinden. Een reusachtige zwarte vrouw met lang donker haar stond achter haar, met een zwaar gespierde arm stevig om Kims luchtpijp geklemd, ook al krabde Kim met wilde bewegingen over de gigantische onderarm.

Ik deed een stap naar voren en onmiddellijk gilde Erica: 'Pak dat vieze varken!' Zes gedetineerden kwamen op me af.

De eerste klap kreeg ik in mijn maag. In een reflex spande ik mijn buikspieren, maakte een beweging naar links en plantte mijn vuist in een zacht, dubbelklappend middel. Nog een klap. Ik dook omlaag. Ik bewoog nu puur op intuïtie, want dáár trainden rekruten voor. Als je het onmogelijke telkens weer opnieuw doet, wordt het mogelijk. En beter nog: het wordt routine, wat betekent dat maanden- en jarenlang trainen je op een dag plotseling het leven kan redden, wanneer je dat het minst verwacht.

Opnieuw een harde klap tegen mijn schouder. Ze hadden het op mijn gezicht gemunt, mijn gezwollen oog en gebroken jukbeen. Ik bracht mijn beide handen in de klassieke bokshouding omhoog om mijn hoofd te beschermen terwijl ik me op de dichtstbijzijnde belager stortte. Ik sloeg een arm om haar middel en gooide haar achteruit naar de aanstormende meute. Twee vrouwen vielen in een wirwar van ledematen op de grond.

Geschreeuw. Pijn, woede, van hen, van mij, het maakte eigenlijk niet uit. Ik moest in beweging blijven, ik moest op mijn benen blijven staan, ik moest de aanval afslaan, want tegen een dergelijke overmacht kon ik niks beginnen.

Een scherpe steek. Er sneed iets in mijn onderarm terwijl ik opnieuw met een vuist tegen mijn schouder werd geraakt. Ik stapte weer opzij, stootte mijn elleboog in de maag van de belager en sloeg toen hard met de zijkant van mijn hand tegen haar keel. Ze ging neer en bleef liggen.

Ten slotte gingen de vier overgebleven vrouwen achteruit. Ik bleef ze in de gaten houden terwijl ik van alles tegelijk probeerde te verwerken. Waar waren de andere gevangenen? In hun cel? Hadden ze zich vrijwillig opgesloten zodat ze later niet in de problemen zouden komen?

En Kim? Ik hoorde achter me verstikte geluiden. Assistentie collega, assistentie collega, assistentie collega.

De noodknop. Die moest ergens…

Opnieuw probeerde iemand in mijn arm te steken. Ik maakte een slaande beweging, haalde uit met mijn been en raakte de vrouw tegen haar knie.

Toen gilde ik. Ik gilde en gilde en gilde; de woede en machteloosheid en frustratie die dagenlang opgekropt hadden gezeten kwamen eindelijk los uit mijn keel, omdat Kim doodging en mijn dochter waarschijnlijk al dood was en mijn man voor mijn ogen was doodgegaan, samen met goede Brian, en omdat de man in het zwart mijn dochter had meegenomen en alleen de blauwe knoop, het oog van haar lievelingspop, had achtergelaten en *ik ze te grazen zou nemen. Ik zou het ze allemaal betaald zetten.*

Toen kwam ik in beweging. Waarschijnlijk gilde ik nog steeds. Heel hard. En ik denk dat het een abnormaal geluid was, want mijn belagers trokken zich terug, en toen was ik degene die zich op hén stortte, met ontblote tanden en mijn handen tot harde vuisten gebald.

Ik kwam in beweging, ik schopte, ik stootte en ik haalde uit. Ik was weer drieëntwintig. Kijk, de Reuzendoder. Kijk, de echt *pisnijdige* Reuzendoder.

En mijn gezicht droop van het zweet en mijn handen dropen van het bloed en de eerste twee vrouwen lagen op de grond en de derde sloeg nu op de vlucht, ironisch genoeg in de richting van haar veilige cel, maar de vierde had een gepunte lepel en dacht dat ze daardoor veilig was. Ze had het vast al tegen agressieve klanten en boze pooiers opgenomen. Ik was maar een houterig wit meisje dat geen partij was voor iemand die zo gepokt en gemazeld was als zij.

Ik hoorde een rochelend geluid achter me. Het geluid van een stervende vrouw.

'Kom dan!' grauwde ik naar de gevangene. 'Kom maar, hoer. Laat maar zien wat je in huis hebt.'

Ze stormde op me af. Het was gewoon zielig. Ik maakte een beweging naar links en gaf haar met gestrekte arm een harde klap tegen haar keel. Ze liet de lepel vallen en greep naar haar in elkaar gedrukte luchtpijp. Ik pakte de lepel op en sprong over haar heen.

Kims tenen dansten niet meer. Ze hing nog altijd in de lucht, met de donkere arm nog altijd om haar keel geslagen terwijl haar ogen glazig werden.

Ik liep om haar heen.

Ik keek op naar de grote zwarte vrouw die helemaal geen vrouw bleek te zijn, maar een man met lang haar die op een of andere manier op de afdeling had weten te komen.

Hij leek te schrikken toen hij me zag.

Dus glimlachte ik naar hem. En stak de gepunte lepel tussen zijn ribben.

Kim viel op de grond. De gevangene wankelde achteruit en greep naar zijn zij. Ik kwam op hem af. Hij draaide zich moeizaam om en probeerde naar de uitgang van de afdeling te vluchten. Ik schopte hem in zijn rechterknieholte. Hij struikelde. Ik schopte hem in zijn linkerknieholte. Hij ging tegen de grond, rolde op zijn rug en stak in een afwerend gebaar zijn handen op.

Ik boog me over hem heen, met de bebloede lepel in mijn hand. Ik moet er afschrikwekkend hebben uitgezien, met mijn handen waar het bloed van af druppelde, mijn toegetakelde gezicht en mijn ene goede oog, want de grote zwarte man piste in zijn oranje gevangenisoverall.

Ik hief de lepel.

'Nee,' fluisterde hij schor.

Ik stak de punt in zijn dij. Hij gilde. Ik draaide de lepel rond.

Toen zong ik, zo hard dat de hele afdeling het kon horen: '*Het enige wat ik wil met kerst zijn mijn twee voortanden, mijn twee voortanden, mijn twee voortanden, mijn twee voortanden...*'

De man huilde terwijl ik me over hem heen boog, zijn lange, donkere haarlokken naar achteren streek en als een minnaar in zijn oor fluisterde: 'Zeg maar tegen de man in het zwart dat ik eraan kom. Zeg hem maar dat hij de volgende is.'

Ik draaide opnieuw met de lepel.

Toen ging ik rechtop staan, veegde de lepel af aan mijn broekspijp en drukte op de noodknop.

Ga je in de rouw als je wereld niet meer bestaat? Wanneer je op een bestemming bent aangekomen vanwaar je niet meer terug kunt?

Het interne bijstandsteam kwam de afdeling op gestormd. De hele gevangenis werd hermetisch afgesloten. Ik werd ter plekke geboeid, met trillende benen, opengehaalde armen en overal op mijn beide zijden en mijn rug nieuwe kneuzingen.

Kim werd weggebracht op een brancard. Ze was bewusteloos maar haalde wel adem.

Mijn vierde belager, de vrouw die voor de lepel had gezorgd, vertrok in een lijkzak. Ik keek toe hoe ze de zak dicht ritsten. Het deed me helemaal niets.

Erica snikte. Ze gilde en jammerde, en op een gegeven moment werd het zo erg dat ze werd afgevoerd naar de medische afdeling, waar ze een smak kalmerende middelen zou krijgen toegediend en in de gaten zou worden gehouden om te voorkomen dat ze zelfmoord pleegde. Andere gevangenen werden ondervraagd, maar zoals altijd had niemand enig idee van wat zich zojuist had afgespeeld.

'Ik was de hele tijd in mijn cel...'

'Ik heb niet één keer naar buiten gekeken...'

'Ik heb wel iets gehoord, maar...'

'Zo te horen kreeg iemand er flink van langs...'

'Ik heb er helemaal doorheen geslapen, meneer. Echt waar.'

De mannelijke gedetineerde vertelde echter aan iedereen die het maar horen wilde dat ik de engel des doods was en smeekte of ze me alsjeblieft, alsjeblieft, alsjeblieft bij hem uit de buurt wilden houden.

Ten slotte kwam de plaatsvervangend unitdirecteur voor me staan. Hij bestudeerde me lange tijd aandachtig en uit zijn gezichtsuitdrukking kon ik opmaken dat hij me maar een lastig geval vond. Hij had genoeg aan één woord om duidelijk te maken wat mijn straf zou zijn. 'Afzondering.'

'Ik wil mijn advocaat spreken.'

'Wie heeft de bewaarder aangevallen, *gevangene*?'

'Mrs. Doubtfire.'

'Mrs. Doubtfire, *meneer*. En waarom heeft die gevangene bewaarder Watters aangevallen?'

'Dat weet ik niet, *meneer*.'

'Je bent nog geen vierentwintig uur in de gevangenis. Hoe kwam je aan dat wapen?'

'Afgepakt van die hoeren die me probeerden te vermoorden.' Ik wachtte even. '*Meneer*.'

'Alle zes?'

'Met de staatspolitie valt niet te spotten. *Meneer*.'

Bijna glimlachte hij. Maar in plaats daarvan wees hij met zijn duim naar het plafond en de vele camera's die daar hingen. 'Weet je wat het is met de gevangenis? Big Brother kijkt altijd mee. Dus voor de laatste keer, *gevangene*: is er iets wat je me wilt vertellen?'

'Mevrouw Watters mag me wel een bedankkaartje sturen.'

Hij sprak me niet tegen, dus misschien wist hij al meer dan hij liet merken. 'Naar de medische afdeling,' zei hij, wijzend op mijn opengehaalde onderarmen.

'Ik wil mijn advocaat,' herhaalde ik.

'Je verzoek zal via de juiste kanalen worden doorgegeven.'

'Heb ik geen tijd voor.' Ik keek de unitdirecteur recht in de ogen. 'Ik heb besloten volledig mee te werken met de Bostonse politie,' verkondigde ik, zo hard dat iedereen het kon horen. 'Bel rechercheur D.D. Warren maar en zeg dat ik haar naar het lichaam van mijn dochter zal brengen.'

27

'Bekijk het maar!' riep D.D. twee uur later woedend. Ze was in een vergaderkamer in het hoofdbureau van de BPD, samen met Bobby, de hoofdinspecteur van de afdeling Moordzaken, en Tessa's advocaat, Ken Cargill. Cargill had hen twintig minuten geleden bij elkaar laten komen. Hij had laten weten dat hij een aanbod had voor ze dat beperkt geldig was. D.D.'s baas moest erbij zijn, want als er een beslissing zou worden genomen, moest dat snel gebeuren. Dat betekende dat hij ergens over wilde onderhandelen wat D.D.'s loonschaal te boven ging. En ook dat ze de hoofdinspecteur, Cal Horgan, zou moeten laten reageren op Cargills absurde verzoek.

D.D. was er nooit goed in geweest om haar mond te houden.

'We verzorgen geen rondleidingen!' vervolgde ze verhit. 'Wil Tessa eindelijk doen wat ze al veel eerder had moeten doen? Prima. Bobby en ik kunnen over twintig minuten in haar cel zijn, dan kan ze een plattegrond voor ons tekenen.'

Horgan zei niets, dus misschien was hij het met haar eens.

'Ze kan geen plattegrond voor jullie tekenen,' antwoordde Cargill onverstoorbaar. 'Ze herinnert zich de exacte locatie niet. Ze heeft eerst een tijd rondgereden. Ze kan jullie misschien niet vertellen waar de precieze plek is, maar ze denkt dat ze aardig in de buurt kan komen door naar oriëntatiepunten te zoeken.'

'Ze kan ons niet eens naar de precieze locatie brengen?' mengde Bobby zich in het gesprek. Hij klonk net zo sceptisch als D.D.

'Ik zou een hondenteam regelen,' antwoordde Cargill.

'Een lijkenteam bedoel je,' zei D.D. bitter. Ze zakte weer naar achteren in haar stoel met haar beide armen over haar buik geslagen. Ze had al na de eerste vierentwintig uur geweten dat de kleine Sophie met de bruine krullen, de grote blauwe ogen en het hartvormige gezicht hoogstwaarschijnlijk dood was. Maar om iemand, en dan ook nog Tessa's advocaat, hardop te horen uitspreken dat het tijd was om het lichaam te gaan zoeken...

Op sommige dagen was dit werk gewoon te zwaar.

'Hoe zei ze ook alweer dat Sophie was overleden?' vroeg Bobby.

Cargill wierp hem een venijnige blik toe. 'Dat heeft ze niet gezegd.'

'Dat klopt,' vervolgde Bobby. 'Ze vertelt ons eigenlijk helemaal niks, hè? Ze wil alleen maar dat we haar uit de gevangenis halen en een eindje met haar gaan rijden. Het moet niet gekker worden.'

'Ze was er vanmorgen bijna geweest,' bracht Cargill naar voren. 'Een gecoördineerde aanval door zes vrouwelijke gevangenen, terwijl een mannelijke gedetineerde de bewaarder uitschakelde. Als mevrouw Leoni niet zo snel had gereageerd, zou bewaarder Watters nu niet meer in leven zijn, en Tessa waarschijnlijk ook niet.'

'Zelfbehoud,' zei Bobby.

'Weer zo'n verhaal dat ze uit haar duim heeft gezogen,' voegde D.D. daar meedogenloos aan toe.

Cargill keek haar aan. 'Ze heeft niks uit haar duim gezogen. Het staat op tape, ik heb de opnamen zelf gezien. Eerst viel de mannelijke gevangene de bewaarder aan en toen kwamen die zes vrouwen op Tessa af. Ze mag van geluk spreken dat ze nog leeft. En jullie mogen van geluk spreken dat de schok van die gebeurtenissen ertoe heeft geleid dat ze wil samenwerken.'

'Samenwerken,' zei D.D. 'Wéér dat woord. Voor mij betekent "samenwerken" het helpen van anderen. Ze zou bijvoorbeeld een plattegrond voor ons kunnen tekenen, misschien op basis van oriëntatiepunten die ze zich nog kan herinneren. Dát zou samenwerken zijn. Ze zou ons kunnen vertellen hoe Sophie om het leven is gekomen. Dát zou samenwerken zijn. Ze zou ons ook voor eens en voor altijd kunnen vertellen wat er met haar man en kind is gebeurd, weer een andere vorm van samenwerking. Op een of andere manier lijkt ze het maar niet te begrijpen.'

Cargill haalde zijn schouders op. Hij verplaatste zijn aandacht van Bobby en D.D. naar de hoofdinspecteur. 'Of het jullie nu aanstaat of niet, ik weet niet hoe lang mijn cliënt bereid zal zijn om samen te werken. Ze heeft vanmorgen een traumatische ervaring gehad. Ik kan niet garanderen dat de impuls om mee te werken vanmiddag, en laat staan morgenochtend, nog zal bestaan. En bovendien kan ik me zo voorstellen, aangezien mijn cliënt er misschien niet voor voelt om op al jullie vragen een antwoord te geven, dat een heleboel van die vragen beantwoord zouden worden als jullie het lichaam van Sophie Leoni zouden vinden. Je weet wel, aanvullend bewijs. Of zijn jullie nog steeds bezig met het verzamelen van bewijs?'

'Ze gaat terug naar de gevangenis,' zei Horgan.

'Pffff, kom op,' zei D.D. 'Nooit onderhandelen met terroristen.'

Cargill negeerde haar en bleef zich op Horgan richten. 'Begrepen.'

'Ze blijft te allen tijde geboeid.'

'Ik had niet anders verwacht.' Een korte stilte. 'Maar misschien zou u een en ander moeten afstemmen met de districtspolitie van Suffolk County. Juridisch gezien houden zij haar in hechtenis, en dat betekent dat zij misschien de begeleiding willen regelen.'

Horgan rolde met zijn ogen. Verschillende instanties, net wat ze nodig hadden.

'Hoe lang is het rijden naar die plek?' vroeg Horgan.

'Hoogstens een uur.'

D.D. keek op de klok aan de muur. Het was half elf. Om half zes ging de zon onder. Dat betekende dat tijd nu al een heel belangrijke rol speelde. Ze staarde haar baas aan, omdat ze niet meer goed wist wat ze wilde. Ze vond het vreselijk om de eisen van een verdachte in te willigen, maar aan de andere kant... Ze wilde Sophie thuisbrengen. Ze hunkerde naar dat hele kleine beetje meer duidelijkheid. Alsof dat de pijn in haar hart ook maar iets zou verzachten.

'Haal haar om twaalf uur op,' zei Horgan abrupt. Hij draaide zich naar D.D. toe en keek haar aan. 'Regel een hondenteam. Nu.'

'Ja, meneer.'

Horgan wendde zich weer tot Cargill. 'Er wordt niet nodeloos rondgereden. Als uw cliënt niet meewerkt, komen al haar huidige voorrechten in de gevangenis te vervallen. Ze zal niet alleen teruggaan naar de gevangenis, ze zal het er ook heel zwaar krijgen. Is dat begrepen?'

Er verscheen een zuinig lachje om Cargills lippen. 'Mijn cliënt is een hoogst gerespecteerde agente. Ze begrijpt het heel goed. En mag ik u feliciteren omdat u haar uit de gevangenis haalt nu ze nog in leven is en u kan helpen bij uw inspanningen?'

Er waren een heleboel dingen die D.D. nu graag zou willen doen: schoppen, razen, tieren. Maar omdat tijd kostbaar was, hield ze zich in en nam ze contact op met het hondenteam van Noord-Massachusetts.

Zoals de meeste hondenteams bestond de groep uit Massachusetts volledig uit vrijwilligers. Ze hadden elf leden, onder wie Nelson Bradley en zijn Duitse herder Quizo, een van de slechts paar honderd honden ter wereld die speciaal waren getraind in het opsporen van lijken.

D.D. had Nelson en Quizo nodig, en wel meteen. Goed nieuws: teamleider Cassondra Murray was bereid het hele team binnen anderhalf uur te verzamelen. Murray en mogelijk ook Nelson zouden de politie in Boston ontmoeten en vervolgens zou de hele club achter elkaar aan rijden. Andere leden van het team zouden zich bij hen aansluiten als er eenmaal een locatie bekend was, aangezien zij te ver buiten de stad woonden om nog op tijd in het centrum van Boston te zijn.

Dat vond D.D. een goed plan.

'Wat heb je nodig?' vroeg D.D. over de telefoon. Het was jaren geleden dat ze voor het laatst met een hondenteam had gewerkt, en toen hadden ze een leven moeten redden en hoefde er geen lijk te worden gevonden. 'Ik kan voor kleding van het kind en dat soort dingen zorgen.'

'Hoeft niet.'

'Omdat het een lijk is,' verduidelijkte D.D.

'Nee, dat maakt niet uit. Honden zijn getraind om een menselijke geur op te sporen als het om een reddingsoperatie gaat en een lijkengeur als er een stoffelijk overschot gevonden moet worden. Wat we vooral willen, is dat jij en je team niet in de weg lopen.'

'O, goed hoor,' zei D.D. lijzig en een beetje gepikeerd.

'Eén speurhond is evenveel waard als honderdvijftig vrijwilligers,' verkondigde Murray met stelligheid.

'Wordt de sneeuw een probleem?'

'Nee. Door warmte stijgt geur op, door kou blijft geur dichter bij de grond. Als hondengeleiders passen we onze zoekstrategie daaraan aan. Maar vanuit het perspectief van onze honden blijft een geur een geur.'

'En hoe lang gaat het duren?'

'Als het geen al te moeilijk terrein is, moeten honden twee uur kunnen werken, dan moeten ze twintig minuten pauzeren. Hangt natuurlijk van de omstandigheden af.'

'Hoeveel honden komen er mee?'

'Drie, waarvan Quizo de beste is.'

'Wacht even – ik dacht dat Quizo de enige hond was die lijken kon opsporen.'

'Niet meer. Sinds twee jaar zijn al onze honden getraind in het opsporen van levende en dode mensen en in zoeken in water. We beginnen met het trainen in zoeken naar levenden, omdat je een puppy dat het makkelijkst kunt leren. Maar wanneer de honden dat eenmaal kunnen, trainen we ze in het opsporen van lijken en vervolgens in het zoeken in water.'

'Wil ik weten hoe je ze traint om lijken te vinden?' vroeg D.D.

Murray lachte. 'Nou, we hebben geluk. De patholoog-anatoom, Ben...'

'Ik ken Ben.'

'Hij is heel enthousiast over ons en helpt waar hij maar kan. We geven hem tennisballen om in de lijkzakken te leggen. Wanneer de geur van ontbinding eenmaal in de ballen is gaan zitten, doet hij ze voor ons in luchtdichte bakken. Die gebruiken we om te trainen. Het is een goed compromis, omdat de staat Massachusetts afwijzend tegenover het privébezit van lijken staat en ik niet geloof in kunstmatige "lijkengeur". De beste wetenschappers ter wereld zijn het erover eens dat ontbinding een van de meest gecompliceerde geuren is. Niemand weet waar de honden zich op richten, en dat betekent dat de mens zich daar niet mee moet bemoeien.'

'Oké,' zei D.D.

'Denk je dat we in water moeten zoeken?' vroeg Murray. 'Want dat is in deze tijd van het jaar wat lastiger. We nemen de honden natuurlijk mee in boten, maar vanwege de temperaturen zou ik ze ook speciaal tuig om willen doen voor het geval ze in het water vallen.'

'Werken jullie honden in boten?'

'Yep. Ze vangen de geur op in de stroming van het water, net als de zuiging van de wind. Quizo heeft op meer dan dertig meter diepte lichamen gevonden. Het lijkt wel een beetje op voodoo, wat ook een reden is waarom ik niet van kunstmatige geur houd. Honden zijn gewoon veel te slim om te trainen op basis van laboratoriumonderzoek. Verwacht je water?'

'Ik kan niks uitsluiten,' antwoordde D.D. eerlijk.

'Dan nemen we alle spullen mee. Je zei dat het zoekgebied waarschijnlijk binnen een uur rijden van Boston ligt?'

'Voor zover ik kan inschatten.'

'Dan neem ik mijn boek met kaarten van Massachusetts mee. Niets is zo belangrijk als topografie wanneer je met geuren werkt.'

'Oké,' zei D.D. weer.

'Is er een patholoog of een forensisch antropoloog aanwezig?'

'Hoezo?'

'Soms stuiten de honden op andere stoffelijke resten. Het is goed als er iemand bij is die meteen kan vaststellen dat het om menselijke resten gaat.'

'Deze stoffelijke resten… zijn minder dan achtenveertig uur oud,' zei D.D. 'In omstandigheden onder het vriespunt.'

Er viel een korte stilte. 'Nou, dan zal een antropoloog wel niet nodig zijn,' zei Murray. 'Tot over anderhalf uur.'

Murray hing op. D.D. begon de rest van het team op te trommelen.

28

Dinsdag, twaalf uur. Ik stond geboeid in de toegangssluis van de Suffolk County Jail. Deze keer stond er geen busje in de garage, maar een Crown Vic van een rechercheur uit Boston. Ik was onder de indruk, ik kon het niet helpen. Ik had gedacht dat het transport zou plaatsvinden onder verantwoordelijkheid van de districtspolitie en vroeg me af hoeveel koppen er hadden moeten rollen en hoeveel wederdiensten er waren toegezegd om me over te kunnen dragen aan rechercheur D.D. Warren.

Zij stapte als eerste uit de auto. Ze wierp een spottende blik in mijn richting en liep toen naar de wachtende bewaarders om hun de benodigde papieren te overhandigen. Rechercheur Bobby Dodge had de passagiersdeur geopend. Hij liep om de auto heen naar me toe, met een ondoorgrondelijke gezichtsuitdrukking. Stille wateren, diepe gronden.

Ik zou tijdens de reis geen gewone kleren dragen. De spijkerbroek en trui die ik eerder had gekregen, waren vervangen door de traditionele oranje gevangenisoverall, zodat de hele wereld kon zien in welke positie ik me bevond. Ik had gevraagd om een jas, een muts en handschoenen. Niets daarvan had ik gekregen. Kennelijk maakte de districtspolitie zich minder zorgen om onderkoelingsverschijnselen dan om de mogelijkheid dat ik zou ontsnappen. Gedurende mijn hele verblijf buiten de gevangenis zou ik geboeid zijn en onafgebroken onder toezicht staan van iemand van de politie.

Ik vocht die voorwaarden niet aan, want de stress was al erg genoeg. Ik was gespannen over de gebeurtenissen die 's middags zouden plaatsvinden, terwijl ik ook van streek was door de tegenslag van die ochtend. Ik keek recht vooruit en hield mijn hoofd gebogen.

Bij elke strategie draait het er vooral om dat je je hand niet overspeelt.

Bobby kwam naast me staan. Toen de vrouwelijke bewaarder die me had bewaakt mijn arm losliet, pakte hij die meteen weer vast en bracht me naar de Crown Vic.

D.D. was klaar met de papieren. Ze kwam naar de wagen toe en staarde me onheilspellend aan, terwijl Bobby het achterportier opendeed en ik mijn best moest doen om met mijn geboeide handen en benen elegant op de achterbank te gaan zitten. Ik kantelde te ver naar achteren en kon geen kant meer op, als een kever met zijn poten in de lucht. Bobby moest zich uitstrekken, een hand op mijn heup leggen en me doorschuiven.

Hoofdschuddend ging D.D. achter het stuur zitten.

Ik draaide mijn gezicht naar de grijze lucht en knipperde met mijn ogen tegen het licht.

Zo te zien gaat het sneeuwen, dacht ik, maar ik zei niets.

D.D. reed naar de parkeerplaats van het nabijgelegen ziekenhuis. Daar wachtten een stuk of twaalf andere voertuigen, van witte SUV's tot zwart-witte politiewagens. D.D. bracht de auto tot stilstand en ze vormden een rij achter ons. D.D. keek me via de achteruitkijkspiegel aan.

'Zeg het maar.'

'Ik zou wel een kop koffie lusten.'

'Val dood.'

Toen glimlachte ik, ik kon er niets aan doen. Ik was net als mijn man geworden, met een goede Tessa en een slechte Tessa. Goede Tessa had Kim Watters het leven gered. Goede Tessa had het opgenomen tegen kwaadaardige gevangenen die haar hadden aangevallen en had zich, heel even, een trotse politievrouw gevoeld.

Slechte Tessa droeg de oranje gevangenisoverall en zat op de achterbank van een politiewagen. Slechte Tessa… nou ja, voor slechte Tessa was de dag nog maar net begonnen.

'Speurhonden?' vroeg ik.

'Lijkenhonden,' zei D.D. nadrukkelijk.

Ik glimlachte weer, maar nu was het een bedroefde glimlach, en heel even had ik mezelf bijna niet meer in de hand. Diep vanbinnen voelde ik een gapend gat. Alle dingen die ik had verloren. En al het andere dat ik nog kon verliezen.

'Het enige wat ik wil met kerst zijn mijn twee voortanden…'

'Je had haar moeten vinden,' mompelde ik. 'Ik had erop gerekend dat jij haar zou vinden.'

'Waar is ze?' snauwde D.D.

'Snelweg 2 in westelijke richting, richting Lexington.'

D.D. begon te rijden.

'We weten het van Shane Lyons,' zei D.D. afgemeten vanaf de passagiersplaats. We bevonden ons op de snelweg voorbij Arlington en hadden de stadsjungle ingewisseld voor voorstedelijke luchtkastelen. Straks kregen we het oude geld van Lexington en Concord, gevolgd door de schilderachtige plattelandscharme van Harvard.

'Wat weten jullie?' vroeg ik. Ik was oprecht nieuwsgierig.

'Dat hij je in elkaar heeft geramd om jouw bewering te bevestigen dat je door je man werd mishandeld.'

'Heb jij wel eens een vrouw geslagen?' vroeg ik aan rechercheur Dodge.

Bobby Dodge draaide zich om in zijn stoel. 'Vertel me eens iets over die huurmoordenaar, Tessa. Probeer er maar achter te komen hoeveel ik bereid ben te geloven.'

'Dat kan ik niet doen.'

'Hoezo?'

Ik leunde zo goed en zo kwaad als dat met geboeide handen ging naar voren. 'Ik ga hem vermoorden,' zei ik ernstig. 'En het is niet netjes om slecht over de doden te spreken.'

‘O, alsjeblieft,’ onderbrak D.D. ons nijdig. ‘Je klinkt alsof je niet goed bij je hoofd bent.’

‘Tja, ik heb wel een paar klappen voor mijn kop gekregen.’

Daar had je die rollende ogen weer. ‘Jij bent net zo min gek als dat ik vriendelijk ben,’ snauwde D.D. ‘We weten alles van je, Tessa. De gokverslaafde man die jullie spaarrekening leeg heeft gehaald. De geile tienerbroer van je beste vriendin, die op een avond dacht dat hij met zijn neus in de boter was gevallen. Je lijkt een verleden te hebben waarbij je de verkeerde mannen aantrekt en ze vervolgens doodschiet.’

Ik zei niets. De goede rechercheur had er een handje van om meteen tot de kern van de zaak te komen.

‘Maar waarom je dochter?’ vroeg ze meedogenloos. ‘Geloof me, ik kan begrijpen dat je Brian drie kogels in zijn borst hebt gejaagd. Maar wat heeft je er in godsnaam toe bewogen om je eigen kind te grazen te nemen?’

‘Wat had Shane te zeggen?’ vroeg ik.

D.D. keek me met gefronst voorhoofd aan. ‘Bedoel je voor of nadat die loser me probeerde neer te slaan?’

Ik floot zachtjes door mijn tanden. ‘Zie je, zo gaat dat. Als je voor het eerst een vrouw hebt geslagen, gaat het daarna makkelijker.’

‘Hadden Brian en jij ruzie?’ vroeg Bobby. ‘Misschien liep de ruzie uit op een handgemeen en zat Sophie jullie in de weg.’

‘Ik heb me vrijdagavond gemeld voor mijn dienst,’ zei ik, en ik keek uit het raam. Minder huizen, meer bos. We kwamen in de buurt. ‘Sinds die avond heb ik mijn dochter niet meer levend gezien.’

‘Dus Brian heeft het gedaan? Waarom geef je hem dan niet gewoon de schuld? Waarom zou je zo’n ingewikkeld verhaal in elkaar flansen?’

‘Shane geloofde me niet. Als hij me niet geloofde, wie dan wel?’

Linksaf bij dat roodgeschilderde appeltentje. Het was nu leeg, maar in de herfst hadden ze er heerlijke glazen appelsap. We waren hier zeven maanden geleden nog geweest. Toen hadden we appelsap gedronken, een tochtje gemaakt met paard en wagen en waren we naar het pompoenenveld geweest. Was ik hier daarom zaterdagmiddag teruggekomen, met bonzend hart terwijl het daglicht langzaam vervaagde en ik inderdáád het gevoel had gehad dat ik niet goed bij mijn hoofd was, krankzinnig van verdriet, paniek en pure wanhoop? Ik had heel snel moeten handelen. Niet denken maar doen.

En dat had me hier gebracht, naar de plek waar we ons laatste gezinsuitje hadden gehad voordat Brian het hele najaar weer van huis zou zijn. Een van mijn laatste gelukkige herinneringen.

Sophie was dol geweest op het appeltentje. Ze had drie glazen appelsap gedronken en had toen stuiterend van de suiker rondjes gerend over het pompoenenveld, waarna ze niet één pompoen had uitgezocht maar drie. Een papapompoen, een mamapompoen en een meisjespompoen, had ze verklaard. Een heel pompoenengezin.

'Mag het, mama? Mag het, mag het? Alsjeblieft, alsjeblieft?'

'Natuurlijk schattebout, je hebt helemaal gelijk. Het zou verkeerd zijn om ze van elkaar te scheiden. Laten we het hele gezin meenemen.'

'Joepie! Papa, papa, we nemen het hele pompoenengezin! Joepie!'

'Daar naar rechts,' mompelde ik.

'Rechts?' D.D. trapte op de rem en sloeg rechtsaf.

'Over een paar honderd meter is er een landweggetje, daar moet je naar links.'

'Drie pompoenen?' Brian keek me hoofdschuddend aan. 'Softie.'

'Jij hebt donuts voor haar gekocht bij de appelsap!'

'Dus drie donuts is hetzelfde als drie pompoenen?'

'Kennelijk.'

'Oké, maar alleen ik mag in de papapompoen snijden.'

'De boom! Hier afslaan. Links, links. Over dertig meter komt er rechts een weg.'

'Weet je zeker dat je geen plattegrond had kunnen tekenen?' D.D. keek me vuil aan.

'Ja, dat weet ik zeker.'

D.D. ging naar rechts en reed het onverharde weggetje op, waarbij de banden rondtolden op de harde sneeuw. Achter ons volgden moeizaam een, twee, drie, vier auto's, met daar weer achter een paar witte SUV's en vervolgens de rij surveillancewagens.

Het gaat absoluut sneeuwen, stelde ik vast.

Maar het deed er niet meer toe. De beschaving lag ver achter ons. Dit was het land van de skeletachtige bomen, de bevroren vijvers en de kale witte velden. Zo'n plek waar een heleboel dingen konden gebeuren voordat de mensen het doorhadden. Zo'n plek waar een wanhopige vrouw haar laatste stelling kon innemen.

Slechte Tessa diende zich aan.

En D.D., de hemel sta haar bij, reed naar de kant van de weg en stopte.

'Eruit,' zei ze korzelig.

Ik glimlachte, ik kon het niet helpen. Ik keek de goede rechercheur recht in de ogen en zei: 'Op die woorden heb ik de hele dag al gewacht.'

29

'Ik wil haar niet in het bos hebben!' zei D.D. tien minuten later tegen Bobby. Ze waren een eindje van de rij auto's af gaan staan. 'Haar taak was om ons hierheen te brengen. Ze heeft gedaan wat ze moest doen en nu begint onze taak.'

'Het hondenteam wil haar hulp,' bracht Bobby daartegen in. 'Er staat geen wind en dat betekent dat het voor de honden moeilijk wordt om de opening van de geurkegel op te pikken.'

D.D. staarde hem uitdrukkingsloos aan.

'Geur,' probeerde hij weer, terwijl hij met zijn handen een soort driehoek vormde, 'verspreidt zich van het doel in de vorm van een breder wordende kegel. Een hond kan de geur alleen oppikken als die met de wind meewaait, in de opening van de kegel, anders kan de hond het doel zelfs op een halve meter afstand nog missen.'

'Wanneer heb jij zoveel over honden geleerd?' wilde D.D. weten.

'Een halve minuut geleden, toen ik Nelson en Cassondra vroeg wat we voor ze konden doen. Ze maken zich zorgen over de omstandigheden. Het terrein is vlak en ik geloof dat dat gunstig is, maar het is ook open, en dat maakt het gecompliceerder.'

'Waarom?'

'Geur hoopt zich op als die ergens door wordt tegengehouden. Dus als dit een omheind veld was, of een strook met struiken eromheen, zouden ze bij de randen beginnen. Maar je hebt hier geen hek of struiken, alleen een groot, open veld.'

Bobby gebaarde om zich heen. D.D. zuchtte diep.

Tessa Leoni had hen naar een van de weinige plekken in Massachusetts gebracht die nog onbewoond en onherbergzaam waren en voor de helft uit bos en voor de helft uit velden bestond. Door de sneeuw die zondagavond was gevallen, waren de velden één grote, lege vlakte: geen voetafdrukken, geen bandensporen, geen sleepsporen en alleen zo hier en daar een groepje donkere, skeletachtige bomen en een paar kale struiken.

Ze mochten van geluk spreken dat ze hiernaartoe hadden kunnen rijden, en D.D. was er niet gerust op dat ze ook weer weg konden komen. Sneeuwschoenen zouden een goed idee zijn. En op vakantie gaan een nog veel beter idee.

'Honden worden sneller moe als ze door verse sneeuw moeten lopen,' zei Bobby. 'Daarom wil het team eerst het zoekgebied zo veel mogelijk verkleinen. En dat betekent dat Tessa ons zo dicht mogelijk bij het doel moet brengen.'

'Misschien kan ze ons de juiste richting wijzen,' mompelde D.D.

Bobby rolde met zijn ogen. 'Tessa is geboeid en probeert door tien centimeter poedersneeuw te lopen. Die vlucht echt nergens heen.'

'Ze heeft geen jas.'

'Er is vast wel iemand met een reservejas.'

'Ze speelt een spelletje met ons,' zei D.D. fel.

'Weet ik.'

'Is het je opgevallen dat ze niet één van onze vragen beantwoordt?'

'Dat is me opgevallen, ja.'

'Terwijl ze wel uit alle macht probeert om informatie van ons los te krijgen.'

'Ja.'

'Heb je gehoord wat ze met die man heeft gedaan die die bewaarder had aangevallen? Ze heeft hem niet alleen uitgeschakeld, ze heeft een geïmproviseerd steekwapen in zijn dij gestoken en rondgedraaid. Twee keer. Dat heeft niets meer met professionele training te maken. Dat is persoonlijke genoegdoening.'

‘Ze komt wat… nerveus en prikkelbaar over,’ gaf Bobby toe. ‘Ik geloof dat het haar de afgelopen dagen niet echt heeft meegezeten.’

‘En toch staan we hier weer naar haar pijpen te dansen. Het zint me niet.’

Bobby dacht even na. ‘Misschien moet jij in de auto blijven,’ zei hij ten slotte. ‘Gewoon voor de veiligheid…’

D.D. balde haar handen tot vuisten om te voorkomen dat ze hem zou slaan. Toen zuchtte ze en wreef over haar voorhoofd. Ze had de afgelopen nacht niet geslapen en vanmorgen niet gegeten. En dus was ze al moe en chagrijnig geweest vóórdat ze te horen had gekregen dat Tessa Leoni bereid was om hen naar het lichaam van haar dochter te brengen.

D.D. wilde hier helemaal niet zijn. Ze wilde niet door de sneeuw ploeteren. Ze wilde niet bij een uitstulpinkje komen en daaronder het bevroren gezicht van een zesjarig meisje aantreffen. Zou het lijken of Sophie sliep? Ingepakt in haar roze winterjas, terwijl ze haar lievelingspop vasthield?

Of zouden er kogelgaten zijn, rode druppels die getuigden van een laatste, gewelddadig moment?

D.D. was een professional die zich niet professioneel meer voelde. Ze had zin om op de achterbank te gaan zitten en haar handen om de keel van Tessa Leoni te slaan. Ze had zin om heel hard te knijpen en haar heen en weer te schudden en te gillen: *Hoe kon je zoiets doen! Met het kleine meisje dat van je híéld!*

D.D. kon waarschijnlijk maar beter achterblijven. En dat betekende natuurlijk dat ze dat niet zou doen.

‘Het zoekteam vraagt om verdere assistentie,’ zei Bobby zacht. ‘Het is nog vier uur licht en de omstandigheden zijn niet ideaal. De honden kunnen niet zo snel lopen. Voor de hondengeleiders geldt hetzelfde. Wat stel je voor?’

‘Shit,’ mompelde D.D.

‘Zo denk ik er ook over.’

‘Als ze ook maar één grapje uithaalt, moet ik haar vermoorden,’ zei D.D. na een korte stilte.

Bobby haalde zijn schouders op. 'Ik denk niet dat er hier veel mensen zijn die daar anders over denken.'

'Bobby... als we dat lichaam vinden... Als ik het niet aankan...'

'Ik zal je dekken,' zei hij zacht.

Ze knikte en probeerde hem te bedanken, maar haar keel zat dicht. Ze knikte weer. Hij pakte haar even bij haar schouder.

Toen gingen ze terug naar Tessa Leoni.

Tessa was de Crown Vic uit gekomen. Zonder jas en met boeien om haar polsen en enkels was het haar gelukt om bij een van de wagens van het hondenteam te komen, waar ze toekeek hoe Nelson zijn honden uitlaadde.

In de eerste twee kennels zaten kleinere honden, die opgewonden rondjes draaiden en enthousiast blaften.

'Zijn dat speurhonden?' vroeg Tessa sceptisch terwijl Bobby en D.D. kwamen aanlopen.

'Nee,' zei Nelson, terwijl hij een derde, veel grotere kennel opende, waar een Duitse herder in bleek te zitten. 'Die vormen de beloning.'

'Wat?'

Nu Nelson de Duitse herder eruit had gelaten, die in een strakke cirkel om hem heen liep, boog hij zich voorover om de andere twee kennels open te maken. De kleinere, ruwharige honden schoten tegelijkertijd als een pijl uit de boog naar buiten en stortten zich op de Duitse herder, Nelson, Tessa, Bobby, D.D. en iedereen die zich in een straal van tien meter bevond.

'Dit zijn Kelli en Skyler,' zei Nelson lijzig. 'Soft coated wheaten terriërs. Hartstikke slim, maar een beetje te nerveus voor speurwerk. Quizo vindt ze echter de beste speelkameraadjes van de hele wereld, en hij wil niks anders als beloning.'

'Hij eet ze toch niet op, hè?' vroeg Tessa. Ze zag er tegen de hagelwitte sneeuw uit als een oranje vlek en rilde van de kou.

Nelson grijnsde naar haar, duidelijk geamuseerd door haar vraag. Als hij zich er al ongemakkelijk bij voelde om met een moordverdachte te praten, dacht D.D., dan liet hij dat niet merken. 'Als je een hond traint,' zei hij nu, terwijl hij spullen uit de overdekte laadbak van zijn wagen haalde, 'is het vooral belangrijk om erachter te komen wat de hond motiveert. Elke pup is anders. Sommige willen eten. Andere willen genegenheid. De meeste een bepaald stuk speelgoed. Als trainer moet je die signalen oppikken. Pas wanneer je er eenmaal achter bent wat de beste beloning is, wat dat ene voorwerp is dat je hond echt motiveert, begint de echte training.'

'Bij onze Quizo hier' – hij gaf de herder een aai over zijn kop – 'duurde het even voor ik erachter was. Hij was de slimste hond die ik ooit had gezien, maar alleen als hij er zin in had. Dat werkt natuurlijk niet. Ik moet een hond hebben die zoekt op commando, niet wanneer hij in de stemming is. Toen doken deze twee hier op een dag op.' Hij gebaarde met zijn hand naar de rondspringende, blaffende terriërs. 'Ik had een vriend die ze niet langer kon houden. Ik zei dat ik ze wel een tijdje wilde nemen tot hij iets beters kon regelen. Het was gewoon liefde op het eerste gezicht. Mevrouw Kelli en meneer Skyler besprongen Quizo onophoudelijk en dan ging hij achter ze aan. Dat zette me aan het denken. Misschien kon ik er wel een beloning van maken om te spelen met zijn beste vriendjes. Ik probeerde het een paar keer uit, en elke keer was het raak. Quizo blijkt een beetje een uitslover te zijn. Hij vindt het helemaal niet erg om te werken, als hij maar het juiste publiek heeft.

'Dus wanneer we ergens gaan zoeken, neem ik ze alle drie mee. Ik geef Quizo hier even de tijd om met zijn maatjes te spelen, zodat hij weet dat ze er zijn. Dan moet ik Kelli en Skyler weghalen – anders loopt Quizo ze de hele tijd onder de voet, geloof me – en geef ik Quizo opdracht om aan het werk te gaan. Hij gaat dan meteen aan de slag, omdat hij begrijpt dat hoe sneller hij klaar is met zijn opdracht, hoe sneller hij terug kan naar zijn vriendjes.'

Nelson keek Tessa recht aan. 'Skyler en Kelli zullen hem ook helpen om een beetje opgewekt te blijven,' zei de hondengeleider op neutrale toon. 'Zelfs getrainde speurhonden vinden het niet fijn om een lijk te vinden. Ze worden er depressief van, en dat maakt het dubbel zo belangrijk dat Skyler en Kelli hier vandaag zijn.'

Beeldde D.D. het zich in of kromp Tessa eindelijk ineen? Misschien klopte er dan toch een hart onder die façade.

D.D. kwam naar voren, met Bobby naast zich. Ze richtte zich eerst tot Nelson. 'Hoe lang heb je nodig?'

Hij keek even naar zijn honden en vervolgens naar de overige leden van het team, die de wagens achter de zijne aan het uitladen waren. 'Nog een kwartier.'

'Kunnen we nog iets voor je doen?'

Nelson glimlachte flauwtjes. 'Nou, als je de plek die we zoeken even wilt markeren?'

'Hoe weet je wanneer de honden iets hebben gevonden?' vroeg D.D. nieuwsgierig. 'Gaat Quizo dan... harder blaffen?'

'Als hij iets vindt, blaft hij drie minuten lang onafgebroken,' vertelde Nelson haar. 'Alle speurhonden worden net iets anders getraind – sommige gaan zitten om aan te geven dat ze iets hebben gevonden, andere blaffen op een bepaalde hoogte. Maar aangezien ons team gespecialiseerd is in reddingsoperaties en het zoeken naar stoffelijke resten, hebben wij gekozen voor drie minuten onafgebroken blaffen, omdat we ervan uitgaan dat onze honden mogelijk uit het zicht zijn, omdat ze achter een boom of een rots zitten bijvoorbeeld, en het drie minuten kan duren voor we ze hebben ingehaald. Voor ons werkt het prima.'

'De plek kan ik niet markeren,' zei D.D., 'maar we hebben wel iets om mee te beginnen.' Ze wendde zich tot Tessa. 'Begin maar in je geheugen te graven. Ben je tot hier gereden?'

Tessa's gezicht vertoonde geen enkele emotie. Ze knikte.

'Heb je hier geparkeerd?'

'Weet ik niet. De weg was duidelijker zichtbaar, de sneeuw was meer samengepakt. Ik ben tot het einde doorgereden.'

D.D. wees om zich heen. 'Bomen, velden, komt iets je bekend voor?'

Tessa aarzelde en huiverde weer. 'Misschien dat groepje bomen daar,' zei ze ten slotte, vaag wijzend met haar twee geboeide handen. 'Ik weet het niet zeker. Die verse sneeuw... Het is net of iemand het bord heeft schoongeveegd. Alles is hetzelfde en toch anders.'

'Vier uur,' zei D.D. scherp. 'Dan zit je hoe dan ook weer achter de tralies. Dus ik stel voor dat je de omgeving begint te bestuderen, want als je je dochter echt thuis wilt brengen, dan is dit je enige kans.'

Eindelijk veranderde er iets in Tessa's gezicht, een opwelling van emotie die moeilijk te doorgronden was, maar die deels berouw zou kunnen zijn. D.D. kreeg er een ongemakkelijk gevoel bij. Ze wendde zich van Tessa af, haar beide armen om haar middel geslagen.

'Haal een jas voor haar,' mompelde ze tegen Bobby.

Hij had al een extra jas in zijn handen en stak hem uit. D.D. schoot bijna in de lach. Het was een zwarte donsjas waar met grote letters BOSTON PD op stond, ongetwijfeld afkomstig uit de kofferbak van een van de surveillanceagenten. Bobby deed de jas om Tessa's schouders, omdat ze haar geboeide handen niet in de mouwen kon krijgen, en ritste hem toen dicht om hem op zijn plek te houden.

'Ik weet niet wat ik ongepaster vind,' mompelde D.D. hardop 'Een staatsagent in een jas van de BPD of een gevangene van de Suffolk County Jail in een jas van de BPD. Hoe dan ook,' zei ze, en haar stem werd zachter en dreigend, hatelijk zelfs, 'het is ongepast.'

D.D. liep terug naar haar auto. Daar bleef ze staan, in elkaar gedoken tegen de kou en het gevoel van naderend onheil. Aan de horizon pakten zich donkergrijze wolken samen.

Er is sneeuw op komst, dacht ze, en opnieuw wilde ze dat ze hier geen van allen waren.

Twaalf minuten later gingen ze op weg, een geboeide Tessa voorop met aan weerszijden Bobby en D.D., en daarachter het hondenteam en een gevarieerd gezelschap politiemensen. De honden bleven aangelijnd. Ze hadden nog geen opdracht gekregen om aan het werk te gaan, maar trokken ongedurig aan hun riem.

Ze waren nog geen tien meter ver toen ze voor de eerste keer halt hielden. Hoe rancuneus D.D. ook was, Tessa kon met geboeide voeten onmogelijk door tien centimeter sneeuw lopen. Ze maakten de boeien om haar enkels los en kwamen toen eindelijk beter vooruit.

Tessa ging de groep voor naar het eerste groepje bomen. Ze liep er met gefronst voorhoofd omheen, alsof ze de bomen aandachtig bekeek. Toen liep ze tussen de bomen met de kale takken door, maar na drie meter schudde ze haar hoofd en kwam ze weer tussen de bomen uit. Op dezelfde manier onderzochten ze nog drie andere groepjes bomen, totdat het bij de vierde raak leek te zijn.

Tessa liep tussen de bomen door en bleef lopen, sneller en overtuigder. Ze kwam bij een grote grijze steen die uitstak boven de grond en leek te knikken. Ze liepen links om de steen heen en Quizo jankte zachtjes diep in zijn keel, alsof hij al iets rook.

Niemand zei iets. Het enige wat te horen viel, was het piepende geknars van voetstappen die sneeuw vertrapten, het gehijg van honden en het gedempte uitademen van hun begeleiders en van de politiemensen, die allemaal een nekwarmer en een wollen sjaal droegen.

Ze kwam het groepje bomen weer uit. D.D. bleef staan, omdat ze dacht dat Tessa zich vergiste, maar die bleef doorlopen. Ze stak een besneeuwd open stuk over en een smal beekje dat nog net zichtbaar was tussen de witte oevers. Toen verdween ze in een wat groter bomengroepje.

'Wel een vreselijk eind om met een lijk te lopen,' mompelde D.D.

Bobby wierp haar een blik toe en scheen hetzelfde te denken.

Maar Tessa zei geen woord. Ze liep nu sneller, doelgerichter. Ze had een bijna griezelige uitdrukking op haar gezicht: onverzettelijkheid, vermengd met pure wanhoop.

Was Tessa zich überhaupt bewust van het hondenteam, en haar entourage van politiemensen en hondengeleiders? Of was ze in gedachten teruggegaan naar een koude zaterdagmiddag? Buren hadden de Denali rond vieren die middag zien wegrijden, wat betekende dat het niet lang licht meer was geweest tegen de tijd dat ze helemaal hier had weten te komen.

Wat was er dat laatste halfuur in de schemering door Tessa Leoni heen gegaan? Terwijl ze zeulend met het lichaam van haar dochter tussen de bomen door strompelde, over vlakke witte velden, steeds verder tussen de bomen door?

Wanneer je je eigen kind ging begraven, was het dan of je je dierbaarste schat aan de gewijde natuur schonk? Of was het alsof je je grootste zonde verborgen hield en je instinctief het donkerste binnenste van het bos opzocht om je misdaad te verhullen?

Ze kwamen opnieuw bij een verzameling met mos bedekte stenen, deze keer in een vorm die vaag iets menselijks had. Stenen muren, oude funderingen, de restanten van schoorstenen. In een staat die al zo lang werd bewoond als Massachusetts, waren er zelfs in de bossen altijd wel ergens overblijfselen van de beschaving.

Achter de bomen lag een kleine open plek en Tessa bleef staan.

Haar keel bewoog. Na een paar pogingen kwam het woord er als een fluistering uit: 'Hier.'

'Waar?' vroeg D.D.

'Er lag een omgevallen boom en er was een sneeuwwal ontstaan. Het leek me een makkelijke plek om te graven.'

D.D. zei niet meteen iets terug. Ze tuurde naar de open plek, die bedekt was met verse witte vlokken. Links van haar bevond zich een lichte glooiing die mogelijk veroorzaakt werd door een omgevallen boom. Natuurlijk was er daarvóór zo'n zelfde soort glooiing, terwijl ze aan de overkant van de open plek nog een derde kon onderscheiden, naast een groepje verdwaalde bomen. Maar alles bij elkaar ging het om ongeveer 250 vierkante meter. Aangezien ze een team van drie ervaren speurhonden bij zich hadden, was het zoekgebied uitermate overzichtelijk.

Ook Bobby bestudeerde de omgeving aandachtig met zijn scherpe sluipschuttersblik. Hij keek naar D.D., wees naar de eerste paar uitstulpingen en toen naar een nog bredere verhoging naast de verste rand van het bos. D.D. knikte.

Tijd om de honden los te laten.

'Jij gaat nu terug naar de auto,' zei D.D. Ze keek Tessa niet aan.

'Maar...'

'Je gaat terug naar de auto!'

Tessa zweeg. D.D. draaide zich weer om naar het verzamelde team. Achter in het groepje zag ze de agent die met het moorddossier bij de oorspronkelijke plaats delict had gewerkt. Ze gebaarde dat hij naar haar toe moest komen. 'Agent Fiske?'

'Ja, mevrouw.'

'Jij brengt mevrouw Leoni terug naar je wagen en wacht daar met haar.'

De man keek beteuterd. Van een actieve zoektocht naar passief oppasje spelen. 'Goed, mevrouw,' zei hij.

'Het is een grote verantwoordelijkheid om in je eentje een gevangene te begeleiden.'

Hij fleurde een beetje op en ging met een hand op zijn holster naast Tessa staan.

Tessa zei niets. Ze stond daar alleen maar, opnieuw met een uitdrukkingsloos gezicht. Het gezicht van een agent, dacht D.D. opeens, en om een of andere reden moest ze daarvan huiveren.

'Dank je,' zei D.D. abrupt.

'Waarvoor?' vroeg Tessa.

'Je dochter verdient dit. Kinderen horen niet verdwaald te raken in het bos. Nu kunnen we haar naar huis brengen.'

Tessa kon haar gezicht niet meer in de plooi houden. Haar ogen gingen wijd open en stonden ontzettend grimmig. Ze wankelde op haar benen en het scheelde maar een haartje of ze was onderuitgegaan.

'Ik hou van mijn dochter.'

'We zullen haar met respect behandelen,' antwoordde D.D., die al gebaarde naar het zoekteam, dat een rij begon te vormen aan de dichtstbijzijnde rand van de groep bomen.

'Ik hou van mijn dochter,' herhaalde Tessa, en haar stem klonk dringender. 'Je denkt nu dat je dat begrijpt, maar voor jou is het nog maar het begin. Over negen maanden zul je er versteld van staan hoe weinig je daarvoor van mensen kon houden, en een jaar later weer, en een jaar later weer. Stel je zes jaar voor. Zes hele jaren met zo'n liefde...'

D.D. keek de vrouw aan. 'Dat heeft haar uiteindelijk niet gered, hè?'
D.D. wendde zich doelbewust van Tessa Leoni af en voegde zich bij de lijkenhonden.

30

Van wie hou je?

Dat was natuurlijk de vraag. Dat was vanaf het begin al zo, maar dat kon rechercheur D.D. niet weten. Die dacht dat ze te maken had met een typisch geval van kindermishandeling en moord. Ik kan het haar niet kwalijk nemen. Hoe vaak ben ik zelf niet naar een huis geroepen waar een lijkbleek vijfjarig kind haar flauwgevallen moeder in haar armen hield? Ik heb gezien hoe een moeder haar zoon een klap gaf terwijl ze er net zo onbewogen bij keek als wanneer ze een vlieg had doodgeslagen. Ik heb kinderen hun eigen schaafwonden zien verbinden omdat ze toch al wisten dat hun moeder niet genoeg om ze gaf om dat voor ze te doen.

Maar ik had geprobeerd D.D. te waarschuwen. Ik had mijn leven weer op de rails gekregen voor Sophie. Ze was niet alleen mijn dochter, ze was de liefde die me uiteindelijk redde. Ze was gegiechel en plezier en puur enthousiasme. Ze was alles wat goed was in mijn wereld, en alles wat het de moeite waard maakte om thuis te komen.

Van wie hou je?

Van Sophie. Het was altijd al Sophie geweest.

D.D. dacht dat ze getuige was van het ergste wat een moeder kon doen. Ze had zich nog niet gerealiseerd dat ze er in werkelijkheid getuige van was hoe ver een moeder kan gaan uit liefde.

Wat kan ik zeggen? In dit vak komen fouten je duur te staan.

Ik was teruggegaan naar de wagen van Fiske. Mijn handen waren geboeid maar mijn benen niet meer. Dat detail scheen hij vergeten te zijn, en ik voelde me niet geroepen hem daarop te wijzen. Ik ging op de achterbank zitten en deed mijn uiterste best om mijn lichaamstaal kalm en op geen enkele manier dreigend te laten zijn.

Beide deuren stonden open, die van hem en die van mij. Ik had tegen hem gezegd dat ik frisse lucht nodig had. Ik was misselijk en had het gevoel dat ik zou kunnen overgeven. Fiske had me vuil aangekeken, maar wel gedaan wat ik vroeg, en hij had me zelfs geholpen de zware BPD-jas open te ritsen die mijn armen tegen mijn bovenlijf drukte.

Nu zat hij op de bestuurdersstoel, en het was duidelijk dat hij gefrustreerd was en zich verveelde. Mensen gingen bij de politie werken omdat ze actie wilden, niet om op hun gat te zitten. En nu was hij ertoe veroordeeld om te luisteren naar de actie die in de verte plaatsvond. Naar het weerkaatsende gejank van de speurhonden, het zwakke geluid van stemmen tussen de bomen.

'Je hebt het korte strootje getrokken,' merkte ik op.

Fiske bleef strak voor zich uit kijken.

'Heb je wel eens meegezocht naar een lijk?'

Hij weigerde iets te zeggen: geen contact maken met de vijand.

'Ik een paar keer,' vervolgde ik. 'Het is heel precies werk om altijd maar in de juiste lijn te blijven lopen. Centimeter voor centimeter, stap voor stap, elk stuk van het zoekgebied afwerken voor je naar het volgende gaat. Reddingswerk is beter. Ik werd een keer opgeroepen om te helpen bij het opsporen van een driejarig jongetje dat was verdwaald bij Walden's Pond. Uiteindelijk werd hij gevonden door een paar vrijwilligers. Een onvergetelijk moment. Iedereen huilde, behalve dat jongetje. Hij wilde alleen maar een chocoladereep.'

Fiske zei nog altijd niets.

Ik ging verzitten op de harde plastic achterbank en spitste mijn oren. Hoorde ik het al? Nog niet.

'Heb je kinderen?' vroeg ik.

'Hou je kop,' grauwde Fiske.

'Dat is de verkeerde strategie,' deelde ik hem mee. 'Zo lang je met me opgescheept zit, moet je juist met me praten. Misschien ben jij wel de geluksvogel die ik in vertrouwen neem. Voor je het weet biecht ik aan jou op wat er nou echt is gebeurd met mijn man en kind, en dan verander jij in één keer in een held. Daar zou je eens over moeten nadenken.'

Fiske keek me eindelijk aan.

'Ik hoop dat ze speciaal voor jou de doodstraf weer invoeren,' zei hij.

Ik glimlachte naar hem. 'Dan ben je een stommeling, want op dit moment zou de dood de makkelijke oplossing zijn.'

Hij draaide zich om en zweeg weer.

Ik begon zachtjes te zingen. Ik kon het niet laten. Slechte Tessa roerde zich.

'*Het enige wat ik wil met kerst zijn mijn twee voortanden, mijn twee voortanden, mijn twee voortanden.*'

'Hou je kop,' snauwde Fiske weer.

Toen hoorden we het allebei: het plotselinge opgewonden geblaf van een hond die een geur opving. De schreeuw van de geleider, gevolgd door het rumoer van het zoekteam dat op het doel afkwam. Fiske ging rechtop zitten en leunde over het stuur.

Ik kon voelen dat hij gespannen was en dat hij nauwelijks de aandrang kon onderdrukken om de wagen te verlaten en mee te gaan doen.

'Je zou me dankbaar moeten zijn,' zei ik vanaf de achterbank.

'Hou je kop.'

De hond blafte nog harder en was nu vlak bij zijn doel. Ik kon de route voor me zien die Quizo aflegde, over de kleine open plek, om de lichte glooiing heen. Door de omgevallen boom was er een natuurlijke holte ontstaan, vol lichtere, donziger vlokken, niet te groot en niet te klein. Ik was bijna bezweken onder het gewicht van mijn last tegen de tijd dat ik die holte had gevonden en stond letterlijk te wankelen op mijn benen van uitputting.

Ik legde het lichaam op de grond. Maakte de opvouwbare schep los die ik om mijn middel had gebonden. Mijn gehandschoende handen trilden terwijl ik de delen van de steel in elkaar klikte. Mijn rug deed pijn toen ik me vooroverboog, de dunne ijslaag doorboorde en de zachtere sneeuw daaronder bereikte. Ik groef tot ik niet meer kon. Pufte ijzige wolkjes uit. De hete tranen bevroren vrijwel onmiddellijk op mijn wangen.

Ik hakte de holte uit en legde vervolgens voorzichtig het lichaam erin. Mijn bewegingen waren langzamer toen ik de ene schep sneeuw na de andere weer terugplaatste en vervolgens alles zorgvuldig aanstampte.

Drieëntwintig scheppen sneeuw om een volwassen man te bedekken. Veel minder voor deze dierbare lading.

'Je zou me dankbaar moeten zijn,' zei ik weer, terwijl ik langzaam recht ging zitten en mijn lichaam ontspande. Slechte Tessa stak de kop op.

De hond had het gevonden. Quizo had zijn taak volbracht en liet dat zijn geleider weten met zijn onophoudelijke geblaf.

Laat hem met zijn vriendjes spelen, dacht ik, ondanks alles gespannen. Geef die hond zijn beloning. Breng hem naar Kelli en Skyler. Alsjeblieft.

Fiske staarde me eindelijk aan.

'Wat is jouw probleem?' vroeg hij kwaad.

'Wat is jóúw probleem zul je bedoelen. Ik ben tenslotte degene die jouw leven heeft gered.'

'Mijn leven? Wat...'

Toen, starend naar mijn onbewogen gezicht, legde hij eindelijk het verband.

Fiske sprong uit de auto. Fiske grabbelde naar de zender aan zijn riem. Fiske ging met zijn rug naar me toe staan.

Wat moet ik zeggen? In dit vak komen fouten je duur te staan.

Ik kwam zo snel mogelijk van de achterbank, sloeg mijn geboeide handen in elkaar en gaf hem een klap tegen zijn schedel. Fiske struikelde naar voren. Ik wist mijn armen over zijn hoofd en zijn nek te slaan en gaf een harde ruk.

Fiske hapte naar adem en maakte een vreemd rochelend geluid, dat eigenlijk best wel op het geluid leek dat bewaarder Kim Watters had gemaakt. Of Brian misschien, stervend op de smetteloze keukenvloer.

Ik ben niet bij mijn gezonde verstand. Dat was mijn laatste gedachte. Ik kan onmogelijk nog bij mijn gezonde verstand zijn.

Fiske ging door zijn knieën. We vielen allebei, terwijl een kleine halve kilometer verderop de sneeuw in de lucht vloog, er gegild werd en de eerste hond begon te janken.

Toen Fiske eindelijk niet meer bewoog, haalde ik drie keer diep adem. Ik inhaleerde de ijskoude lucht, die me dwong om terug te keren naar het heden. Er viel nog zoveel te doen, en er was zo weinig tijd voor.

Niet nadenken, niet nadenken, niet nadenken.

Ik haalde mijn handen uit elkaar, rommelde met de sleutels aan Fiskes middel en dacht er toen aan om zijn mobiele telefoon in te pikken. Ik moest de komende dertig seconden een ontzettend belangrijk telefoontje plegen.

In de verte hoorde ik geschreeuw. Meer jankende honden. Vier voertuigen verderop kregen Kelli en Skyler door dat er iets aan de hand was, en hun hoge geblaf voegde zich bij de herrie.

Niet nadenken, niet nadenken, niet nadenken.

Ik keek even naar de lucht en probeerde in te schatten hoe lang het nog licht zou zijn.

Zo te zien gaat het sneeuwen, dacht ik weer.

Toen greep ik de sleutels en het mobieltje en zette ik het op een rennen.

31

Toen de eerste explosie klonk, was D.D. halverwege de open plek. Ze liep met grote passen in de richting van de verhoging waar Quizo opgewonden blafte. Toen werd alles wit.

Door de enorme klap stoof de sneeuw alle kanten op. D.D. deed haar armen omhoog, maar toch voelde het alsof ze werd geraakt door duizenden scherpe naalden. Quizo's diepe geblaf ging meteen over in angstig blaffen. Er gilde iemand.

Toen volgde er een tweede explosie en gilden er nog meer mensen. D.D. werd naar achteren geblazen en kwam op haar kont terecht. Ze sloeg haar armen beschermend om haar hoofd.

'Quizo, Quizo!' riep iemand. Nelson waarschijnlijk.

'D.D., D.D., D.D.!' schreeuwde iemand anders. Bobby waarschijnlijk.

Ze deed haar ogen open en zag Bobby over de open plek aan komen rennen. Hij ploegde door de sneeuw en zijn gezicht was asgrauw van paniek. 'Alles goed? Zeg iets, D.D. Zeg iets, verdomme.'

'Wat, wat, wat?' Ze knipperde met haar ogen. Schudde ijs en sneeuw uit haar haar. Knipperde opnieuw. Haar oren tuitten en er leek wel een soort druk op te staan. Ze sperde haar mond wijd open om die druk te verminderen.

Bobby was bij haar en pakte haar bij haar schouders.

'Gaat het, gaat het, gaat het?' Zijn lippen bewogen, maar het duurde een seconde voordat de woorden door het gezoem in haar hoofd heen drongen.

Ze knikte zwakjes en duwde hem van zich af zodat ze haar armen, haar benen en, het belangrijkste van alles, haar borst kon bekijken. Al met al leek ze ongedeerd. De afstand was groot genoeg geweest en de sneeuw had haar val gebroken. Ze was niet gewond, alleen maar versuft en verward.

Ze stond toe dat Bobby haar overeind trok en nam toen de rest van de schade in zich op.

De besneeuwde glooiing waar Quizo met zijn scherpe neus in had gewoeld, was verdwenen. In plaats daarvan zag D.D. een holte in de bruine aarde die bedekt was met stukjes boom, bladeren en – de hemel sta ons bij, dacht ze – roze weefsel.

Quizo was een eindje opzij gelopen. Hij had zijn snuit in de sneeuw gestoken en jankte en hijgde. Nelson stond over zijn hond heen gebogen en bedekte de oren van het dier met zijn handen terwijl hij zachtjes troostende woorden tegen zijn ontdane herder fluisterde.

De andere speurhonden waren stil blijven staan en huilden naar de hemel.

Collega gewond, dacht D.D. Dat lieten de honden de hele wereld weten. Ze zou wel met ze willen meehuilen, tot dat vreselijke gevoel van woede en machteloosheid in haar borst was weggeëbd.

Cassondra Murray, de teamleider, had haar mobieltje al gepakt en overlegde op afgemeten toon met een dierenarts. Mensen van de BPD verspreidden zich over de locatie, de hand op hun holster, speurend naar aanwijzingen van direct gevaar.

'Stop!' riep Bobby plotseling.

Iedereen bleef staan. De hondengeleiders verstijfden.

Hij keek om zich heen in de sneeuw. D.D., die nog steeds haar mond opensperde om het gegons in haar oren te laten verdwijnen, deed hetzelfde.

Ze zag stukjes roze stof, een gerafeld stukje van een spijkerbroek, van wat de tennisschoen van een kind zou kunnen zijn geweest. Ze zag rood en bruin en groen. Ze zag… stukjes. Dat was het enige woord dat ze ervoor kon bedenken. Waar eerst het stoffelijk overschot van een mens begraven had gelegen, lagen nu stukjes, naar alle kanten verspreid.

De hele open plek was zojuist een locatie geworden waar een lichaam was gevonden. Dat betekende dat iedereen er weg moest om zo veel mogelijk te voorkomen dat er bewijs werd aangetast. Ze moesten nu zorgen dat ze alles in de hand hielden. Er moest onmiddellijk contact met de patholoog worden opgenomen, om nog maar te zwijgen van de busladingen mensen van de technische recherche en andere specialisten. Er waren een heleboel menselijke stoffelijke resten, er was haar, er waren vezels… ze hadden ontzettend veel werk te doen.

Goeie genade, dacht D.D. terwijl haar oren nog altijd tuitten en haar armen pijn deden. En intussen bleven de honden maar janken.

Ze kon niet… Het kon niet…

Toen ze omlaag keek, drong het tot haar door dat er een klein roze pluisje aan haar laars was blijven haken. Misschien van een jas, of van de lievelingsdeken van het meisje.

Sophie Leoni, met haar grote blauwe ogen en het hartvormige gezicht. Sophie Leoni, met het bruine haar en haar tandeloze lach die zo graag in bomen klom en het zo vreselijk vond om in het donker te slapen.

Sophie Leoni.

Ik hou van mijn dochter, had Tessa gezegd terwijl ze hier stond. *Ik hou van mijn dochter*.

Wat voor moeder dééd zoiets?

Toen kwamen D.D.'s hersenen opeens in beweging en besefte ze wat het volgende puzzelstukje was.

'Fiske!' schreeuwde ze, terwijl ze Bobby bij zijn arm pakte. 'We moeten Fiske waarschuwen. Neem contact met hem op, nú!'

Bobby had zijn zender al gepakt. 'Fiske. Meld je, Fiske. Fiske.'

Maar er kwam geen antwoord. Natúúrlijk kwam er geen antwoord. Waarom zou Tessa Leoni er anders op hebben gestaan om hen persoonlijk naar het lichaam te brengen? Waarom zou ze haar kind anders hebben opgetuigd met explosieven?

D.D. wendde zich tot de andere rechercheurs.

'Assistentie collega!' schreeuwde ze, en de hele groep rende tussen de bomen door zo snel mogelijk terug.

Later leek het allemaal zo voor de hand te liggen dat D.D. niet kon geloven dat ze het niet had zien aankomen. Tessa Leoni had het lichaam van haar man minstens vierentwintig uur ingevroren. Waarom zo lang? Waarom zo'n uitvoerig plan om van het stoffelijk overschot van haar dochter af te komen?

Omdat Tessa Leoni niet alleen maar een lijk had gedumpt. Ze was bezig geweest haar 'Verlaat de gevangenis zonder betalen'-kaartje te regelen.

En D.D. had haar dat kaartje gewoon aangereikt.

Ze had Tessa persoonlijk uit de Suffolk County Jail gehaald. Ze had de verdachte van een dubbele moord persoonlijk naar een afgelegen locatie in midden-Massachusetts gebracht. Vervolgens had ze persoonlijk een hondenteam naar een lichaam met explosieven geleid, zodat ze Tessa in de gelegenheid had gesteld om de benen te nemen.

'Wat een rund ben ik!' riep D.D. twee uur later uit. Bobby en zij bleven achter op de afgelegen plek terwijl de voertuigen van de BPD en de districtspolitie een paar honderd meter verderop in een rij stonden.

De ambulance was het eerst gearriveerd. De verpleegkundigen hadden geprobeerd Fiske te behandelen, maar toen die hen had afgewimpeld, gegeneerd, beschaamd en ook anderszins nog niet in de stemming om ook maar met iemand iets te maken te hebben, hadden ze zich maar over Quizo ontfermd. Het arme dier had een gescheurd trommelvlies en een geschroeide snuit doordat hij zich te dicht in de buurt van de ontploffing had bevonden. Het trommelvlies zou vanzelf herstellen, net als bij mensen, stelden de ambulanceverpleegkundigen Nelson gerust.

Ze wilden de hond best even naar zijn dierenarts brengen. Nelson, die duidelijk heel erg van slag was, greep dat aanbod met beide handen aan. De rest van het zoekteam laadde zijn spullen in zijn truck, en ook de treurige Kelli en Skyler. Teamleider Cassondra had D.D. verzekerd dat ze de volgende ochtend contact zouden opnemen. Nu moesten ze eerst even bijkomen. Ze waren gewend aan zoekacties die eindigden met een tastbare vondst, niet met zelfgemaakte explosieven.

Nu het zoekteam vertrok, nam D.D. contact op met Ben. Ze hadden lichamelijke resten en hadden absoluut hulp nodig.

Zo ging het. De agenten vertrokken. De technische recherche kwam.

En de opsporing van voormalig staatsagent Tessa Leoni, die nu officieel voortvluchtig was, draaide op volle toeren.

Volgens Fiske was hij vergeten haar enkels opnieuw te boeien (nog zo'n beschamende bekentenis die later die avond ongetwijfeld zou worden weggespoeld met een paar flinke glazen whisky). Tessa had ook zijn sleutels weten te bemachtigen, en de kans was groot dat ze ook de boeien om haar polsen los had gekregen.

Ze had zijn mobieltje afgepakt, maar niet zijn dienstwapen, wat goed nieuws was voor het opsporingsteam en waarschijnlijk betekende dat Fiske door het oog van de naald was gekropen (goed voor nog een paar glazen whisky, waarschijnlijk morgenavond). Tessa was het laatst gesignaleerd in een opengeritste zwarte jas van de BPD met daaronder een dunne oranje overall. Ze was te voet, zonder eten en zonder muts, handschoenen of laarzen in een verlaten gebied, en niemand verwachtte dat ze ver zou komen.

De adrenaline zou haar de eerste paar kilometer door helpen, maar de lichte sneeuwval zou rennen uitputtend maken en voor een spoor zorgen dat zelfs een blinde nog kon volgen.

Het opsporingsteam maakte zich klaar en ging op weg. Het zou nog een uur licht zijn. Ze verwachtten dat dat voldoende was, maar voor de zekerheid hadden ze zaklampen bij zich. Twintig man tegen één wanhopige ontsnapte gevangene.

De leider van het team beloofde D.D. dat ze de klus zouden klaren. Onder zijn verantwoordelijkheid zou het een kindermoordenaar niet lukken om te ontkomen.

Nu was het D.D.'s beurt om zich te schamen, maar voor haar geen whisky vanavond. Nee, voor haar was er een plaats delict die moest worden afgewerkt en een taskforce die moest worden ingelicht en een baas die moest worden bijgepraat – een baas die waarschijnlijk heel ontevreden over haar zou zijn, maar dat was helemaal niet erg, want ze was momenteel ook heel ontevreden over zichzelf.

En dus deed ze wat ze altijd deed: ze ging terug naar de plek van de misdaad, met Bobby aan haar zijde.

De patholoog had zijn medewerkers meegebracht. Ze hadden hun speciale werkkleding aan en deden heel voorzichtig lichaamsresten in rode zakken voor biologisch gevaarlijk materiaal. Mensen van de technische recherche kwamen achter hen aan en verzamelden andere overblijfselen, hopelijk ook van de explosieven. Het was tegenwoordig niet zo moeilijk om zelf een bom in elkaar te zetten. Daar had je een minuut of tien op internet en een bezoekje aan de plaatselijke bouwmarkt voor nodig. Tessa was een slimme vrouw. Je zorgde voor materiaal dat snel ontplofte en plaatste dat samen met het lichaam in de holte in de sneeuw. Vervolgens bedekte je de boel en wachtte je af.

De honden en de politie arriveren. Tessa trekt zich terug. De bommen gaan van *boem!* Haar bewaker zegt: 'Watte?' En Tessa grijpt haar kans om een collega-agent uit te schakelen en het op een lopen te zetten.

Hallo, gehavend zoekteam. De groeten, BPD.

Wat D.D. betrof werd nu het kleinste stukje bewijs dat ze konden bergen een nieuwe nagel aan Tessa Leoni's doodskist, en ze wilde al die stukjes. Ze wilde ze allemaal.

Ben keek op toen Bobby en D.D. aan kwamen lopen. Hij overhandigde de zak die hij vasthield aan een van zijn medewerkers en kwam naar hen toe.

'En?' vroeg D.D. meteen.

De patholoog, een stevige veertiger met staalgrijs stekeltjeshaar, aarzelde. Hij kruiste zijn armen voor zijn brede borst. 'We hebben organische substantie en bot gevonden die afkomstig zijn van een lichaam,' gaf hij toe.

'Sophie Leoni?'

Als antwoord stak Ben zijn gehandschoende hand uit en liet een stukje wit bot zien. Het was een centimeter of vijf en zat onder de aarde en bladresten. 'Dit is een stukje van een rib,' zei hij. 'De volledige lengte komt overeen met die van de rib van een zesjarige.'

D.D. slikte en dwong zichzelf om te knikken. Het bot was kleiner dan ze zich had voorgesteld. Onvoorstelbaar broos.

'We hebben een etiket van een kledingstuk gevonden, maat 116-122,' vervolgde Ben. 'De kledingresten zijn overwegend roze. Ook dat wijst op een kind van het vrouwelijk geslacht.'

D.D. knikte opnieuw en bleef naar het stukje rib staren.

Ben verplaatste het naar de zijkant van zijn handpalm en liet toen een klein stukje materiaal zien dat de vorm had van een maïskorrel. 'Tand. Ook van een meisje in de prepuberteit. Alleen... de wortel ontbreekt.' De patholoog klonk alsof hij voor een raadsel stond. 'Meestal zit de wortel er bij de tanden in een stoffelijk overschot nog aan. Tenzij de tand al los zat.' Hij leek het meer tegen zichzelf te hebben dan tegen D.D. en Bobby. 'Dat zou wel kunnen kloppen bij een kind uit groep drie. Een losse tand, in combinatie met een krachtige explosie... Ja, dat zie ik wel voor me.'

'Dus de tand is hoogstwaarschijnlijk van Sophie Leoni?' drong D.D. aan.

'De tand is hoogstwaarschijnlijk van een meisje in de prepuberteit,' corrigeerde Ben haar. 'Meer kan ik op dit moment niet zeggen. Ik moet de resten naar mijn laboratorium brengen. Röntgenfoto's van de tanden zouden het beste zijn, maar we hebben nog geen schedel of kaak gevonden. Er valt hier nog wel wat werk te doen.'

Met andere woorden, dacht D.D., Tessa Leoni heeft springstof aangebracht die zo krachtig was dat er een tand uit de schedel van haar dochter werd geblazen.

Er dwarrelde een sneeuwvlok naar beneden, en toen nog één en nog één.

Ze keken allemaal omhoog. De dreigende grijze sneeuwwolken waren eindelijk gearriveerd.

'Zeil,' zei Ben meteen terwijl hij zich naar zijn assistent spoedde. 'Dek de resten af, snel, snel!'

Ben haastte zich weg. D.D. trok zich terug van de open plek en dook weg achter de dichtste struik die ze kon vinden. Daar boog ze zich voorover en begon ze te kokhalzen.

Wat had Tessa gezegd? De liefde die D.D. voor haar ongeboren kind voelde was nog niets vergeleken met de liefde die ze over een jaar zou voelen, of het jaar daarna of het jaar daarna. Zes jaar van zulke liefde. Zes jaar...

Hoe kon een vrouw... Hoe kon een moeder...

Hoe kon je het ene moment je kind instoppen en het volgende moment een geschikte plek uitzoeken om het te begraven? Hoe kon je je zes jaar oude dochter een nachtzoen geven en vervolgens haar lichaam volhangen met explosieven?

Ik hou van mijn dochter, had Tessa gezegd. *Ik hou van mijn dochter*.

Wat een gore teef.

D.D. kokhalsde weer. Bobby stond naast haar. Ze voelde dat hij haar haren van haar wangen streek. Hij gaf haar een flesje water. Ze spoelde haar mond en wendde vervolgens haar verhitte gezicht naar de hemel omdat ze de sneeuw op haar wangen wilde voelen.

'Kom,' zei hij zacht. 'We gaan naar je auto. Tijd om wat te rusten, D.D. Het komt allemaal goed. Heus.'

Hij pakte haar hand en trok haar mee tussen de bomen door. Ze liep mistroostig achter hem aan. Ze vond hem een leugenaar. Het kwam nooit meer goed als je had gezien hoe het lichaam van een klein meisje voor je eigen ogen werd opgeblazen.

Ze zouden naar het hoofdbureau moeten gaan, en snel ook, voordat het weggetje onbegaanbaar zou worden. Ze moest zich voorbereiden op de onvermijdelijke persconferentie. *Goed nieuws: we hebben waarschijnlijk het lichaam van Sophie Leoni gevonden. Het slechte nieuws is dat we haar moeder kwijt zijn, een gerenommeerde staatsagente die naar alle waarschijnlijkheid haar hele gezin heeft vermoord.*

Ze kwamen bij de auto. Bobby deed de deur aan de passagierskant open en ze liet zich op de stoel glijden. Ze voelde zich verward en rusteloos en zou het liefst uit haar eigen vel kruipen. Ze wilde geen rechercheur meer zijn. Brigadier-rechercheur D.D. Warren had haar vrouw niet te pakken gekregen. Brigadier-rechercheur D.D. Warren had het kind niet gered. Brigadier-rechercheur D.D. Warren stond op het punt zelf moeder te worden, en moest je Tessa Leoni eens zien, die voortreffelijke agente die haar eigen kind had omgebracht, begraven en vervolgens opgeblazen, en wat zei dat over vrouwelijke agenten die moeder werden, en wat dácht D.D. nou eigenlijk?

Ze kon niet zwanger zijn. Ze was niet sterk genoeg. Er kwamen barsten in haar harde vernisje, en eronder bevond zich slechts een enorme hoeveelheid verdriet. Al die dode lichamen die ze door de jaren heen had bestudeerd. Andere kinderen die nooit meer thuis waren gekomen. De gezichten zonder enig berouw van ouders, ooms, grootouders en zelfs buren die het misdrijf hadden gepleegd.

Ze haatte deze wereld. Ze loste elke moord alleen maar op om verder te kunnen met de volgende. Als je ervoor zorgde dat een kindermishandelaar achter slot en grendel kwam, zag je de volgende dag een vrouwenmishandelaar op vrije voeten komen. En zo ging het keer op keer. D.D. was gedoemd om de rest van haar carrière afgelegen oorden af te struinen, op zoek naar kleine levenloze lichamen waar nooit van was gehouden en die zelfs nooit gewenst waren.

Ze had gewoon Sophie thuis willen brengen. Dit ene kind willen redden. Dat ene hele kleine verschil in het universum willen maken, en nu… Nu…

'Ssst.' Bobby streelde haar haar.

Huilde ze? Misschien, maar het was niet genoeg. Ze drukte haar betraande wang tegen de kromming van zijn schouder. Voelde de sidderende warmte van zijn lichaam. Haar lippen vonden zijn nek. Het smaakte zout. Toen leek het heel vanzelfsprekend om naar achteren te leunen en met haar lippen de zijne te vinden. Hij trok zich niet terug. Integendeel, ze voelde dat zijn handen haar schouders vastpakten. Dus kuste ze hem opnieuw, de man die ooit haar geliefde was geweest en een van de weinige mensen was op wie ze kon bouwen.

Heel even stond de tijd stil. Heel even hoefde ze niet te denken en hoefde ze alleen maar te voelen.

Toen spanden Bobby's handen zich weer. Hij tilde haar op en duwde haar zachtjes weer naar achteren, tot ze rechtop in de passagiersstoel zat en ze minstens een halve meter tussen hen in hadden.

'Nee,' zei hij.

D.D. kon geen woord uitbrengen. Het begon tot haar door te dringen wat voor enorme stommiteit ze zojuist had begaan. Ze keek om zich heen in de kleine auto en wilde weg, weg.

'Het gebeurde gewoon,' vervolgde Bobby. Zijn stem klonk schor. Hij zweeg even, schraapte zijn keel en herhaalde: 'Het gebeurde gewoon. Maar ik heb Annabelle en jij hebt Alex. Jij en ik verknallen ons geluk niet, we weten wel beter.'

D.D. knikte.

'D.D...'

Ze schudde meteen haar hoofd. Ze wilde niets meer horen. Ze had het al genoeg verknald. Het was gewoon gebeurd, precies zoals hij zei. Het leven zat vol met dingen die gewoon gebeurden.

Alleen had ze altijd al een zwak gehad voor Bobby Dodge. Ze had hem laten gaan, om vervolgens nooit meer over hem heen te komen. En als ze nu iets zou zeggen, zou ze gaan huilen en dat was stom. Bobby verdiende beter. Alex verdiende ook beter. Ze verdienden allemáál beter.

Toen moest ze aan Tessa Leoni denken, en ondanks alles voelde ze die verbondenheid weer. Twee vrouwen die zo goed waren in hun werk en er in hun privéleven zo'n zootje van maakten.

De zender aan het dashboard kwam knetterend tot leven. D.D. hunkerde naar goed nieuws en wist niet hoe snel ze het ding moest pakken.

Het was Landley van het opsporingsteam. Ze hadden Tessa's spoor vier kilometer lang gevolgd, over de besneeuwde landweg tot het punt waar die de grote weg kruiste. Daar hielden de voetstappen op en begonnen er verse bandensporen.

Het had er alle schijn van dat Tessa Leoni niet langer alleen en te voet was.

Ze had een handlanger en een auto.

Ze was verdwenen.

32

Toen Juliana en ik twaalf waren, bedachten we een kreet: 'Waar heb je vrienden voor?' Die gebruikten we als een code: als we hulp nodig hadden, hoe gênant of radeloos ook, dan moest de ander ons helpen, want daar had je vrienden voor.

Juliana vergat haar huiswerk voor wiskunde te maken. Waar heb je vrienden voor, zei ze bij de kluisjes, en dan gaf ik haar snel mijn antwoorden. Mijn vader deed er moeilijk over dat ik langer op school wilde blijven om te sporten. Waar heb je vrienden voor, zei ik, en dan liet Juliana haar moeder bellen om tegen mijn vader te zeggen dat zij me thuis zou brengen, omdat mijn vader Juliana's moeder nooit zou tegenspreken. Juliana werd verliefd op die leuke jongen uit onze biologieklas. Waar heb je vrienden voor? Ik ging in de lunchpauze naast hem zitten om erachter te komen of mijn vriendin een kans maakte.

Je wordt gearresteerd voor de moord op je man. Waar heb je vrienden voor? Ik zocht zaterdagmiddag Juliana's nummer op, omdat mijn wereld instortte en ik me realiseerde dat ik hulp nodig had. Tien jaar later was er nog altijd maar één persoon die ik kon vertrouwen. Dus toen de man in het zwart eindelijk weg was en het lichaam van mijn man beneden in de garage onder de sneeuw had achtergelaten, zocht ik de nieuwe achternaam, het adres en het telefoonnummer van mijn vroegere beste vriendin op. Ik leerde de gegevens uit mijn hoofd zodat er niets op papier stond.

Kort daarna zette ik twee kleine bommen in elkaar. Vervolgens laadde ik alles in de Denali en ging op weg.

Ik wist toen al dat het mijn laatste handelingen als vrije vrouw waren. Brian had iets slechts gedaan, maar Sophie en ik waren degenen die daarvoor gestraft gingen worden. En dus betaalde ik de moordenaar van mijn man vijftigduizend dollar om vierentwintig uur uitstel te krijgen. Die tijd gebruikte ik om vertwijfeld twee stappen voor te komen.

Zondagochtend kwam Shane en was het spel begonnen. Een uur later, helemaal aan gort geslagen en met een hersenschudding en een gebroken jukbeen, veranderde ik van een briljante strateeg in een zwaar mishandelde, versufte en verwarde vrouw, terwijl ik ergens in mijn achterhoofd de vage hoop hield dat ik me helemaal vergiste. Misschien was Brian wel niet voor mijn ogen gestorven. Misschien was Sophie wel niet uit haar bed gehaald. Misschien zou mijn wereld als door een wonder weer hersteld zijn als ik straks wakker werd, en had ik mijn man en mijn dochter weer bij me en hielden ze allebei mijn hand vast.

Dat geluk was me niet voor me weggelegd.

In plaats daarvan was ik tot maandagochtend gekluisterd aan een ziekenhuisbed. Toen werd ik gearresteerd door de politie en trad plan B in werking.

Alle telefoontjes die vanuit de gevangenis gepleegd worden, beginnen met de opgenomen mededeling dat het om een collect call gaat. Is de ontvanger bereid de kosten voor zijn of haar rekening te nemen?

Dat is de hamvraag, dacht ik toen ik maandagavond in de gemeenschappelijke ruimte van de vrouwenafdeling stond en met trillende vingers Juliana's nummer draaide. Tot mijn grote verbazing nam Juliana het telefoontje aan. Ik wil wedden dat ze zelf ook verbaasd was. En ik wil wedden dat ze er binnen een halve minuut spijt van had dat ze nee had gezegd.

Omdat alle uitgaande gesprekken werden opgenomen, hield ik het simpel.

'Waar heb je vrienden voor?' zei ik, terwijl mijn hart in mijn keel bonsde. Ik hoorde dat Juliana haar adem inhield.

'Tessa?'

'Ik kan wel een vriendin gebruiken,' zei ik snel, voordat Juliana iets verstandigs deed, zoals ophangen. 'Morgenmiddag bel ik weer. Waar heb je immers vrienden voor.'

Toen hing ik op, omdat ik tranen in mijn ogen had gekregen toen ik Juliana's stem hoorde en je het je in de gevangenis niet kunt veroorloven om te huilen.

Nu rende ik met Fiskes mobieltje honderd meter over het besneeuwde weggetje, tot ik bij een enorme boom kwam. Ik dook weg onder de bescherming van de groene takken en belde zo snel ik kon Juliana's nummer terwijl ik een kleine waterdichte tas tevoorschijn haalde die ik eerder onder de takken had verstopt.

'Hallo?'

Ik praatte snel. Een routebeschrijving, gps-coördinaten en een lijst met benodigdheden. Ik had in de gevangenis vierentwintig uur de tijd gehad om mijn ontsnapping te plannen, en die had ik goed benut.

Aan de andere kant van de lijn protesteerde Juliana niet. Waar heb je vrienden voor?

Misschien zou ze de politie bellen zodra ze had opgehangen. Maar ik dacht niet dat ze dat zou doen. Want de laatste keer dat die woorden tussen ons waren gebruikt, was het Juliana geweest die ze had uitgesproken, terwijl ze me het pistool overhandigde dat zojuist een einde had gemaakt aan het leven van haar broer.

Ik legde Fiskes mobieltje neer en opende de waterdichte tas. Daar zat Brians Glock .40 in, die ik uit onze wapenkluis had gehaald.

Hij had hem niet meer nodig. Maar ik wel.

Tegen de tijd dat de zilverkleurige SUV op de hoofdweg langzaam tot stilstand kwam, was mijn zelfvertrouwen als sneeuw voor de zon verdwenen en was ik schichtig en nerveus. Met het pistool in de zak van mijn zwarte jas en mijn armen om me heen hield ik me schuil aan de rand van het bos. Ik had het gevoel dat ik in het oog liep. Er kon nu elk moment een politiewagen voorbij scheuren. Als ik niet op tijd omlaag dook om me te verstoppen, zou de oplettende agent me in de smiezen krijgen en zijn auto keren, en dan was het voorbij.

Ik moest waakzaam zijn. Vluchten. Me schuilhouden.

Toen verscheen er in de verte een andere auto. Het licht van de koplampen sneed door het donker. De auto reed langzamer, onzekerder, alsof de bestuurder iets zocht. Ik zag geen sirenes op het dak, wat betekende dat het een gewone auto was en geen politiewagen. Nu of nooit.

Ik haalde diep adem en deed een stap in de richting van het asfalt. Het licht van de koplampen gleed over mijn gezicht en de SUV remde hard.

Juliana was er.

Zo snel ik kon ging ik op de achterbank zitten. Ik had de deur nog niet dichtgedaan of de auto schoot weg. Ik liet me op de vloer zakken en bleef daar.

Op de achterbank stond een kinderstoeltje. Het was leeg maar er lag een babydekentje overheen. Ik weet niet waarom dat me verbaasde. Ik had zelf een kind, dus waarom Juliana niet?

Als meisjes waren we van plan geweest met tweelingbroers te trouwen. We zouden naast elkaar gaan wonen en samen onze kinderen opvoeden. Juliana wilde drie kinderen, twee jongens en een meisje. Ik wilde er van allebei eentje. Zij zou thuisblijven om voor haar kinderen te zorgen, net als haar moeder. Ik zou de eigenaar worden van een speelgoedwinkel, waar haar kinderen natuurlijk gezinskorting zouden krijgen.

Naast het stoeltje lag een donkergroene plunjezak. Ik ging op mijn knieën zitten, waarbij ik ervoor zorgde dat ik niet zichtbaar was door de ramen, en ritste hem open. Alles waar ik om gevraagd had zat erin: schone kleren, allemaal zwart. Ondergoed. Een schaar, make-up, een zwarte pet en handschoenen.

Honderdvijftig dollar contant geld, in kleine coupures. Meer had ze op zo'n korte termijn waarschijnlijk niet bij elkaar kunnen krijgen.

Ik vroeg me af of dat nu veel geld was voor Juliana. Ik kende alleen het meisje dat ze was geweest, niet de echtgenote en moeder die ze was geworden.

Eerst haalde ik alle zwarte spullen uit de tas en legde die op de achterbank. Ik moest een beetje wurmen, maar uiteindelijk speelde ik het klaar om de oranje overall uit te krijgen en de zwarte spijkerbroek en een zwarte coltrui aan te trekken. Ik hield mijn haar bij elkaar en zette de zwarte honkbalpet op.

Toen draaide ik me naar de achteruitkijkspiegel om mezelf te bekijken.

Juliana staarde me aan. Haar lippen waren samengeperst en ze klemde haar handen zenuwachtig om het stuur.

Ze heeft net een baby, dacht ik meteen. Zo zag ze eruit: als een afgematte kersverse moeder die 's nachts nog niet kon doorslapen en op het randje van uitputting was. Ze wist dat het eerste jaar zwaar zou zijn en kwam er tot haar verbazing achter dat het daarna nog zwaarder werd. Ze ontweek mijn blik en hield haar ogen op de weg gericht.

Ik ging op de achterbank zitten.

'Dank je wel,' zei ik ten slotte.

Ze gaf geen antwoord.

Zwijgend reden we veertig minuten verder. Het was eindelijk gaan sneeuwen, eerst zachtjes en vervolgens zo hard dat Juliana snelheid moest minderen.

Op mijn verzoek zette ze de radio aan om naar het nieuws te luisteren. Geen woord over agenten die bij een incident betrokken waren geraakt, dus kennelijk hadden D.D. en haar team mijn kleine verrassing overleefd en ervoor gekozen de zaak stil te houden.

Zat wat in. Er was geen agent die wilde toegeven dat hij een gevangene was kwijtgeraakt, vooral niet als hij dacht dat die gevangene binnen de kortste keren in de kraag zou worden gevat. Rechercheur Warren wist niet beter dan dat ik te voet was, en waarschijnlijk betekende dat dat D.D. had gedacht me binnen een uur op te pakken.

Ik vond het niet erg om haar te moeten teleurstellen, maar ik was opgelucht dat iedereen ongedeerd was. Ik had mijn best gedaan om de bommen zo in elkaar te zetten dat ze achterwaarts zouden ontploffen, weg van het zoekteam en in de richting van de relatieve bescherming van de gevallen boom. Maar aangezien ik geen enkele ervaring had in het maken van explosieven, moest ik maar afwachten of ik in mijn opzet geslaagd was.

Zittend achter Fiske was ik heen en weer geslingerd tussen hoop en vrees over wat er ging gebeuren.

De SUV remde opnieuw af. Juliana deed de richtingaanwijzer aan en maakte aanstalten om de snelweg af te slaan, Route 9 op. Ze had de hele rit langzamer gereden dan de maximumsnelheid en twee handen aan het stuur gehouden. De consciëntieuze bestuurder van een vluchtauto.

Nu zat ons avontuur er bijna op, en ik zag dat haar onderlip trilde. Ze was bang.

Zou ze denken dat ik mijn man had omgebracht? Zou ze denken dat ik mijn eigen dochter had vermoord? Ik zou mijn onschuld moeten betuigen, maar dat deed ik niet.

Als er iemand was die beter zou moeten weten, dan was zij het.

Nog twaalf minuten. Meer was er niet voor nodig om terug te reizen in de tijd, om terug te keren naar de oude buurt. Langs haar oude huis, langs het vervallen huis van mijn ouders.

Juliana keurde geen van de gebouwen een blik waardig. Ze zuchtte niet, werd niet nostalgisch, zei geen woord.

Nog twee laatste bochten en toen waren we er, bij de garage van mijn vader.

Ze ging aan de kant van de weg staan en deed de lichten uit.

Het sneeuwde nu echt stevig en de donkere wereld werd bedekt met een witte deken.

Ik pakte mijn laatste spullen bij elkaar en stopte ze in de plunjezak, die ik mee zou nemen. Geen bewijs achterlaten.

'Als je straks thuiskomt,' zei ik, met een stem die in de stilte verrassend luid klonk, 'moet je ammoniak met warm water mengen en daar de auto mee afnemen. Daar krijg je de vingerafdrukken mee weg.'

Juliana keek me weer aan in de achteruitkijkspiegel maar bleef zwijgen.

'De politie zal je vinden,' vervolgde ik. 'Ze zullen zich helemaal op ons telefoongesprek van gisteren storten, toen ik in de gevangenis zat. Het is zo ongeveer het enige spoor dat ze hebben, dus dat zullen ze volgen. Vertel gewoon de waarheid. Wat ik heb gezegd, wat jij hebt gezegd. Het hele gesprek is opgenomen, dus je vertelt ze toch niets nieuws, en we hebben niets gezegd waarmee je in de problemen kunt komen.'

Juliana keek me aan en bleef zwijgen.

'Het zal ze een hoop tijd kosten om het gesprek van vandaag te traceren,' zei ik. 'We hebben alleen contact gehad met de gsm van iemand anders, en die ga ik met een snijbrander bewerken. Als ik de circuits eenmaal heb laten smelten, valt er niets meer te achterhalen, of in elk geval kost het ze veel te veel tijd. Je had overal wel kunnen zijn en van alles kunnen doen. Laat ze maar zweten.'

Ik twijfelde er niet aan dat ze het politieverhoor zou doorstaan. Dat had ze al eerder gedaan.

'We staan quitte,' zei ze opeens op vlakke toon. 'Ik wil dat je me niet meer belt. We staan quitte.'

Ik glimlachte, oprecht bedroefd. We hadden tien jaar lang afstand gehouden. En dat zou zo zijn gebleven als die stomme man van me zaterdagochtend niet op onze stomme keukenvloer was doodgegaan.

Voor vriendschap had je alles over, dus had ik datgene gedaan waarvan ik wist dat Juliana het nodig had. Zelfs al deed het me pijn.

'Ik zou het weer doen,' mompelde ik, terwijl ik in de achteruitkijkspiegel haar blik ving. 'Je was mijn beste vriendin, en ik hield van je en ik zou het weer doen.'

'Heb je haar echt Sophie genoemd?'

'Yep.'

Juliana Sophia MacDougall-Howe sloeg een hand voor haar mond. Ze begon te huilen.

Ik zwaaide de plunjezak over mijn schouder en stapte de sneeuw en het donker in. Het volgende moment startte de motor. Toen gingen de koplampen aan en reed Juliana weg.

Ik liep naar de werkplaats van mijn vader. Omdat er binnen licht brandde, wist ik dat hij op me wachtte.

33

Bobby en D.D. reden zwijgend terug naar het hoofdbureau. Bobby reed, D.D. zat naast hem in de passagiersstoel. Haar handen lagen als vuisten gebald op schoot en ze probeerde niet te denken, maar toch schoten haar gedachten alle kanten op.

Ze had de hele dag nog niets gegeten en op zijn zachtst gezegd had ze vannacht nauwelijks geslapen. Als je dat alles combineerde met het feit dat dit verreweg de grootste rotdag uit haar carrière was, kon je het haar niet kwalijk nemen dat ze zich even had laten gaan en een getrouwde man had gekust terwijl ze de baby van een andere man in haar buik had. Hartstikke logisch allemaal.

Ze drukte haar voorhoofd tegen het koele raam en staarde naar de sneeuw. De vlokken vielen nu in grote hoeveelheden. Ze wisten de sporen van Tessa Leoni. Ze lieten het verkeer in de soep lopen. Ze maakten een toch al zo gecompliceerd onderzoek alleen maar gecompliceerder.

Voordat ze was weggereden bij de plaats delict had ze contact opgenomen met haar baas. Horgan kon het nieuws beter van haar horen dan op de laatste uitzending van het journaal, waar het nu elk moment bekend zou worden gemaakt. D.D. had de verdachte van een dubbele moord laten ontsnappen. Ze had haar naar een afgelegen gebied midden in Massachusetts gebracht, waar haar hele team het slachtoffer was geworden van een boobytrap die door de eerste de beste amateur was gemaakt.

De BPD stond voor lul. Om er nog maar over te zwijgen dat de hele zaak nu hoogstwaarschijnlijk werd overgenomen door de snoeiharde eenheid die voortvluchtigen opspoorde – en die onder verantwoordelijkheid van de staatspolitie viel – aangezien de zoekoperatie steeds omvangrijker werd. De BPD zou dus incompetent lijken en niet de kans krijgen om het goed te maken. Voor altijd gebrandmerkt als sukkels. En in alle toekomstige verslagen in de media zou dat ene zinnetje telkens weer terugkomen: *De van dubbele moord verdachte Tessa Leoni, die wist te ontkomen terwijl ze onder het toezicht stond van de Bostonse politie…*

Ze kon maar beter hopen dat ze zwanger was. Dan kon ze met zwangerschapsverlof in plaats van ontslag te nemen.

Het deed pijn.

Ze had echt pijn. Hoofdpijn. En pijn in haar borst. Ze rouwde om Sophie Leoni, het kind met een lief gezicht, dat beter had verdiend. Had ze er elke ochtend naar uitgekeken dat mama zou thuiskomen? Bedolf ze haar moeder onder de knuffels en de kusjes terwijl ze dicht tegen haar aan kroop om naar verhalen te luisteren of om te pronken met haar laatste huiswerk? Vast wel. Dat soort dingen deden kinderen. Ze hielden zo ontzettend veel van anderen. Met hun hele hart. Met elke vezel van hun wezen.

Vervolgens schoten de volwassenen in hun leven tekort.

En de politie.

Zo ging het door.

Ik hou van mijn dochter.

'Ik ga daar even stoppen,' zei Bobby terwijl hij het rechterknipperlicht aanzette. 'Ik moet wat eten. Wil jij iets?'

D.D. schudde haar hoofd.

'Droge muesli misschien? Je moet iets eten, D.D. Je bent nooit op je best geweest met een lage bloedsuikerspiegel.'

'Waarom doe je dat?'

'Wat?'

'Voor me zorgen.'

Bobby wendde even zijn blik af om haar kalm aan te kijken. 'Ik wil wedden dat Alex dat ook zou doen als je hem de kans gaf.'

Ze keek hem kwaad aan. Bobby deed net of hij het niet zag en richtte zijn aandacht weer op de verraderlijke snelweg. Hij had er zijn handen vol aan om de Crown Vic naar de afslag te rijden en zich vervolgens een weg te banen naar de parkeerplaats bij een paar winkels. D.D. zag een stomerij, een dierenwinkel en een middelgrote supermarkt.

Bobby bleek de supermarkt op het oog te hebben. Er was pal voor de winkel nog plek, doordat de meeste klanten waren afgeschrikt door de winterse omstandigheden. Toen D.D. uitstapte, was ze verbaasd om te zien hoeveel sneeuw er al lag. Bobby liep om de auto heen en bood haar zonder iets te zeggen zijn arm.

Ze accepteerde zijn hulp en schuifelde voorzichtig over de besneeuwde stoep, de felverlichte winkel in. Bobby beende naar de versafdeling. Zij hield het vijf tellen vol voordat de geur van gegrilde kip haar te veel werd. Ze liet Bobby in zijn eentje ronddolen en haalde een appel op de groenteafdeling en vervolgens een doos Cheerios in het gangpad met de muesli. Ze overwoog ook nog zo'n duur flesje organisch vruchtensap te kopen, of een proteïneshake. Ze zou best kunnen leven op zo'n energiedrankje, logischerwijs de volgende fase van de levenscyclus.

Toen was ze opeens bij de kleine apothekersafdeling, en meteen wist ze wat haar te doen stond.

Zo snel ze kon, voor ze van gedachten zou veranderen en voordat Bobby weer opdook: de afdeling met de voorbehoedsmiddelen, condooms, nog meer condooms, en natuurlijk, voor het geval de condooms scheurden, zwangerschapstests. Ze pakte het eerste het beste doosje dat ze kon vinden. Plassen op een staafje en wachten op het resultaat, hoe moeilijk kon het zijn? Fluitje van een cent.

Er was geen tijd om te betalen. Bobby zou haar ongetwijfeld in de smiezen krijgen. En dus haastte ze zich naar de toiletten, met de appel, de doos Cheerios en de zwangerschapstest tegen zich aan gedrukt.

Op een groen bord stond dat er geen koopwaar mocht worden meegenomen naar het toilet.

Lik m'n reet, dacht D.D., en ze duwde de deur open.

Ze liep naar het hokje voor gehandicapten. Daar bleek een luiertafeltje aan de wand te hangen. Ze klapte het open en legde de spullen erop.

Haar vingers trilden, en niet zo'n beetje ook. Het was zelfs zo erg dat ze het doosje niet stil kon houden om te lezen wat erop stond. En dus zette ze het op zijn kant op het tafeltje en las ze de aanwijzingen terwijl ze haar broek open knoopte en na een hoop gefriemel de spijkerbroek tot op haar knieën had laten zakken.

Waarschijnlijk deden de meeste vrouwen dit thuis, omringd door het knusse comfort van hun favoriete handdoeken, perzikkleurige muren en misschien wel wat potpourri met bloemengeur. Ze ging op de pot zitten terwijl ze met trillende vingers het staafje op zijn plek probeerde te houden en op commando probeerde te plassen.

Na drie pogingen lukte het. Ze zette het staafje op de luiertafel en weigerde ernaar te kijken. Ze maakte haar plas af, trok haar broek omhoog en waste haar handen in de wastafel.

Toen ging ze weer terug naar het toilethokje. Ze hoorde de deur van de toiletruimte opengaan en de voetstappen van een vrouw, die naar het hokje naast het hare liep. D.D. sloot haar ogen en hield haar adem in.

Ze voelde zich ondeugend, het stoute schoolmeisje dat betrapt werd terwijl ze zat te roken op het toilet.

Ze mocht niet gezien worden, niet ontdekt worden. Om naar het staafje te kijken had ze volledige privacy nodig.

De wc werd doorgetrokken. De deur van het hokje ging open. Ze hoorde het geluid van stromend water in de wastafel en vervolgens het geloei van de automatische handdroger.

De deur van de toiletruimte ging open. En dicht.

D.D. was weer alleen.

Langzaam deed ze één oog open. Toen het andere. Ze staarde naar het staafje.

Een roze streep.

Brigadier-rechercheur D.D. Warren was officieel zwanger.

Ze leunde naar achteren op de toiletpot, legde haar hoofd in haar handen en begon te huilen.

Later, terwijl ze nog steeds op de rand van de wc-bril zat, at ze haar appel op. Het zoete sap van de vrucht werd meteen opgenomen in haar bloed en gaf haar een oppepper, en opeens kreeg ze enorme trek. Ze at de doos met Cheerios half leeg en verliet toen het toilethokje om op jacht te gaan naar een proteïnereep, gemengde noten, chips, yoghurt en bananen.

Toen Bobby haar eindelijk had gevonden, stond ze in de rij voor de kassa met haar klokhuis, de geopende doos Cheerios, de geopende zwangerschapstest en een stuk of zes andere spullen. De caissière, die drie piercings in haar gezicht en een hele verzameling getatoeëerde sterren had, keek haar met onverholen afkeuring aan.

'Waar zat je?' vroeg Bobby met fronsende blik. 'Ik dacht dat ik je kwijt was.'

Toen viel zijn oog op de zwangerschapstest. Hij zette grote ogen op en zei niets meer.

D.D. overhandigde haar creditcard en pakte haar tasjes met boodschappen aan. Ook zij sprak geen woord.

Ze waren net bij de auto toen D.D.'s mobieltje ging. Ze keek wie het was: Phil vanuit het hoofdbureau.

Werk. Net wat ze nodig had.

Ze nam op en luisterde naar wat Phil te zeggen had, en of het nu kwam door zijn nieuws of doordat ze als een razende eten had ingeslagen, eindelijk zag ze het allemaal weer zitten.

Ze stopte haar mobieltje weg en wendde zich weer tot Bobby, die naast de auto in de sneeuw stond.

'Wat denk je? Tessa Leoni heeft een telefoontje gepleegd terwijl ze onder toezicht stond van die geweldige districtspolitie. Gisterenavond om negen uur heeft ze contact opgenomen met haar boezemvriendin, Juliana Sophia Howe.'

'De zus van die jongen die ze heeft neergeschoten?'

'Precies. Als jij gearresteerd was voor de moord op je man, hoe groot zou dan de kans zijn dat je een familielid belde van de vorige persoon die je had omgebracht?'

Bobby fronste zijn wenkbrauwen. 'Bevalt me niks.'

'Mij ook niet.' D.D.'s gezicht klaarde op. 'Eropaf!'

'Prima.' Bobby wilde zijn portier opendoen en bedacht zich toen. 'D.D...' Zijn ogen flitsten naar haar tasjes met boodschappen. 'Ben je blij?'

'Ja,' zei ze, langzaam knikkend. 'Ja, ik geloof het wel.'

Toen Bobby en D.D. de verraderlijke rit naar Juliana's woning eindelijk hadden volbracht, zagen ze dat haar kleine huisje als een lichtend baken tussen de dikke, langzaam vallende sneeuwvlokken stond. Op de oprijlaan stonden een zilverkleurige SUV en een donkere sedan.

Terwijl Bobby en D.D. aan kwamen lopen, ging de voordeur open en kwam er een man naar buiten. Hij had zijn werkkleding nog aan en droeg een pak, maar zeulde nu ook een baby en een luiertas mee. Hij keek Bobby en D.D. aan terwijl ze de veranda op liepen.

'Ik heb al tegen haar gezegd dat ze een advocaat moet bellen,' zei hij.

De zorgzame echtgenoot, concludeerde D.D. 'Heeft ze die nodig?'

'Ze is een goed mens en een geweldige moeder. Als jullie iemand willen pakken, schiet dan die broer van haar weer neer. Die verdient al deze heisa, zij niet.'

Toen Juliana's man zijn zegje had gedaan, liep hij langs hen heen en beende door de sneeuw naar de donkerblauwe auto. Het duurde nog even voordat hij de baby op de achterbank had vastgegespt en toen was Juliana's gezin opgekrast.

'Die verwacht ons absoluut,' mompelde Bobby.

'Eropaf!' zei D.D. weer.

De zorgzame echtgenoot had de deur niet goed achter zich dichtgedaan, dus duwde Bobby die nu open. Juliana zat op de bank recht tegenover de deur. Ze stond niet op en keek hen onbewogen aan.

D.D. liep als eerste de kamer in. Ze liet haar politiepenning zien en stelde toen Bobby aan haar voor. Juliana bleef zitten waar ze zat.

De spanning was nu al om te snijden, en dat maakte het voor D.D. makkelijker om de volgende logische conclusie te trekken.

'Je hebt haar geholpen, hè? Je hebt vanmiddag Tessa Leoni opgepikt en haar weggehaald van de plek waar haar dochter begraven lag. Je hebt een voortvluchtige geholpen. Waaróm in vredesnaam?' D.D. gebaarde om zich heen in het knusse huisje, met de pas aangebrachte verf en de bontgekleurde verzameling babyspeelgoed. 'Waarom zou je dit in godsnaam op het spel zetten?'

'Ze heeft het niet gedaan,' zei Juliana.

D.D. trok een wenkbrauw op. 'Wanneer heb je een klap van de molen gekregen? En denk je er ooit nog bovenop te komen?'

Juliana stak haar kin omhoog. 'Ik ben hier niet de idioot. Dat ben jij!'

'Hoezo?'

'Door wat je doet. Politie... Altijd rondkijken maar nooit iets zien. Altijd vragen maar nooit luisteren. Tien jaar geleden heeft de politie alles verpest, dus waarom zou het nu anders gaan?'

D.D. staarde de jonge moeder aan. Ze was geschrokken van de uitbarsting. Toen begreep ze het. Wat Juliana's man buiten had gezegd. Juliana's onverklaarbare bereidheid om de vrouw te helpen die tien jaar geleden haar gezin kapot had gemaakt. Haar sluimerende woede jegens de politie.

D.D. deed de eerste stap naar voren, en toen nog een. Ze ging op haar hurken zitten zodat ze Juliana recht in de ogen kon kijken en zag dat de wangen van de vrouw nog nat waren van de tranen.

'Vertel ons wie die avond je broer heeft doodgeschoten, Juliana. Het is tijd om schoon schip te maken. Vertel het maar, dan beloof ik dat wij zullen luisteren.'

'Tessa had het pistool niet,' fluisterde Juliana Howe. 'Ze had het alleen voor me meegebracht. Omdat ik dat aan haar had gevraagd. Zij had het pistool niet. Ze heeft het nooit gehad.'

'Wie heeft Tommy doodgeschoten, Juliana?'

'Ik. Ik heb mijn broer doodgeschoten. En het spijt me, maar ik zou het weer doen!'

Nu de dam dan eindelijk was doorgebroken, bekende Juliana de rest van het verhaal. Ze vertelde over de eerste avond dat haar broer was thuisgekomen en haar seksueel had misbruikt. Hoe hij haar de volgende ochtend huilend om vergeving had gevraagd. Hij was dronken geweest, hij wist niet wat hij deed. Natuurlijk zou hij het nooit meer doen… vertel het alsjeblieft niet aan pa en ma.

Ze was bereid geweest zijn geheim te bewaren, maar daarna had hij haar de ene na de andere keer verkracht, wel zes keer, en hij was niet langer dronken en hij bood ook niet meer zijn excuses aan. Hij zei dat het haar eigen schuld was. Als ze dat soort kleren niet droeg, als ze niet onder zijn ogen zo liep te pronken…

En dus begon ze wijdere kleding te dragen, deed ze niets meer aan haar haar en droeg ze geen make-up meer. En misschien hielp dat, of misschien kwam het doordat hij ging studeren en een heleboel andere meisjes vond die hij kon verkrachten, maar haar liet hij meestal met rust. Behalve in de weekends.

Ze kon zich op school niet meer concentreren en had altijd donkere wallen onder haar ogen, want als het vrijdag was, kon het zijn dat Tommy thuiskwam en dan moest ze op haar hoede zijn. Ze deed een slot op haar kamerdeur. Toen ze twee weken later thuiskwam, zag ze dat haar kamerdeur helemaal was versplinterd.

'Het spijt me heel erg,' had Tommy tijdens het avondeten gezegd. 'Ik had niet zo door de gang moeten rennen.' En haar ouders hadden stralend naar hem zitten kijken omdat hij hun oudste zoon was en ze hem bewonderden.

Op een maandagochtend brak er iets bij Juliana. Ze ging naar school, begon te huilen en kon niet meer ophouden. Tessa trok haar het achterste hokje van het meidentoilet in en bleef staan tot Juliana was uitgehuild en begon te praten.

De meisjes bedachten samen een plan. Tessa's vader had een pistool, en zij zou zorgen dat ze het te pakken kreeg.

'Hij let toch nooit op me,' had Tessa schouderophalend gezegd. 'Hoe moeilijk kan het zijn?'

Tessa zou dus voor het pistool zorgen en het vrijdagavond meenemen. Ze zouden er een logeerpartijtje van maken. Tessa zou op wacht staan. Als Tommy op kwam dagen, zou Juliana het wapen tevoorschijn halen. Ze zou het op hem richten en zeggen dat ze zijn ballen eraf zou schieten als hij haar nog één keer met een vinger aan zou raken.

De meiden oefenden verscheidene keren. Ze vonden het een goed plan.

Zo samengepakt in een toilethokje had het logisch geleken. Net als elke bullebak moest Tommy eens flink worden aangepakt. Dan zou hij inbinden en zou Juliana weer veilig zijn.

Het had héél logisch geleken.

Op donderdag had Tessa het pistool gepakt. Vrijdagavond kwam ze naar het huis en gaf ze Juliana het pistool.

Toen gingen ze naast elkaar op de bank zitten en waren ze een beetje zenuwachtig aan de filmmarathon begonnen.

Tessa was op de grond in slaap gevallen en Juliana op de bank. Maar ze waren allebei wakker geworden toen Tommy thuiskwam.

Voor de verandering had hij niet naar zijn zus gekeken. In plaats daarvan staarde hij naar de borsten van Tessa.

'Net rijpe appels,' had hij gezegd, en hij sprong al op haar af toen Juliana triomfantelijk het pistool tevoorschijn haalde.

Ze richtte het op haar broer en gilde dat hij weg moest gaan. Hij moest haar en Tessa met rust laten, want ánders...

Maar Tommy had haar recht in de ogen gekeken en begon te lachen. 'Anders wát? Weet je wel hoe je met zo'n ding moet schieten? Ik zou de veiligheidspal maar eens controleren als ik jou was.'

Juliana had meteen het pistool omhooggehouden om dat te doen. Op dat moment was Tommy op haar af gevlogen, in een poging het wapen van haar af te pakken.

Tessa gilde. Juliana gilde. Tommy grauwde en trok aan Juliana's haar en greep naar haar borsten.

Het pistool, dat tussen hen in klemde, ging af.

Tommy wankelde naar achteren en staarde naar zijn been.

'Vuile teef,' had haar broer gezegd. Dat waren de laatste woorden die hij tegen haar sprak. 'Vuile teef,' zei hij nog een keer, en toen was hij op de grond gevallen en langzaam maar zeker gestorven.

Juliana was in paniek geraakt. Ze wilde niet... Haar ouders, goeie god, haar ouders...

Ze had het pistool naar Tessa gegooid. Tessa moest het meenemen. Tessa moest... vluchten... wegwezen. *Weg, weg, weg.*

Dus dat deed Tessa. En dat waren de laatste woorden die Juliana tegen haar beste vriendin had gezegd. *Weg, weg, weg.*

Tegen de tijd dat Tessa bij haar huis arriveerde, arriveerde de politie bij dat van Juliana. Juliana had kunnen toegeven wat ze had gedaan. Ze had kunnen bekennen wat haar broer echt voor iemand was. Maar haar moeder gilde hysterisch en haar vader was in shock en ze kon het niet. Ze kon het gewoon niet.

Juliana had fluisterend Tessa's naam genoemd aan de politie, meer was er niet voor nodig geweest om een verzinsel te veranderen in een feit. Tessa had haar broer neergeschoten.

En Tessa had het nooit tegengesproken.

'Ik zou het wel hebben toegegeven,' zei Juliana nu. 'Als er een rechtszaak was gekomen, als het ernaar uit had gezien dat Tessa echt in de problemen kwam... dan zou ik bekend hebben. Maar toen meldden die andere vrouwen zich en werd het duidelijk dat er geen aanklacht tegen Tessa zou worden ingediend. De aanklager zei zelf dat hij vond dat er rechtmatig geweld was gebruikt.

Ik dacht dat Tessa er zonder moeilijkheden vanaf zou komen. En mijn vader... hij was intussen een wrak. Als hij al niet kon geloven dat Tommy andere vrouwen had aangerand, hoe zou hij dan kunnen geloven wat Tommy *míj* had aangedaan? Het leek me beter om mijn mond te houden. Maar... hoe langer je niets zegt, hoe moeilijker het wordt. Ik wilde Tessa zien, maar ik wist niet wat ik moest zeggen. Ik wilde dat mijn ouders wisten wat er was gebeurd, maar ik wist niet hoe ik het moest vertellen.

Ik stopte met praten. Letterlijk. Een heel jaar lang. En mijn ouders hebben het nooit gemerkt. Ze hadden het te druk met hun eigen zenuwinstorting om zich druk te maken om de mijne. Toen verdween

Tessa – ik hoorde dat haar vader haar eruit had geschopt. Ze heeft het me nooit verteld. Ze is nooit langsgekomen om afscheid te nemen. Misschien kon zij ook niets zeggen. Ik heb het nooit geweten. Tot jij gisterenochtend verscheen. Ik wist niet dat ze bij de politie werkte. Ik wist niet dat ze getrouwd was, en ik wist niet dat ze een meisje had dat Sophie heette. Dat is mijn tweede voornaam, weet je. Ze heeft haar dochter naar me vernoemd. Na alles wat ik haar heb aangedaan, heeft ze toch haar dochter naar me vernoemd...'

'Een dochter die nu dood is,' zei D.D. bot.

'Je vergist je!' zei Juliana hoofdschuddend.

'Jij vergist je, Juliana: we hebben het lichaam gezien. Of tenminste, de stukjes die ervan over waren nadat ze het had opgeblazen.'

Juliana werd bleek en schudde toen opnieuw haar hoofd. 'Jullie vergissen je,' hield ze koppig vol.

'En dat opnieuw van de vrouw van wie de familie les zou kunnen geven in ontkenning...'

'Jullie kennen Tessa niet.'

'De afgelopen tien jaar heb jij haar ook niet gekend.'

'Ze is slim. Onafhankelijk. Maar ze zou nooit een kind kwaad doen, niet na wat er met haar broer is gebeurd.'

Bobby en D.D. wisselden een blik. 'Broer?' vroeg D.D.

'Een doodgeboren baby. Daardoor is haar gezin uit elkaar gescheurd, jaren voordat ik haar leerde kennen. Haar moeder is in een zware depressie terechtgekomen; waarschijnlijk had ze moeten worden opgenomen, maar ja, wat wisten mensen in die tijd? Haar moeder woonde in de slaapkamer. Daar kwam ze nooit uit, en ze zorgde al helemaal nooit voor Tessa. Haar vader deed wat hij kon, maar hij was er niet voor haar. Maar Tessa hield van ze. Op haar eigen manier probeerde ze voor ze te zorgen. En ze hield ook van haar babybroertje. We hebben een keer een begrafenis voor hem gehouden, met z'n tweetjes. En ze moest huilen, echt huilen, want als je iets niet mocht doen bij haar thuis dan was het dat wel.'

D.D. staarde Juliana aan. 'Dat had je me wel eens eerder mogen vertellen.'

'Nou, jij had er eerder achter kunnen komen. Politie. Moeten de slachtoffers al het werk voor jullie doen?'

D.D. ontplofte bijna. Meteen legde Bobby een hand op haar arm om haar te kalmeren.

'Waar heb je haar naartoe gebracht?' vroeg hij zacht.

'Ik weet niet waar je het over hebt,' zei Juliana afgemeten.

'Je hebt Tessa opgehaald. Dat heb je al toegegeven.'

'Helemaal niet. Je partner zei dat ik haar had opgehaald. Ik heb dat nooit gezegd.'

D.D. knarste met haar tanden. 'Wil je het zo spelen?' Ze zwaaide met haar arm naar de met speelgoed bezaaide vloer. 'We kunnen je meenemen naar het hoofdbureau. Je auto in beslag nemen. We zullen hem helemaal overhoop halen terwijl jij wegrot achter de tralies. Hoe oud was je kindje ook alweer? Want ik weet niet of baby's wel op bezoek mogen komen in de gevangenis.'

'Tessa heeft me maandagavond even na negen uur gebeld,' verklaarde Juliana uitdagend. 'Ze zei: "Waar heb je vrienden voor?" Ik vroeg: "Tessa?" Want ik was verbaasd om na al die jaren haar stem te horen. Ze zei dat ze me weer zou bellen. Toen hing ze op. Dat hebben we gezegd, en dat was het enige contact dat ik de afgelopen tien jaar met Tessa Leoni heb gehad. Als je wilt weten waarom ze gebeld heeft, wat ze bedoelde en of ze opnieuw contact had willen opnemen, dan zul je dat aan haar moeten vragen.'

D.D. stond versteld. Wie had ooit kunnen denken dat Tessa's brave speelkameraadje het in zich had?

'Als ik ook maar één haar in je auto vind, ben je de klos,' zei D.D.

Juliana sloeg met een theatraal gebaar haar handen tegen haar wangen. 'O gód, wat vervelend. Had ik al gezegd dat ik heb gestofzuigd? O ja, en net een paar dagen geleden heb ik gelezen wat het beste trucje is om je auto te wassen. Met ammoniak...'

D.D. staarde Juliana aan. 'Alleen al daarvoor ga ik je arresteren,' zei ze uiteindelijk.

'Doe dan.'

'Tessa heeft haar man doodgeschoten. Ze heeft zijn lichaam naar de garage gesleept en het daar begraven onder de sneeuw,' beet D.D. haar kwaad toe. 'Tessa heeft haar dochter gedood, is met haar lichaam naar een bos gereden en heeft het zo volgehangen met explosieven dat het hele zoekteam uitgeschakeld had kunnen worden. Dat is de vrouw die jij probeert beschermen.'

'Het is de vrouw van wie jij dácht dat ze mijn broer had doodgeschoten,' corrigeerde Juliana haar. 'Daar vergiste je je in. Het is niet zo moeilijk te geloven dat je je over de rest ook vergist.'

'We hebben geen...' begon D.D., maar toen zweeg ze. Ze fronste haar wenkbrauwen. Er viel haar iets in, de knagende twijfel die ze eerder tussen de bomen had gehad. Verdraaid nog aan toe.

'Ik moet bellen,' zei ze abrupt. 'Jij blijft zitten. Als je ook maar één stap van die bank doet, arresteer ik je.'

Ze knikte naar Bobby en ging hem voor naar de veranda aan de voorkant van het huis, waar ze zo snel ze kon haar mobieltje pakte.

'Wat...' begon hij, maar ze stak een hand op om hem het zwijgen op te leggen.

'Spreek ik met het kantoor van de patholoog?' vroeg ze. 'Haal Ben voor me. Ik weet dat hij aan het werk is. Waarom denk je dat ik bel, verdomme nog aan toe? Zeg tegen hem dat het brigadier-rechercheur Warren is, want ik wil om honderd dollar met je wedden dat hij op dit moment over een microscoop gebogen staat en denkt: o shit.'

34

De garage van mijn vader was nooit erg indrukwekkend geweest, en hij was er de afgelopen tien jaar niet op vooruitgegaan. Het was een log bouwsel van betonblokken en de nicotinekleurige verf bladderde enorm. Het was mijn vader nooit gelukt het er goed warm te krijgen en 's winters lag hij dan ook in dikke winterkleding onder de auto's te klussen. Met de afvoer was het niet veel beter gesteld. Ooit was er een functionerend toilet geweest. Meestal plasten mijn vader en zijn vrienden bij het hek – mannen die hun territorium afbakenden.

De werkplaats van mijn vader bood echter twee voordelen: in de eerste plaats een veldje vol tweedehands auto's die gerepareerd moesten worden of doorverkocht zouden worden, en in de tweede plaats een snijbrander, die perfect geschikt was om door metaal te snijden en toevallig ook om mobieltjes mee te smelten.

De zware voordeur zat op slot. De garagedeur ook. De achterdeur stond echter open. Ik volgde de gloed van het kale peertje naar de achterkant van de garage, waar mijn vader op een kruk een sigaret zat te roken en toekeek hoe ik aan kwam lopen.

Op de werkbank achter hem stond een fles Jack Daniels. Het had jaren geduurd voordat ik me ten volle realiseerde hoeveel mijn vader dronk. Dat we niet alleen om negen uur naar bed gingen omdat mijn vader 's morgens zo vroeg op moest, maar omdat hij te dronken was om nog langer op te blijven.

Toen ik van Sophie beviel, hoopte ik dat dat me zou helpen om mijn ouders en hun bodemloze verdriet beter te begrijpen. Maar dat was niet het geval. Hoe was het mogelijk dat ze de liefde van hun overgebleven kind niet voelden, ook al rouwden ze om het verlies van hun doodgeboren kindje? Hoe kon het dat ze me eenvoudigweg niet meer zagen?

Mijn vader inhaleerde een laatste keer en drukte zijn sigaret uit. Hij gebruikte geen asbak, zijn gehavende werkbank was goed genoeg.

'Ik wist wel dat je zou komen,' zei hij, met de schorre stem van iemand die al zijn leven lang rookt. 'Hoorde net op het nieuws dat je ontsnapt was. Ik dacht wel dat je hierheen zou komen.'

Dus brigadier-rechercheur Warren had haar fout toegegeven. Goed zo.

Ik negeerde mijn vader en liep naar de snijbrander.

Mijn vader had zijn overall, die onder de olievlekken zat, nog aan. Zelfs van deze afstand kon ik zien dat hij nog altijd brede schouders en een zwaar gespierde borstkas had. Dat krijg je als je de hele dag boven je macht werkt.

Als hij me wilde tegenhouden, kon hij brute kracht gebruiken.

Door dat besef trilden mijn handen toen ik bij de flessen van de snijbrander ging staan. Ik pakte de veiligheidsbril van de haak en begon me voor te bereiden. Ik had de zwarte handschoenen aan die Juliana voor me had geregeld, maar die moest ik uittrekken om de telefoon uit elkaar te halen – het plaatje eraf schuiven, de batterij eruit halen.

Toen deed ik de handschoenen weer aan, en daaroverheen een paar zware werkhandschoenen. Ik zette de plunjezak tegen de muur en legde het mobieltje midden op de betonnen vloer, het meest geschikte oppervlak om op te werken met een brander die als een mes door de boter door staal snijdt.

Op mijn veertiende had ik de hele zomer in de garage van mijn vader gewerkt. Ik had geholpen met olie verversen, bougies vervangen en banden verwisselen. Ik was zo stom om te denken dat ik me misschien voor de wereld van mijn vader moest gaan interesseren als hij zich niet voor de mijne interesseerde.

We werkten de hele zomer zij aan zij, waarbij hij met zijn diepe basstem bevelen schreeuwde. Als het tijd was om te pauzeren, trok hij zich terug in zijn stoffige kantoortje en liet mij alleen achter in de garage om te eten. Nooit viel er eens een gemakkelijke stilte tussen vader en dochter, nooit werd er een compliment uitgedeeld. Hij vertelde me wat ik moest doen. Ik deed wat hij zei. Meer niet.

Toen de zomer voorbij was, was het me duidelijk dat mijn vader geen prater was en dat hij waarschijnlijk nooit van me zou houden.

Maar goed dat ik in plaats van hem Juliana had.

Mijn vader bleef op de kruk zitten. Nu zijn sigaret op was, hield hij zich weer bezig met de whisky, die hij uit een plastic beker dronk die er al heel oud uitzag.

Ik zette de veiligheidsbril op, zette de snijbrander aan en smolt Fiskes mobieltje om tot een klein, zwart, nutteloos stukje plastic.

Ik vond het heel erg dat ik het ding moest vernietigen. Je wist nooit wanneer het handig zou zijn om te kunnen bellen, maar ik kon het niet vertrouwen. Sommige telefoons hadden gps, die de politie zou kunnen gebruiken om me op te sporen. Of ze zouden een driehoekspeiling kunnen uitvoeren als ik toch belde. En ik kon ook niet het risico nemen om het toestel gewoon weg te gooien: als de politie het vond, zouden ze snel genoeg mijn telefoontje naar Juliana kunnen achterhalen.

Vandaar de snijbrander, waarmee de klus een fluitje van een cent was.

Ik zette het apparaat uit. Sloot de tanks af, rolde de slang weer op en hing de werkhandschoenen en de veiligheidsbril op hun plek.

De afgekoelde resten van het mobieltje stopte ik in mijn plunjezak, om zo min mogelijk sporen achter te laten. Het zou niet lang duren voor de politie hier was. Als je een voortvluchtige zocht, ging je altijd langs bij plekken waar de verdachte vaak kwam en bij familie en vrienden.

Ik ging rechtop staan en keek, nu mijn eerste klus geklaard was, eindelijk mijn vader aan.

Hij was een stuk ouder was geworden. Hij kreeg hangwangen en hij had diepe rimpels in zijn voorhoofd. Hij zag er verslagen uit, deze ooit zo sterke jonge kerel die was ontmoedigd door het leven en door alle dromen die nooit waren uitgekomen.

Ik wilde hem haten, maar ik kon het niet. Dat was het verhaal van mijn leven: dat ik van mannen hield die me niet verdienden, en dat ik ondanks die wetenschap smachtte naar hun liefde.

'Ze zeggen dat je je man hebt vermoord,' zei mijn vader. Hij begon rochelend te hoesten.

'Dat heb ik gehoord.'

'En mijn kleindochter.' Hij zei het beschuldigend.

Daar moest ik om glimlachen. 'Heb jij een kleindochter? Eigenaardig, ik kan me niet herinneren dat mijn dochter ooit bezoek heeft gekregen van haar opa. En ook geen verjaardagscadeautje, of een sok met kerstcadeautjes. Dus begin tegen mij niet over kleinkinderen, ouwe. Je oogst wat je zaait.'

'Keihard, hè,' zei hij.

'Heb ik van jou.'

Hij zette zijn beker met een klap neer. De geelbruine vloeistof klotste over de rand. De geur van whisky sloeg me in het gezicht en het water liep me in de mond. Ik had geen zin in een ruzie die toch nergens toe zou leiden. In plaats daarvan kon ik er een stoel bij trekken en samen met mijn vader gaan drinken. Misschien had hij daar die zomer dat ik veertien was wel op gewacht. Hij had geen kind nodig gehad dat voor hem werkte, hij had een dochter nodig gehad om samen met hem te drinken.

Twee alcoholverslaafden, zij aan zij in een halfdonkere, vervallen garage.

Maar dan zou ik net als hij mijn kind hebben laten vallen.

'Ik neem een auto mee,' zei ik.

'Ik ga je aangeven.'

'Doe wat je niet laten kunt.'

Ik draaide me naar het bord links van de werkbank dat vol hing met kleine haakjes met een sleutel eraan. Mijn vader klauterde van zijn kruk en kwam met zijn volle lengte voor me staan.

De harde jongen, vol valse bravoure van zijn vriendje Jack Daniels. Mijn vader had me nooit geslagen. Terwijl ik wachtte tot hij dat nu zou doen, was ik niet bang, alleen maar moe. Ik kende deze man, niet alleen als mijn vader maar ook als de vijf of zes eikels met wie ik vijf nachten per week de confrontatie was aangegaan en die ik had weten om te praten.

'Pap,' hoorde ik mezelf zachtjes zeggen. 'Ik ben geen meisje meer. Ik ben een getrainde politieagent en als je me wilt tegenhouden, zul je met iets beters moeten komen.'

'Ik heb geen kindermoordenaar grootgebracht,' grauwde hij.

'Nee, dat heb je ook niet.'

Hij fronste zijn voorhoofd. In zijn benevelde toestand kostte het hem moeite om te verwerken wat ik had gezegd.

'Moet ik soms mijn onschuld bepleiten?' ging ik verder. 'Dat heb ik al eens eerder geprobeerd. Dat werkte niet.'

'Jij hebt die jongen van Howe doodgeschoten.'

'Niet.'

'De politie zei van wel.'

'De politie maakt fouten, hoe erg ik het ook vind om dat te moeten zeggen.'

'Waarom word je dan agent, als ze niet deugen?'

'Daarom.' Ik haalde mijn schouders op. 'Ik wil mensen helpen. En ik ben goed in mijn werk.'

'Tot je je man en je kleine meid vermoordde.'

'Dat heb ik niet gedaan.'

'De politie zei van wel.'

'En zo gaan we het kringetje weer rond.'

De frons verscheen weer.

'Ik neem een auto mee,' herhaalde ik. 'Die ga ik gebruiken om jacht te maken op de man die mijn dochter heeft. Je kunt ruzie met me maken of je kunt me vertellen welke rammelbak het best in staat is om een paar kilometer te rijden. O, en benzine zou handig zijn. Het is nu niet echt slim om bij een benzinestation te stoppen.'

'Ik heb een kleindochter,' zei hij met schorre stem.

'Ja. Ze is zes, ze heet Sophie en ze rekent erop dat ik haar kom halen. Dus help me, pap. Help me om haar te redden.'

'Is ze net zo'n taaie als haar moeder?'

'God, ik hoop het.'

'Wie heeft haar?'

'Dat is het eerste waar ik achter moet komen.'

'Hoe ga je dat doen?'

Ik glimlachte grimmig. 'Laat ik zeggen dat de staat Massachusetts een hoop geld en moeite in mijn opleiding heeft gestoken en dat ze nu waar voor hun geld gaan krijgen. Een auto, pap. Ik heb niet veel tijd, en Sophie ook niet.'

Hij verroerde zich niet en keek slechts met over elkaar geslagen armen op me neer. 'Lieg je tegen me?'

Ik had geen zin meer in ruzie. In plaats daarvan stapte ik naar voren, sloeg mijn armen om zijn middel en legde mijn hoofd tegen zijn brede borst. Hij rook naar sigaretten, motorolie en whisky. Hij rook naar mijn jeugd, en naar het gezin en de moeder die ik nog steeds miste.

'Ik hou van je, pap. Dat heb ik altijd gedaan en dat zal ik altijd blijven doen.'

Zijn lichaam trilde. Een kleine huivering. Ik koos ervoor om te geloven dat dat zijn manier was om te zeggen dat hij ook van mij hield, vooral omdat het alternatief te pijnlijk was.

Ik deed een stap naar achteren. Hij liet zijn armen langs zijn lichaam vallen, liep naar het bord en gaf me een sleutel.

'Achter de garage staat een blauwe Ford pick-up. Er staan al heel wat kilometers op de teller, maar het is een goeie wagen. Vierwielaandrijving. Die zul je wel nodig hebben.'

Voor de besneeuwde wegen. Perfect.

'Tegen de buitenmuur staan jerrycans met benzine. Pak maar wat je nodig hebt.'

'Dank je.'

'Neem haar mee,' zei hij opeens. 'Als je haar vindt, als je... haar terughaalt. Ik wil... ik wil mijn kleindochter ontmoeten.'

‘Misschien,’ zei ik.

Mijn aarzeling bracht hem van zijn stuk en hij keek me kwaad aan.

Ik pakte de sleutel aan en trotseerde kalm zijn blik. ‘Als alcoholisten onder elkaar – stop met drinken, pap. Dan zien we wel verder.’

‘Bikkelhard,’ mompelde hij.

Ik glimlachte een laatste keer en gaf hem een kus op zijn verweerde wang. ‘Heb ik van jou,’ fluisterde ik.

Ik klemde mijn hand om de sleutel, pakte mijn plunjezak en toen was ik verdwenen.

35

'Waarom was het tafereel in het bos zo vreselijk?' vroeg D.D. een kwartier later. Ze gaf zelf antwoord: 'Omdat je je niet kunt voorstellen dat een moeder haar eigen kind ombrengt en vervolgens het lichaam opblaast. Wat voor vrouw doet nou zoiets?'

Bobby, die naast haar op de veranda voor het huis van Juliana Howe stond, knikte. 'Het was een afleidingsmanoeuvre. Ze moest tijd rekken om te kunnen ontsnappen.'

D.D. haalde haar schouders op. 'Niet echt. Ze was al alleen met Fiske en ze waren een halve kilometer verwijderd van het zoekteam. Ze had Fiske makkelijk zonder die afleidingsmanoeuvre kunnen overmeesteren, dan had ze nog steeds een halfuur voorsprong gehad. Dáárom lijkt het zo afschuwelijk om de stoffelijke resten van dat kind op te blazen – het is nergens voor nodig. Waarom zou je zoiets vreselijks doen?'

'Oké, ik hap: waarom zou je zoiets doen?'

'Omdat de botten versplinterd moesten worden. Ze kon het zich niet veroorloven dat we de resten in de oorspronkelijke staat zouden vinden. Dan zou namelijk duidelijk zijn geweest dat ze niet van een kind waren.'

Bobby staarde haar aan. 'Wát? De roze kledingresten, blauwe spijkerstof, ribben, tanden...'

'De kleding heeft ze bij het lichaam begraven. De rib is ongeveer even groot als die van een zesjarige – of van een grote hond. Ben is net klaar met het onderzoeken van de botresten. Die botten zijn niet van een mens. Ze zijn van een hond. De juiste omvang maar de verkeerde soort.'

Bobby maakte een verraste beweging. 'Krijg de tering,' zei hij, terwijl hij iemand was die zelden grove woorden gebruikte. 'De Duitse herder van Brian Darby die is doodgegaan. Heeft Tessa dát lijk begraven?'

'Kennelijk. Vandaar die sterke ontbindingsgeur in de witte Denali. Nogmaals, volgens Ben zijn veel botten van een grote hond net zo groot en lang als die van een zesjarig kind. De schedel zou natuurlijk helemaal de verkeerde vorm hebben, net als onbelangrijke details als de staart en de poten. Een hondenskelet dat nog intact is, zou nooit worden aangezien voor een menselijk skelet. Maar stukjes bot die overal verspreid liggen... Ben verontschuldigt zich voor zijn vergissing. Hij vindt het wel een beetje gênant, om je de waarheid te zeggen. Het is lang geleden dat een plaats delict hem zo heeft aangegrepen.'

'Wacht even.' Bobby stak waarschuwend een hand op. 'De honden reageren toch alleen op menselijke resten en niet op dierlijke? Daar is hun neus te goed voor en zijn ze te goed voor getraind.'

Plotseling glimlachte D.D. 'Heel slim,' mompelde ze. 'Zei Juliana dat niet? Tessa Leoni is heel slim, dat moet je haar nageven. Twee voortanden,' legde ze aan Bobby uit. 'En drie tampons. Die zijn gevonden nadat wij waren vertrokken. Ben voorziet de hondenteams soms van trainingsmateriaal. Volgens hem zijn hondengeleiders heel slim in het bedenken van dingen die als "lijk" kunnen dienen, omdat het bezit van echte dode mensen strafbaar is. Tand blijkt op bot te lijken. Daarom halen hondengeleiders tanden op bij tandartsen, en die gebruiken ze om honden te trainen. Hetzelfde gebeurt met gebruikte tampons. Tessa heeft een hondenlijk begraven, maar de hele locatie lag bezaaid met "menselijke resten": de melktanden van haar dochter met daar bovenop een beetje vrouwelijke hygiëne.'

'Walgelijk,' zei Bobby.

'Vernuftig,' vond D.D.

'Maar waarom?'

Daar moest D.D. even over nadenken. 'Omdat ze wist dat we haar de schuld zouden geven. Dat had ze immers eerder meegemaakt. Ze had Tommy Howe niet doodgeschoten, maar de politie ging ervan uit dat ze dat wel had gedaan. Dat betekent dat we eerder gelijk hadden: die ervaring van tien jaar geleden heeft invloed gehad op haar ervaring nu. Er is opnieuw iets vreselijks gebeurd in de wereld van Tessa Leoni. Instinctief denkt ze dat zij de schuld zal krijgen. Alleen zal ze deze keer waarschijnlijk gearresteerd worden. Dus beraamt ze een zorgvuldig uitgewerkt plan om uit de gevangenis te komen.'

'Maar waarom?' herhaalde Bobby. 'Als ze niets heeft gedaan, waarom zou ze ons dan niet de waarheid vertellen? Waarom... zo'n ingewikkelde list? Ze werkt nu bij de politie. Zou ze niet wat meer vertrouwen in het systeem moeten hebben?

D.D. trok een wenkbrauw op.

Hij zuchtte. 'Je hebt gelijk. We zijn geboren cynici.'

'Maar waarom praat ze niet met ons?' vervolgde D.D. 'Laten we daar eens over nadenken. We gingen ervan uit dat Tessa Tommy Howe tien jaar geleden had neergeschoten. We hadden het mis. We dachten dat ze haar man, Brian, zaterdagochtend had neergeschoten. Nou, misschien hebben we dat ook wel mis. Dat betekent dat iemand anders het heeft gedaan. Die persoon heeft Brian neergeschoten en Sophie meegenomen.'

'Waarom zou je de echtgenoot ombrengen maar het kind ontvoeren?' vroeg Bobby.

'Om haar onder druk te zetten,' antwoordde D.D. meteen. 'Dit heeft te maken met gokken. Brian had een te grote schuld. Maar in plaats van hem – de zwakke schakel – af te persen, richten ze zich op Tessa. Ze schieten Brian dood om duidelijk te maken dat het ze ernst is en grijpen dan Sophie. Tessa kan haar dochter terugkrijgen als ze betaalt. En dus gaat ze naar de bank, neemt vijftig mille op...'

'Wat duidelijk niet genoeg is,' merkte Bobby op.

'Precies. Ze heeft meer geld nodig, maar ze heeft ook te maken met het feit dat haar man dood is, neergeschoten met haar pistool, want de ballistische kenmerken kwamen daarmee overeen.'

Bobby's ogen werden groot. 'Ze was thuis,' zei hij. 'Dat is de enige manier waarop ze Brian met haar pistool hebben kunnen neerschieten. Tessa was thuis. Misschien kwam ze wel binnenlopen terwijl Brian bedreigd werd. Iemand houdt haar kind al vast. Wat kan ze doen? De man eist dat ze haar Sig Sauer aan hem geeft en dan...'

'Schiet hij Brian neer,' zei D.D. zacht.

'Ze is de klos,' vervolgde Bobby zacht. 'Ze weet dat ze de klos is. Haar man is doodgeschoten met haar dienstwapen, haar kind is ontvoerd en ze is al eens betrokken geweest bij een dodelijke schietpartij. Hoe groot is de kans dat iemand haar gelooft? Zelfs als ze had gezegd: "Hé, moet je horen, een of andere gangster heeft mijn gokverslaafde man omgelegd met mijn wapen en nu heb ik jullie hulp nodig om mijn kind te redden..."'

'Ik zou het niet geloven,' zei D.D. ronduit.

'Politiemensen zijn geboren cynici,' herhaalde Bobby.

'Dus begint ze na te denken,' ging D.D. verder. 'De enige manier om Sophie terug te krijgen is door het geld op de kop te tikken, en dat lukt haar alleen als ze uit de gevangenis weet te blijven.'

'En dat betekent dat ze vooruit moet plannen,' vulde Bobby aan.

D.D. keek bedenkelijk. 'Dus vanwege de schietpartij met Tommy is optie A om het op noodweer te gooien. Maar dat kan een probleem opleveren, aangezien de mishandeling van een huwelijkspartner bewezen moet worden, dus besluit ze dat ze ook een vangnet nodig heeft. Optie A zal noodweer zijn, en optie B zal zijn om de hondenbotten te begraven waarvan ze zal zeggen dat ze van haar dochter zijn. Als noodweer niet werkt, kan ze ontsnappen door plan B in werking te stellen.'

'Slim,' mompelde Bobby. 'Zoals Juliana al zei, ze is onafhankelijk.'

'Gecompliceerd,' zei D.D. fronsend. 'Vooral omdat ze nu op de vlucht is, wat het een stuk lastiger voor haar maakt om geld te bemachtigen en Sophie te redden. Zou jij zoveel riskeren als het leven van je dochter op het spel stond? Zou het toch niet logischer zijn om haar trots opzij te zetten en ons om hulp te vragen? Dan zouden wij de boeven kunnen opsporen en Sophie kunnen redden, zelfs als we haar eerst zouden arresteren.'

Bobby haalde zijn schouders op. 'Misschien is ze net als Juliana niet zo onder de indruk van andere agenten.'

Maar D.D. bedacht opeens iets anders. 'Misschien,' zei ze langzaam, 'maakt een andere agent wel deel uit van het probleem.'

Bobby staarde haar aan, en toen kon ze zien dat het hem begon te dagen.

'Wie heeft haar in elkaar geslagen?' vroeg D.D. 'Wie heeft haar zo hard geslagen dat ze de eerste vierentwintig uur niet eens kon staan? Wie was er de hele tijd aanwezig toen we zondagochtend bij haar thuis waren, met zijn hand op haar schouder? Ik dacht dat hij haar duidelijk wilde maken dat hij haar steunde. Maar misschien herinnerde hij haar er wel aan dat ze haar mond moest houden.'

'Shane Lyons.'

'De behulpzame "vriend" die haar jukbeen heeft gebroken en van haar man een gokverslaafde heeft gemaakt. Misschien omdat Lyons al heel veel tijd bij Foxwoods doorbracht.'

'Lyons maakt geen deel uit van de oplossing,' mompelde Bobby. 'Lyons vormt de kern van het probleem.'

'Eropaf!' zei D.D.

Ze liep al bijna van de veranda af toen Bobby haar bij haar arm pakte en tegenhield.

'D.D., weet je wat dit betekent?'

'Dat ik Shane Lyons eindelijk echt mag aanpakken?'

'Nee, D.D. Sophie Leoni. Die leeft misschien nog. En Shane Lyons weet waar ze is.'

D.D. zweeg. Even werd ze emotioneel. 'Dan wil ik dat je naar me luistert, Bobby. We moeten dit goed aanpakken, en ik heb een plan.'

36

Remmen en schakelen ging lastig met de oude Ford. Gelukkig waren de wegen door de sneeuwbuien en het late tijdstip grotendeels leeg. Ik passeerde verscheidene sneeuwschuivers, een paar ambulances en enkele politiewagens. Met mijn ogen op de weg gericht zorgde ik ervoor dat de snelheidsmeter precies de toegestane snelheid aangaf. Ondanks mijn zwarte kleding en de honkbalpet die ik diep over mijn ogen had getrokken, had ik het gevoel dat ik opviel nu ik Boston weer in reed, in de richting van mijn huis.

Ik reed langzaam langs mijn huis en zag het licht van de koplampen over het gele afzetlint glijden, dat fel afstak tegen de helderwitte sneeuw.

Het huis zag er leeg uit en voelde ook zo aan. Het was aan alle kanten duidelijk dat er iets ergs was gebeurd.

Ik reed door tot ik een plek vond op het lege parkeerterrein van een buurtwinkel.

Ik sloeg de plunjezak over mijn schouder en ging te voet verder.

Ik handelde nu snel. Ik had behoefte aan de beschutting van het donker, maar er was weinig duisternis in een drukke stad die was vergeven van de straatverlichting en felverlichte uithangborden. Aan het einde van de straat naar links, na de volgende straat rechts, en toen was ik vlak bij mijn doel.

Shanes surveillancewagen stond voor zijn huis. Het was vijf voor elf, en dus kon Shane elk moment naar buiten komen om aan zijn dienst te beginnen.

Ik nam mijn positie in en ging op mijn hurken achter de kofferbak zitten, waar ik me kon verbergen in de schaduw die de Crown Vic in het licht van de lantaarns wierp.

Ik had koude handen, zelfs met handschoenen aan. Ik blies op mijn vingers om ze warm te houden, want ik kon me niet veroorloven dat ze stijf werden. Ik zou maar één kans krijgen. Het was voor mij erop of eronder.

Mijn hart bonsde in mijn keel. Ik voelde me een beetje duizelig en opeens realiseerde ik me dat ik al twaalf uur niets gegeten had. Maar daar was het nu te laat voor. De voordeur ging open. Het licht van de veranda ging aan. Shane verscheen in de deuropening.

Zijn vrouw, Tina, stond achter hem, gekleed in een donzige roze badjas. Met een vluchtige kus op zijn wang stuurde ze haar man naar zijn werk. Ik voelde een pijnscheut, maar onderdrukte die weer.

Shane liep de eerste trede af, toen de tweede. De deur ging achter hem dicht. Tina wachtte niet totdat hij wegreed.

Ik ademde uit – ik had helemaal niet gemerkt dat ik mijn adem had ingehouden – en begon in stilte af te tellen.

Shane liep alle treden af en stak de oprijlaan over, de sleutels rammelend in zijn hand. Hij kwam bij zijn auto, stak de sleutel in het slot en opende het portier aan de bestuurderskant.

Ik sprong tevoorschijn vanachter de auto en ramde mijn Glock .40 tegen zijn nek.

'Eén kik en je bent er geweest.'

Shane zweeg.

Ik pakte zijn dienstwapen af. Toen stapten we in zijn surveillancewagen.

Ik liet hem op de achterbank zitten, zo ver mogelijk weg van de zender en het dashboard. Zelf ging ik op de bestuurdersplaats zitten, met het geopende schuifraam tussen ons in. Ik hield de Glock aan mijn kant, zodat Shane er geen uitval naar kon doen, en hield het wapen recht op mijn doel gericht. Normaal gesproken richten agenten op de borst van een verdachte, aangezien die het grootste oppervlak vormt. Maar aangezien Shane zijn kogelvrije vest al aanhad, richtte ik op zijn hoofd.

Op mijn bevel gaf hij me zijn mobieltje, zijn politieriem en toen zijn pieper. Ik gooide al die spullen op de passagiersstoel en pakte toen de metalen handboeien, die ik hem aanreikte om ze zelf om zijn polsen te doen.

Nu hij geen gevaar meer vormde, wendde ik even mijn blik van hem af om de motor te starten. Ik kon voelen dat zijn lichaam zich spande, dat hij zich klaarmaakte om in actie te komen.

'Geen stommiteiten,' zei ik afgemeten. 'Je hebt nog wat te goed van me, weet je nog?' Ik wees op mijn toegetakelde gezicht. Hij liet zijn schouders weer zakken, en zijn geboeide handen vielen op zijn schoot.

De motor kwam brullend tot leven. Als Shanes vrouw toevallig een blik naar buiten wierp, zou ze zien dat haar man zijn surveillancewagen opwarmde terwijl hij contact opnam met de meldkamer en misschien een paar boodschappen afluisterde.

Een oponthoud van vijf tot tien minuten zou niet zo ongebruikelijk zijn. Als het langer ging duren, zou ze misschien bezorgd worden en zelfs poolshoogte komen nemen. Dat betekende dat ik weinig tijd had voor deze conversatie.

Toch kon ik het niet laten om een paar hatelijke opmerkingen te maken.

'Je had me harder moeten slaan,' zei ik, terwijl ik me omdraaide om mijn voormalige collega mijn volledige aandacht te geven. 'Dacht je echt dat een hersenschudding me eronder zou houden?'

Shane zei niets. Hij keek naar de Glock, niet naar mijn gehavende gezicht.

Ik merkte dat ik kwaad werd. Ik had zin om door de smalle opening van het schuifraam te kruipen en deze man een paar keer keihard met mijn pistool in zijn gezicht te rammen voordat ik hem met mijn blote handen buiten westen sloeg.

Ik had Shane, een collega, vertrouwd. Brian had hem, zijn beste vriend, vertrouwd. En hij had ons allebei verraden.

Ik had hem zaterdagmiddag gebeld, nadat ik de huurmoordenaar het geld had gegeven. Ik had hem gezien als mijn laatste hoop in een wereld die in hoog tempo uit elkaar viel. Natuurlijk was me opgedragen om niet de politie in te schakelen. Natuurlijk was me opgedragen om mijn mond te houden, *want anders*... Maar Shane was niet alleen maar een collega. Hij was mijn vriend, hij was de beste vriend van Brian. Hij zou me helpen om Sophie te redden.

In plaats daarvan had zijn kille stem, gespeend van enige emotie, aan de andere kant van de lijn gezegd: 'Je luistert niet zo goed naar instructies, hè Tessa? Als deze jongens zeggen dat je je bek moet houden, dan hóú je je bek. Nou kap je ermee om te proberen ons allemaal om zeep te helpen en doe je wat ze je hebben opgedragen.'

Shane bleek al te weten dat Brian dood was. Hij had zelf ook instructies gekregen en hij legde het me nog eens haarfijn uit: Brian mishandelde zijn vrouw. De ruzie was zo hoog opgelopen dat hij te ver was gegaan en ik uit noodweer mijn wapen had getrokken. Waren er geen sporen van fysiek geweld? Geen probleem, daar kon Shane wel iets aan doen. Ik wist uit te brengen dat ik vierentwintig uur de tijd had gekregen om Sophies terugkeer voor te bereiden. Prima, had hij kortaf gezegd. Hij zou morgenochtend meteen naar me toe komen. Dan zou hij me een paar klappen verkopen en zouden we samen contact opnemen met de autoriteiten, waarbij Shane geen moment van mijn zijde zou wijken. Shane zou alles in de gaten houden en verslag uitbrengen.

En toen begreep ik het. Natúúrlijk. Shane was niet alleen Brians vriend, hij was zijn handlanger. En nu moest hij ten koste van alles zijn eigen hachje zien te redden. Zelfs als hij daarvoor Brian, mij en Sophie moest opofferen.

Ik was de klos en het leven van mijn dochter hing aan een zijden draadje. Het is verbazingwekkend hoe scherp je de dingen opeens kunt zien als je kind je nodig heeft. Hoe het de normaalste zaak van de wereld lijkt om het lichaam van je man met sneeuw te bedekken.

Net als het opgraven van Dukes lijk vanonder de veranda aan de achterkant van het huis, waar Brian het had bewaard om te wachten op het voorjaar, wanneer het zou gaan dooien. En op internet opzoeken hoe je bommen moest maken...

Ik ontkende het niet langer. Ik aanvaardde de chaos. En kwam tot de ontdekking dat ik veel meedogenlozer kon zijn dan ik ooit voor mogelijk had gehouden.

'Ik weet het van het geld,' zei ik nu tegen Shane. Ook al deed ik erg mijn best om kalm te blijven, ik voelde de woede weer opborrelen. Ik herinnerde me de eerste keer dat Shanes vuist in aanraking kwam met mijn gezicht en mijn oogkas verbrijzelde. De manier waarop hij boven me uit torende terwijl ik onderuitging op de bloederige keukenvloer. Die eeuwig durende minuut waarin ik had beseft dat hij me zou kunnen vermoorden en dat er dan niemand meer zou zijn om Sophie te redden. Ik had gehuild. Ik had gesmeekt. Dat was wat mijn 'vriend' me had aangedaan.

Nu schoot Shanes blik omhoog en keek hij me aan, met grote ogen van verbazing.

'Dacht je dat ik er nooit achter zou komen?' vroeg ik. 'Waarom wilde je per se dat ik zou beweren dat ik mijn eigen man had gedood? Omdat jij en je handlangers me uit de weg wilden hebben. Je wilde dat ik mijn geloofwaardigheid verloor en me vervolgens de schuld geven van de diefstal. Die criminele vriendjes van je willen helemaal geen geld van me. Jij gebruikt me om je sporen uit te wissen en mij te laten opdraaien voor het geld dat jíj van de vakbond hebt gejat. Je wilde mij van alles de schuld geven. Van alles!'

Hij zei niets.

'Vuile klootzak!' barstte ik uit. 'Als ik naar de gevangenis moest, wat zou er dan met Sophie gebeuren? Je hebt haar doodvonnis getekend, lul. Je hebt in feite mijn dochter vermoord!'

Shane werd lijkbleek. 'Ik wilde niet... Dat had ik nooit gedaan. Zo ver zou ik nooit zijn gegaan!'

'Zo vér? Je hebt gestolen van de vakbond. Je hebt je vrienden verneukt, je carrière en je gezin. Ging je daarmee niet te ver?'

'Het was Brians idee,' zei Shane. 'Hij had het geld nodig. Hij had een beetje te veel verloren... Hij zei dat ze hem zouden afmaken. Ik probeerde alleen maar te helpen. Echt, Tessa. Je weet hoe Brian kan zijn. Ik probeerde alleen maar te helpen.'

Als antwoord greep ik zijn riem, maakte de taser los en hield die omhoog.

'Als je nog één keer liegt, laat ik je dansen. Begrijp je me, Shane? Hou op met liegen!'

Hij slikte moeizaam en stak nerveus zijn tong uit om aan zijn mondhoek te likken.

'Ik... Ach, jezus,' flapte hij er opeens uit. 'Het spijt me, Tessa. Ik weet niet hoe het zo ver heeft kunnen komen. Aanvankelijk ging ik met Brian mee naar Foxwoods om hém in bedwang te houden. En dat betekende natuurlijk dat ik zelf ook wel eens speelde. Toen won ik een paar keer. Echt véél. Vijfduizend dollar, zomaar ineens. Ik kocht een nieuwe ring voor Tina. Ze moest ervan huilen. En het voelde... geweldig. Fantastisch. Ik voelde me net Superman. Dus natuurlijk moest ik nog een keer spelen, alleen wonnen we niet altijd. Dus dan speel je meer omdat jij nu aan de beurt bent. Eén goede hand, meer heb je niet nodig, één goede hand. Dat hielden we onszelf voor, de laatste paar weken. Eén goede middag aan de tafels en alles zou anders worden. Het zou goed komen. Misschien zelfs maar een paar uur. Alleen maar een paar goede uren en alles zou goed zijn gekomen.'

'Je hebt geld van de vakbond gejat. Je hebt je ziel aan criminelen verkocht.'

Shane keek me aan. 'Je moet geld hebben om geld te kunnen winnen,' zei hij eenvoudigweg, alsof daar geen speld tussen te krijgen was.

En misschien was dat voor een gokker ook wel zo.

'Van wie heb je het geld geleend? Wie heeft Brian doodgeschoten? Wie heeft mijn dochter?'

Hij haalde zijn schouders op.

'Fuck you, Shane! Ze hebben mijn meisje. Als je niet gaat praten, blaas ik je kop van je romp!'

'Ze maken me toch af!' kaatste hij terug, en eindelijk schoot het vuur in zijn ogen. 'Met die lui valt niet te spotten. Ze hebben me al foto's gestuurd... Tina in de supermarkt, Tina die naar yogales gaat, Tina die de jongens ophaalt. Ik vind het erg van Brian. Ik vind het erg van Sophie. Maar ik moet mijn eigen gezin beschermen. Ik heb de boel misschien verkloot, maar zo'n mislukkeling ben ik nou ook weer niet.'

'Shane,' zei ik kortaf. 'Je begrijpt het niet. Ik maak je af. Dan ga ik het woord "verrader" in je borst kerven. Daarna laat ik Tina en de jongens nog twee dagen leven. Waarschijnlijk korter.'

Hij knipperde met zijn ogen. 'Je gaat niet...'

'Bedenk hoe ver jij zou gaan voor je zoons, en besef dan dat ik dat ook zou doen.'

Shane ademde zwaar uit. Hij staarde me aan, en aan zijn blik kon ik zien dat hij eindelijk begreep hoe dit allemaal zou aflopen. Misschien had hij, net als ik, de afgelopen dagen bedacht dat de hel in werkelijkheid uit verschillende lagen bestond en dat er altijd wel een plek was waar het nog dieper en donkerder was, hoe diep je ook viel.

'Als ik je een naam geef,' zei hij opeens, 'dan moet je hem doden. Vanavond nog. Zweer het, Tessa. Neem hem te grazen voordat hij mijn gezin te grazen neemt.'

'Afgesproken.'

'Ik hou van ze,' fluisterde Shane. 'Ik heb het verkloot, maar ik hou van mijn vrouw en kinderen. Het enige wat ik wil, is dat ze niks overkomt.'

Nu was het mijn beurt om niets te zeggen.

'Het spijt me van Brian, Tessa. Echt, ik dacht niet dat ze dat zouden doen. Ik dacht niet dat ze hem iets zouden aandoen. Of dat ze het op Sophie gemunt zouden hebben. Ik had nooit moeten beginnen met gokken. Ik had nooit ook maar één kaart moeten oppakken.'

'De naam, Shane. Wie heeft Brian vermoord? Wie heeft mijn dochter?'

Hij keek aandachtig naar mijn gehavende gezicht en leek uiteindelijk in elkaar te krimpen. Toen knikte hij, ging wat meer rechtop zitten en rechtte zijn schouders. Ooit was Shane een goede agent geweest. Ooit was hij een goede vriend geweest. Misschien probeerde hij die persoon weer terug te vinden.

'John Stephen Purcell,' zei hij. 'Een *enforcer*. Zorg dat je Purcell vindt, hij heeft Sophie. Of hij weet in elk geval waar ze is.'

'Waar woont hij?'

Een lichte aarzeling. 'Als je de handboeien afdoet, geef ik je zijn adres.'

Zijn aarzeling was voldoende waarschuwing. Ik schudde mijn hoofd. 'Je had nooit mijn dochter iets aan moeten doen,' zei ik zacht, terwijl ik de Glock omhoog hield.

'Kom op, Tessa. Ik heb je verteld wat je moest weten.' Hij schudde zijn geboeide polsen rinkelend heen en weer. 'Jezuschristus, dit is absurd. Laat me gaan. Ik zal je helpen om je dochter terug te krijgen. We kunnen Purcell samen gaan zoeken. Kom op...'

Ik glimlachte, maar het was een droevige glimlach. Shane liet het allemaal zo eenvoudig klinken. Natuurlijk had hij dat aanbod zaterdag kunnen doen. In plaats daarvan had hij gezegd dat ik goed naar hem moest luisteren en mijn bek moest houden, en o ja, dat hij de volgende ochtend langs zou komen om me in elkaar te slaan.

Goede Brian. Slechte Brian.

Goede Shane. Slechte Shane.

Goede Tessa. Slechte Tessa.

Misschien is die grens tussen goed en slecht voor ons allemaal vager dan we zouden willen. En misschien geldt voor ons allemaal dat wanneer die grens eenmaal is overschreden, er geen weg terug meer is. Je was wie je was, en nu ben je wie je bent.

'Shane,' mompelde ik. 'Denk aan je zoons.'

Hij keek verward, en toen zag ik dat hij begreep wat ik bedoelde. Bijvoorbeeld dat het gezin van een agent die tijdens het werk om het leven kwam een speciale uitkering kreeg, terwijl het gezin van een agent die naar de gevangenis moest wegens verduistering en betrokkenheid bij criminele activiteiten die niet kreeg.

Shane zei het zelf al: hij had het verkloot, maar zo'n mislukkeling was hij nou ook weer niet.

Goede Shane dacht aan zijn drie zoons. En ik kon zien op welk moment hij de logische conclusie trok, want zijn schouders zakten naar beneden. Zijn gezicht ontspande.

Shane Lyons keek me de laatste keer aan.

'Het spijt me,' fluisterde hij.

'Mij ook,' zei ik.

Toen haalde ik de trekker over.

Naderhand reed ik de surveillancewagen van de oprijlaan de straat op, en ik parkeerde hem uiteindelijk achter een donker pakhuis, echt zo'n plek waar een agent heen zou kunnen gaan als hij iets verdachts zag. Ik ging op de achterbank zitten en negeerde de geur van bloed en het feit dat Shanes lichaam nog warm en soepel aanvoelde.

Ik doorzocht zijn zakken en vervolgens zijn riem. Weggestopt naast zijn mobiele telefoon vond ik een stukje papier waar getallen op stonden geschreven die heel goed gps-coördinaten konden zijn. Ik voerde de coördinaten in in de computer voor in de auto en zocht de route naar het corresponderende adres op.

Ik ging weer naar de achterbank, maakte de boeien om Shanes polsen los en deed hem toen zijn riem weer om. Ik had hem een dienst bewezen door hem dood te schieten met Brians Glock. Ik had ook zijn eigen Sig Sauer kunnen gebruiken, waarmee de mogelijkheid zou zijn geopperd dat hij zelfmoord had gepleegd. In dat geval zouden Tina en de jongens geen cent krijgen.

Zo'n harde ben ik nog niet, dacht ik. Niet zo bikkelhard.

Ik had een merkwaardig gevoel in mijn wangen. Mijn gezicht was op een vreemde manier gevoelloos.

Ik dwong mezelf geconcentreerd te blijven. De nacht was nog jong en ik had nog een heleboel werk te doen.

Ik liep om de wagen heen en opende de kofferbak. Staatsagenten hechten eraan om goed voorbereid te zijn, en Shane vormde daarop geen uitzondering. Aan een zijkant lagen zes proteïnerepen, een pak met flesjes water en zelfs een paar kant-en-klaarmaaltijden. Ik stopte het eten in mijn plunjezak en propte ter plekke een halve reep in mijn mond, en met Shanes sleutels maakte ik de langwerpige wapenkluis open. Shane had een Remington riotgun, een M4 karabijn, een paar dozen munitie en een legermes op voorraad.

Ik pakte alles.

37

Bobby en D.D. waren halverwege de rit naar het huis van Shane Lyons toen ze de melding hoorden: *Assistentie collega, assistentie collega, oproep voor alle wagens…*

De meldkamer dreunde een adres op. D.D. voerde het in in haar computer en verbleekte toen op het scherm het plattegrondje verscheen.

'Dat is vlak bij Tessa's huis,' mompelde ze.

'En dat van Lyons,' zei Bobby.

Ze staarden elkaar aan.

'Shit.'

Bobby zette de zwaailichten aan en gaf plankgas. Ze spoedden zich in doodse stilte naar het adres.

Tegen de tijd dat ze arriveerden, werd de hele boel al geblokkeerd door ambulances en politiewagens. Het krioelde van de politiemensen, die geen van allen echt iets deden. En dat kon maar één ding betekenen.

Bobby en D.D. stapten uit. De eerste agent die ze tegen het lijf liepen was van de staatspolitie, dus voerde Bobby het woord.

'Wat is er aan de hand?' vroeg hij.

'Het is Shane Lyons. Een schotwond in het hoofd.' De jonge agent slikte moeizaam. 'Hij is ter plaatse overleden. Het ambulancepersoneel heeft niets meer kunnen doen.'

Bobby knikte en keek in D.D.'s richting.
'Had hij dienst?' vroeg ze.
'Nee. Hij had zich nog niet gemeld. Rechercheur Parker' – de agent wees naar een man in een zware grijze wollen jas die achter het afzetlint stond – 'leidt het onderzoek. Misschien kunt u beter met hem praten.'
Ze knikten, bedankten hem en liepen naar de plaats delict.
Bobby kende Al Parker. Hij en D.D. lieten hun politiepenning zien aan de agent met het moorddossier. Toen doken ze onder het gele lint door en liepen naar de leider van het onderzoek toe.
Parker, een dunne, slungelige man, ging rechter staan toen hij ze zag aankomen. Hij pakte met zijn leren handschoenen nog aan Bobby's beide handen vast, en Bobby stelde D.D. aan hem voor.
Het was eindelijk minder hard gaan sneeuwen. Er lag nog een laag van een centimeter of tien op het wegdek, waarop een wirwar van voetafdrukken zichtbaar was, van agenten en ambulanceverpleegkundigen die te hulp waren gesneld. Het viel echter meteen op dat er maar één bandenspoor was. Een ander voertuig zou sporen hebben achtergelaten, maar D.D. zag niets.
Ze zei het tegen rechercheur Parker, die knikte.
'Kennelijk is Lyons achter het gebouw gaan staan,' zei hij. 'Officieel was hij nog niet aan zijn dienst begonnen. Ook heeft hij er geen melding van gemaakt dat hij reageerde op aanwijzingen van verdachte activiteiten...'
Rechercheur Parker hoefde niet uit te leggen wat dat betekende.
Agenten die dienst hadden, meldden zich altijd. Dat zat ingebakken in hun DNA. Als je koffie ging halen, een plas ging doen of een inbraak zag plaatsvinden, dan meldde je dat. Dat betekende dat wat het ook was waardoor Lyons op deze afgelegen plek terecht was gekomen, het niets met zijn werk te maken had, maar iets persoonlijks was geweest.
'Eén schotwond,' vervolgde Parker. 'In de linkerslaap. Het schot is afgevuurd vanaf de bestuurdersstoel. Lyons zat achterin.'
D.D. schrok, Bobby ook.
Toen Parker hun blik zag, gebaarde hij dat ze naar de surveillance-

wagen moesten lopen, waarvan alle vier de portieren openstonden. Vanaf de bloedvlek op de achterbank volgde hij achterwaarts de baan van het schot.

'Had hij zijn politieriem om?' vroeg Bobby fronsend.

Parker knikte. 'Ja, maar er zijn sporen op zijn polsen die erop wijzen dat hij geboeid was. De handboeien waren niet meer aanwezig toen de eerste agent ter plaatse kwam, maar eerder op de avond zijn Lyons' handen geboeid geweest.'

Dat beeld stond D.D. niet aan – een geboeide agent die op de achterbank van zijn eigen wagen in de loop van een pistool staarde. Ze voelde koude sneeuwvlokken langs haar wimpers strijken en dook dieper weg in haar winterjas.

'Zijn wapen?' vroeg ze.

'De Sig Sauer zit in zijn holster. Maar ik wil jullie wat laten zien.'

Parker liep voor hen uit naar de achterkant van de wagen en deed de kofferbak open. Die was leeg. D.D. begreep meteen wat dat wilde zeggen. Geen enkele agent, of hij nu een uniform droeg of niet, reed rond met een lege kofferbak. Er zouden op zijn minst wat voedingsmiddelen moeten zijn, om nog maar te zwijgen van een karabijn of een riotgun, of allebei.

Ter bevestiging keek ze even naar Bobby. Die knikte en mompelde: 'Een Remington riotgun en een M4 karabijn zijn standaard. Iemand was op zoek naar wapens.'

Parker keek hen allebei aandachtig aan, maar ze deden er het zwijgen toe. Het was zonder woorden ook wel duidelijk wie diegene was: iemand die Shane Lyons kende, hem uit zijn wagen zou weten te lokken en heel erg verlegen zat om vuurwapens.

'Lyons' gezin?' vroeg Bobby.

'De kolonel is erheen om ze op de hoogte te stellen.'

'Shit,' mompelde Bobby.

'Drie jongens. Shit, ja.'

D.D.'s mobieltje ging. Ze herkende het nummer niet, maar het was een nummer uit Boston, dus verontschuldigde ze zich en liep een eindje weg om op te nemen.

Even later kwam ze terug naar Bobby en Parker.

'We moeten gaan,' zei ze terwijl ze Bobby op zijn arm tikte.

Hij vroeg niets, niet waar de andere rechercheur bij was. Hij gaf Parker eenvoudigweg een hand, bedankte hem voor zijn tijd en toen waren ze weg.

'Wie was dat?' vroeg Bobby zodra ze buiten gehoorsafstand waren.

'Geloof het of niet: Shanes weduwe. Ze heeft iets voor ons.'

Bobby trok een wenkbrauw op.

'Een envelop,' verduidelijkte D.D. 'Kennelijk heeft Shane die op zondagavond aan haar gegeven. Hij zei dat ze mij moest bellen als hem iets overkwam, alleen mij, en me de envelop moest geven. De kolonel is net weg. De weduwe vervult nu de laatste wensen van haar man.'

In het huis van Shane Lyons waren alle lampen aan. In de straat stonden zes auto's, waarvan er twee fout geparkeerd in de voortuin stonden. Vast familie, dacht D.D. Vrouwen van andere staatsagenten. De ondersteuning was op gang gekomen.

Ze vroeg zich af of Shanes jongens al wakker waren gemaakt. Ze vroeg zich af of hun moeder al had verteld dat hun vader nooit meer thuis zou komen.

Bobby en zij stonden schouder aan schouder voor de voordeur, hun gezicht in de plooi omdat het nou eenmaal zo werkte. Ze rouwden om de dood van elke politieagent, voelden de pijn die het gezin van de betreffende agent voelde en deden desondanks hun plicht. Agent Shane Lyons was slachtoffer én verdachte. Niets was makkelijk in dit soort zaken of onderzoeken.

Er werd opengedaan door een oudere vrouw. Op basis van haar leeftijd en haar gelaatstrekken concludeerde D.D. dat het de moeder van Tina Lyons was. D.D. liet haar politiepenning zien, en Bobby deed hetzelfde.

Dat leek de vrouw te verwarren. 'Ik neem toch aan dat jullie nu geen vragen voor Tina hebben,' zei ze zacht. 'Geef mijn dochter op zijn minst een paar dagen...'

'Ze heeft ons gebeld, mevrouw,' zei D.D.
'Wat?'
'We zijn hier omdat ze ons gevraagd heeft om te komen,' herhaalde D.D. 'Zou u haar willen laten weten dat brigadier-rechercheur D.D. Warren er is? We vinden het niet erg om buiten te wachten.'
Sterker nog, Bobby en zij gaven daar de voorkeur aan. Wat Tina ook voor hen had, ze konden er maar beter geen getuigen bij hebben.
De minuten verstreken. Net toen D.D. begon te denken dat Tina zich bedacht had, kwam de vrouw naar buiten. Ze had een verwilderde uitdrukking op haar gezicht en rode ogen van het huilen. Ze droeg een donzige roze badjas die ze aan de bovenkant stevig tegen zich aan drukte. In haar andere hand hield ze een grote, effen witte envelop.
'Weten jullie wie mijn man heeft vermoord?' vroeg ze.
'Nee, mevrouw.'
Tina Lyons duwde D.D. de envelop in handen 'Dat is het enige wat ik wil weten. Ik meen het. Dat is het énige wat ik wil weten. Kom daar eerst maar achter, dan zien we elkaar wel weer.'
Ze trok zich terug om zich over te geven aan de schrale troost die familie en vrienden te bieden hadden en liet D.D. en Bobby achter op de veranda.
'Ze weet iets,' zei Bobby.
'Ze vermóédt iets,' corrigeerde D.D. hem zachtjes. 'Ze wil het niet weten. Volgens mij was dat het hele punt van wat ze zei.'
D.D. hield de envelop met beide handen vast. Ze keek de besneeuwde oprijlaan rond. Het was na middernacht in een rustige woonwijk, overal op het trottoir stonden lantaarnpalen, en toch doemden overal donkere plekken op.
Plotseling voelde ze zich in het oog lopen en onbeschut.
'Kom, we gaan,' mompelde ze tegen Bobby.
Ze liepen voorzichtig de straat door naar hun auto. D.D. droeg de envelop in haar handen. Bobby droeg zijn pistool.

Tien minuten later hadden ze een paar basale ontwijkende manoeuvres uitgevoerd in een doolhof van straten in Allston-Brighton. Bobby was blij dat niemand hen had gevolgd. D.D. kon niet wachten om te zien wat er in de envelop zat.

Ze vonden een kleine avondwinkel waar het een drukte van belang was met studenten, die zich niet hadden laten afschrikken door het late tijdstip of het weer. De vele auto's zorgden ervoor dat hun Crown Vic minder in het oog liep, en bovendien waren er nu dankzij de studenten meer dan genoeg ooggetuigen om een onverwachte aanval te voorkomen.

Gerustgesteld verving D.D. haar winterhandschoenen door een paar latex handschoenen en maakte toen zo voorzichtig mogelijk de envelop open, om eventueel bewijs intact te houden.

In de envelop zaten twaalf kleurenfoto's. De eerste elf bleken van het gezin van Shane Lyons te zijn. Daar had je Tina in de supermarkt. Daar liep Tina een gebouw in met een yogamatje in haar handen. Daar haalde Tina de jongens op van school. Daar speelden de jongens op het schoolplein.

Je hoefde geen genie te zijn om de boodschap te begrijpen. Iemand had het gezin van Shane gestalkt, en die persoon wilde dat Shane dat wist.

Toen kwam D.D. bij de laatste foto. Ze hield haar adem in; naast haar vloekte Bobby.

Sophie Leoni.

Ze staarden naar Sophie Leoni, of beter gezegd: zij staarde recht in de camera, terwijl ze krampachtig een pop vasthield die één oog had, een gehavende blauwe knoop. Sophie hield haar lippen op elkaar geperst, zoals een klein meisje zou kunnen doen dat heel erg haar best deed om niet te huilen. Maar ze hield haar kin omhoog. Aan de blik in haar blauwe ogen kon je duidelijk zien dat ze zich probeerde te verzetten, ook al zaten er vegen van vuil en tranen op haar wangen en leek haar bruine haar nu wel een rattennest.

De foto's waren van dichtbij genomen, en de enige zichtbare aanwijzing was het hout van de panelen op de achtergrond. Misschien was de foto in een kast of een klein kamertje genomen. Een raamloos vertrek, dacht D.D. Dat zou een logische plek zijn om een kind op te sluiten.

Haar hand begon te trillen.

D.D. draaide de foto om om te zien of ze nog meer aanwijzingen kon ontdekken.

Ze vond een boodschap die met zwarte markeerstift was opgeschreven: *Zorg ervoor dat jouw kind dit niet ook overkomt.*

D.D. draaide de foto weer om en wierp nog een laatste blik op het hartvormige gezicht van Sophie Leoni. Haar handen trilden nu zo erg dat ze de foto op haar schoot moest leggen.

'Ze is echt ontvoerd. Ze is echt...' Haar gedachten schoten alle kanten op. 'En het is godverdomme meer dan drie dagen geleden! Hoe moeten we haar na drie dagen godverdomme ooit nog terugvinden?'

Ze gaf een ram op het dashboard. De klap deed pijn aan haar hand, maar temperde haar woede absoluut niet.

Ze draaide zich met een ruk naar haar partner toe. 'Wat is er godverdomme aan de hand, Bobby? Wie ontvoert er godverdomme het kind van een politieagent en bedreigt ook nog eens het gezin van een tweede agent? Ik bedoel, wat voor iemand dóét zoiets?'

Bobby gaf niet meteen antwoord. Zijn handen omklemden het stuur zo stevig dat hij witte knokkels had.

Toen vroeg hij: 'Wat zei Tina toen ze belde? Wat waren Shanes instructies?'

'Dat ze deze envelop aan mij moest geven als hem iets overkwam.'

'Waarom aan jou, D.D.? Met alle respect, maar jij bent van de BPD. Als Shane hulp nodig had, zou hij zich dan niet tot zijn eigen geüniformeerde vrienden wenden, zijn broeders in het blauw?'

D.D. staarde hem aan. Ze herinnerde zich de dag dat ze aan deze zaak was begonnen, de manier waarop de staatspolitie de rijen had gesloten, zelfs tegenover haar, een collega van de BPD. Toen zette ze grote ogen op.

'Je denkt toch niet...'

'Er zijn maar weinig criminelen die de ballen hebben om een staatsagent te bedreigen, laat staan twee. Maar een andere agent zou dat wél doen.'

'Waarom?'

'Hoeveel is er gestolen van de vakbond?'

'Een kwart miljoen.'

Bobby knikte.

'Met andere woorden: tweehonderdvijftigduizend redenen om het uniform te schande te maken. Tweehonderdvijftigduizend redenen om Brian Darby om het leven te brengen, Sophie Leoni te ontvoeren en Shane Lyons te bedreigen.'

Daar dacht D.D. even over na. 'Tessa Leoni heeft Lyons doodgeschoten. Hij heeft het uniform te schande gemaakt, maar wat nog erger is, is dat hij haar gezin heeft verraden. Nu is de vraag: heeft ze van Lyons de informatie losgekregen waar ze naar op zoek was?'

'Lyons was maar een hulpje, Brian Darby misschien ook. Ze hebben het geld van de vakbond gejat om te kunnen gokken. Maar iemand anders heeft ze geholpen – de persoon die de leiding had.'

Bobby wierp een blik op Sophies foto en probeerde zijn gedachten onder woorden te brengen. 'Als Tessa Leoni degene is geweest die Lyons heeft doodgeschoten en zo ver gekomen is, dan kan het niet anders dan dat ze een auto heeft.'

'Om nog maar te zwijgen van een klein arsenaal aan wapens.'

'Dus misschien heeft ze wel degelijk een naam en een adres,' voegde Bobby daaraan toe.

'Ze gaat achter haar dochter aan.'

Eindelijk lachte Bobby. 'Dan hoop ik maar voor het brein achter de diefstal dat wij die smeerlap eerder vinden.'

38

Over sommige dingen kun je beter niet nadenken. Dat deed ik dus ook niet. Ik reed via de Mass Pike naar de 128, die ik in zuidelijke richting volgde, richting Dedham. Na nog eens twaalf kilometer en een aantal afslagen bevond ik me in een bosrijke omgeving met huizen. Oude huizen met veel grond. Zo'n plek waar mensen een trampoline in de voortuin hebben staan en waar de waslijnen in de achtertuin hangen.

Erg geschikt om een kind vast te houden, dacht ik, en toen stopte ik weer met denken.

De eerste keer reed ik het adres voorbij. Door de vallende sneeuw kon ik de huisnummers niet zien. Toen ik me realiseerde dat ik te ver was doorgereden, trapte ik op de rem en de oude pick-up slingerde over de weg. Ik gebruikte de draaiende beweging om te keren, een onbewuste reflex die mijn zenuwen kalmeerde en me weer tot rust bracht.

Training. Daar kwam het allemaal op aan.

Criminelen trainden niet.

Maar ik wel.

Ik parkeerde de wagen langs de weg. Vol in het zicht, maar ik moest er meteen mee weg kunnen komen. Ik had Brians Glock .40 achter mijn broeksband gestoken. Het legermes zat in een schede die je om de onderkant van je been kon binden. Ik gespte hem vast.

Toen laadde ik de riotgun. Als je een jonge, niet al te grote vrouw bent, is een riotgun altijd de beste optie. Je kunt er een buffel mee omver knallen zonder zelfs maar te hoeven richten.

Ik controleerde mijn zwarte handschoenen en trok mijn zwarte pet omlaag. Ik voelde de kou wel, maar als iets wat abstract en ver weg was. Ik hoorde vooral een hard stromend geluid in mijn oren, waarschijnlijk mijn eigen bloed dat door een stoot adrenaline door mijn aderen werd gepompt.

Ik gebruikte geen zaklamp. Ik wachtte tot mijn ogen zich hadden aangepast aan het donker dat je alleen op kleine wegen buiten de grote stad hebt, en liep toen zo snel ik kon het bos door.

Het voelde goed om in beweging te zijn. Na de eerste vierentwintig uur, waarin ik aan een ziekenhuisbed gekluisterd was geweest, gevolgd door nog eens vierentwintig uur in een gevangenis, voelde het fijn om eindelijk buiten te zijn, in beweging, en te doen wat er moest gebeuren.

Ergens voor me bevond zich mijn dochter. Ik ging haar redden. Ik ging de man om het leven brengen die haar had meegenomen. Dan gingen we samen naar huis.

Tenzij, natuurlijk…

Ik stopte weer met denken.

Het bos werd minder dicht. Opeens was ik in een besneeuwde achtertuin, en ik bleef stokstijf staan. Ik nam de lage, uitgestrekte ranch in me op die voor me opdoemde. Alle ramen waren donker, er brandde geen enkel licht om me te verwelkomen. Het was nu ver na middernacht. Een tijdstip waarop fatsoenlijke mensen sliepen.

Maar je kon niet zeggen dat mijn doelwit zijn geld op een fatsoenlijke manier verdiende, of wel soms?

Ik vermoedde dat er verlichting hing die op beweging reageerde. Zodra ik dichterbij kwam, zouden er hoogstwaarschijnlijk schijnwerpers aan schieten. Waarschijnlijk zat er een beveiligingssysteem op de deuren en ramen. Op zijn minst de meest basale maatregelen om het huis te beschermen.

Het spreekwoord klopt: zoals de waard is, vertrouwt hij zijn gasten. Enforcers die mensen afmaken, verwachten zelf ook afgemaakt te worden en handelen daar ook naar.

Het was waarschijnlijk uitgesloten dat ik onopgemerkt het huis binnen kon komen.

Prima, dan lokte ik hem naar buiten.

Ik begon met de auto die op de oprit stond. Een zwarte Cadillac Esplanade met alle toeters en bellen. Maar natuurlijk. Het gaf me een heel voldaan gevoel de kolf van de riotgun door de ruit naast de bestuurdersplaats te rammen.

Het autoalarm loeide. Ik rende van de SUV naar de zijkant van het huis. Schijnwerpers schoten aan en overspoelden de tuin aan de voorkant en de zijkant van het huis met een verblindend wit licht. Ik ging met mijn rug tegen de zijkant van het huis staan, vanwaar ik de Cadillac kon zien, en schoof zo dicht mogelijk naar de achterkant van het huis, omdat ik vermoedde dat Purcell daar uiteindelijk tevoorschijn zou komen. Ik hield mijn adem in.

Een enforcer als Purcell zou niet zo stom zijn om in zijn onderbroek de sneeuw in te stormen, maar hij zou te arrogant zijn om iemand zomaar zijn auto te laten jatten. Hij zou komen. Gewapend. En waarschijnlijk dacht hij ook dat hij voorbereid was.

Het duurde een volle minuut. Toen hoorde ik aan de achterkant van het huis een hordeur zachtjes krakend opengaan.

Ik hield de riotgun losjes in de holte van mijn linkerarm. Met mijn rechterhand trok ik langzaam het legermes uit de schede.

Ik had nog nooit iemand met een mes vermoord. Het leek me erg heftig.

Ik stopte weer met denken.

Mijn gehoor had zich al aangepast aan het schrille geluid van het autoalarm. Dat maakte het makkelijker om andere geluiden op te pikken: het zachte geknars van de sneeuw toen mijn slachtoffer de eerste stap nam, en toen de volgende. Ik nam een seconde de tijd om achterom te kijken, voor het geval ze met z'n tweeën in het huis waren en er eentje vanaf de voorkant en eentje vanaf de achterkant aan kwam sluipen, om zo in een cirkel om het huis heen te lopen.

Ik hoorde maar één paar voetstappen, en daar richtte ik me nu op.
Ik dwong mezelf om adem te halen en inhaleerde de lucht diep in mijn longen. Ik vertraagde mijn eigen hartslag. Ik zag wel wat er ging gebeuren. Tijd om los te laten.
Ik ging op mijn hurken zitten, met het mes in de aanslag.
Er verscheen een been. Ik zag zwarte sneeuwlaarzen, een dikke spijkerbroek, de rode achterkant van een flanellen overhemd.
Ik zag een pistool dat tegen de onderkant van een dijbeen werd gehouden.
'John Stephen Purcell?' zei ik.
Een gezicht dat zich geschrokken naar me toe draaide, donkere ogen die zich opensperden, een mond die openging.
Ik staarde omhoog naar de man die mijn echtgenoot had gedood en mijn kind had ontvoerd.
Ik haalde uit met het mes.
Op hetzelfde moment dat hij het vuur opende.

Ze zeggen dat je het nooit met een mes tegen een vuurwapen moet opnemen.
Maar soms kan het wel. Purcell raakte me in mijn rechterschouder. Ik daarentegen sneed de hamstring van zijn linkerbeen door. Hij viel en schoot een tweede keer, in de sneeuw. Ik trapte het wapen uit zijn hand en richtte de riotgun op hem, en hij kronkelde over de grond van de pijn maar probeerde me niet aan te vallen.
Zo van dichtbij leek Purcell ergens tussen de vijfenveertig en vijfenvijftig te zijn. Een ervaren enforcer dus. Zo'n gast die al heel wat slachtoffers had bewerkt. Hij was duidelijk enigszins trots op zijn positie, want ondanks het feit dat zijn spijkerbroek donker werd van een grote stroom bloed, perste hij zijn lippen op elkaar en zei geen woord.
'Ken je me nog?' vroeg ik.
Hij moest even kijken en knikte toen.
'Heb je het geld al uitgegeven?'
Hij schudde zijn hoofd.

'Jammer, want dat was de laatste keer geweest dat je had kunnen winkelen. Ik wil mijn dochter.'

Hij zei geen woord.

Dus zette ik de loop van de riotgun tegen zijn rechterknieschijf – het been dat ik niet had uitgeschakeld. 'Zeg maar dag tegen je been,' deelde ik hem mee.

Zijn ogen werden groot. Zijn neusvleugels trilden. Zoals veel harde jongens was Purcell beter in uitdelen dan in incasseren.

'Ik heb haar niet,' zei hij met schorre stem. 'Niet hier.'

'Dat zullen we nog wel eens zien.'

Ik liet hem op zijn buik liggen, met zijn handen op zijn rug. Ik had een zak vol kabelbinders bij me, uit Shanes auto. Eerst bond ik Purcells polsen vast en vervolgens zijn enkels, ook al kreunde hij van de pijn toen zijn gewonde linkerbeen bewoog.

Ik zou iets moeten voelen, dacht ik gelaten. Triomf, wroeging, íéts. Ik voelde helemaal niks.

Ik kon er maar beter niet over nadenken.

Purcell was gewond en geboeid. Toch moest je de vijand nooit onderschatten. Ik klopte op zijn zakken en ontdekte een zakmes, een pieper en een stuk of tien losse patronen die hij kennelijk bij zich droeg om in noodgevallen te herladen. Ik stopte alles in mijn eigen zakken.

Toen, terwijl ik zijn pijnlijke grimas negeerde, sleepte ik hem met mijn linkerarm een paar meter door de sneeuw terug naar het trapje achter zijn huis, waar ik met een nieuwe kabelbinder zijn armen vastbond aan een buitenkraan. Na veel tijd en inspanning zou het hem misschien wel lukken zich te bevrijden, of zelfs om de metalen kraan af te breken, maar ik was niet van plan hem zo lang alleen te laten. Trouwens, met gebonden armen en benen en een doorgesneden hamstring zou hij niet ver kunnen komen.

Mijn schouder brandde. Ik voelde het bloed aan de binnenkant van mijn trui over mijn arm stromen. Het was een onaangenaam gevoel, net als water dat in je mouw loopt. Ik had de vage indruk dat ik te weinig oog had voor mijn verwonding. Dat ik er waarschijnlijk niet zo goed aan toe was. Dat zoveel bloedverlies waarschijnlijk erger was dan een beetje water in een mouw.

Ik voelde me merkwaardig vlak. Niet meer in staat om emoties en het ongemak van fysieke pijn te voelen.

Ik kon er maar beter niet over nadenken.

Behoedzaam ging ik het huis binnen, met het mes weer in de schede en de riotgun voor me uit. Ik moest de loop tegen mijn linkeronderarm laten rusten. Gezien mijn omstandigheden zou ik belabberd kunnen richten. Aan de andere kant: het was een riotgun.

Purcell had geen lichten aangedaan. Dat was eigenlijk wel logisch. Wanneer je van plan was in het donker op te duiken, zou je alleen je nachtzicht maar verpesten als je lampen aandeed.

Ik liep een donkere keuken in waar het naar knoflook, basilicum en olijfolie rook. Kennelijk hield Purcell van koken. Via de keuken ging ik naar een kamer waar twee grote ligstoelen en een gigantische tv stonden. Van daaruit kwam ik in een kleiner kamertje met een bureau en een heleboel boekenplanken. Een kleine badkamer. En vervolgens een lange gang met drie deuropeningen.

Ik dwong mezelf om adem te halen en zo voorzichtig mogelijk naar de eerste deur te lopen. Ik duwde net de deur een stukje verder open toen mijn broek begon te piepen. Ik dook meteen in elkaar en zwaaide de riotgun heen en weer, klaar om het vuur te openen op gedaanten die op me af kwamen stormen. Toen ging ik met mijn rug tegen de muur staan om me op te maken voor de tegenaanval.

Geen schaduw die me aanviel. Ik stak met een wild gebaar mijn rechterhand in mijn zak en haalde Purcells pieper tevoorschijn. Onhandig zocht ik de knop waarmee ik het ding kon uitzetten.

Op het allerlaatste moment keek ik op het schermpje. Er stond: *Lyons X, Leoni!!*

Shane Lyons is dood. Pas op voor Tessa Leoni.

'Te laat en te weinig,' mompelde ik. Ik stak de pieper weer in mijn zak en beëindigde mijn verkenning van het huis.

Niets. Niets, niets, niets.

Het had er alle schijn van dat Purcell een vrijgezellenleven leidde met een breedbeeldtelevisie, een extra slaapkamer en een studie-kamertje. Toen zag ik de kelderdeur.

Mijn hartslag schoot weer omhoog. Ik voelde alles om me heen draaien toen ik de eerste stap in de richting van de deur deed.

Ik had veel bloed verloren. Ik raakte verzwakt. Ik zou moeten stoppen, de wond moeten verzorgen.

Ik legde mijn hand op de deurknop en draaide.

Sophie. Al die dagen, al die kilometers.

Ik trok de deur open en staarde het donker in.

39

Toen D.D. en Bobby bij de garage van Tessa Leoni's vader arriveerden, stond de achterdeur open en lag de man in elkaar gezakt over een oude, vervallen werkbank. D.D. en Bobby stormden het vertrek binnen. D.D. rende op Leoni af terwijl Bobby haar dekking gaf.

D.D. tilde Leoni's hoofd op om te zien of hij gewond was en deinsde toen terug door de stank van whisky.

'Jezus!' Ze liet zijn hoofd weer op zijn borst vallen. Zijn hele lichaam gleed naar links, van de kruk af, en zou op de grond zijn gevallen als Bobby het niet net op tijd had opgevangen. Hij legde de grote man voorzichtig op de grond en rolde hem toen op zijn zij, om de kans te verkleinen dat de zatlap zou stikken in zijn eigen braaksel.

'Pak zijn autosleutels,' mompelde D.D. vol walging. 'We laten iemand van de surveillancedienst komen om ervoor te zorgen dat hij veilig thuiskomt.'

Bobby was Leoni's zakken al aan het doorzoeken. Hij vond een portemonnee, maar geen sleutels. Toen bekeek D.D. aandachtig het bord met de sleuteltjes.

'Zijn die van auto's van klanten?' dacht ze hardop.

Bobby kwam naar haar toe lopen om te kijken. 'Ik zag achter de garage een paar oude bakken staan,' mompelde hij. 'Hij knapt ze vast op om ze door te verkopen.'

'Dus als Tessa snel de beschikking wilde hebben over een auto...'

'Vindingrijk,' zei Bobby.

D.D. keek neer op Tessa's bewusteloze vader en schudde opnieuw haar hoofd. 'Godsamme, hij had zich in elk geval kunnen verzetten.'

'Misschien heeft zij de whisky voor hem meegebracht,' zei Bobby schouderophalend, en hij wees naar de lege fles. Hij was een alcoholist, hij wist die dingen.

'Dus het staat vrijwel vast dat ze een auto heeft. Een beschrijving zou fijn zijn, maar op een of andere manier heb ik het idee dat het nog wel even zal duren voordat papa Leoni weer iets zegt.'

'Als we ervan uitgaan dat hij niet met gestolen auto's werkt, moet Leoni overal papieren voor hebben. Laten we eens gaan kijken.'

Bobby gebaarde naar de openstaande deur van een klein kantoortje achter in de garage. Daar stonden een bureautje en een oude grijze archiefkast. Achter in de bovenste rij bevond zich een map waarop EIGENDOMSBEWIJZEN stond.

D.D. pakte de map en ze liepen samen de garage uit. De snurkende dronkaard lieten ze alleen achter. Achter een hek van draadgaas stonden drie auto's. Aangezien er in de map eigendomsbewijzen van vier auto's zaten, was het niet moeilijk om vast te stellen dat er een donkerblauwe Ford pick-up met bouwjaar 1993 weg was. Uit het eigendomsbewijs bleek dat hij ruim 320.000 kilometer op de teller had staan.

'Een oudje, maar een prima wagen,' merkte Bobby op terwijl D.D. via de zender meer informatie opvroeg.

'Nummerbord?' vroeg D.D.

Bobby schudde zijn hoofd. 'Hebben ze geen van allen.'

D.D. keek hem aan. 'Ga eens op straat kijken.'

Hij snapte wat ze bedoelde en begon om het huizenblok heen te rennen. En ja hoor, na een meter of vijftig zag hij aan de overkant van de straat een auto zonder nummerborden staan. Het was duidelijk dat Tessa die gegapt had om ze aan haar eigen voertuig te bevestigen.

Vindingrijk, dacht hij weer, maar ook slordig. Ze was bezig met een race tegen de klok, en daarom had ze de eerste de beste nummerborden gepakt, in plaats van tijd te verdoen met de veiliger optie om een paar straten verder de nummerborden van een auto te halen.

Dat betekende dat ze een spoor begon achter te laten en dat ze dat konden gebruiken om haar te vinden.

Dat zou Bobby een goed gevoel moeten geven, maar hij voelde zich vooral moe. Hij bleef zich maar voorstellen hoe het moest zijn geweest, om thuis te komen van haar dienst, de voordeur door te lopen en te ontdekken dat haar dochter was gegijzeld door een of andere kerel. *Geef ons je pistool, dan raakt er niemand gewond.*

Vervolgens schoot diezelfde man drie keer op Brian Darby voordat hij de benen nam met Tessa's kleine meid.

Als Bobby ooit zijn eigen huis zou binnenkomen en iemand aantrof die een pistool tegen Annabelles hoofd hield en zijn vrouw en kind bedreigde...

Tessa moest half gek zijn geweest van wanhoop en angst. Ze zou met alles hebben ingestemd en tegelijkertijd het wantrouwen hebben behouden dat elke agent zo eigen was. Ze wist dat hoezeer ze ook meewerkte, het nooit genoeg zou zijn, dat ze haar natuurlijk zouden belazeren zodra ze daar de kans voor kregen.

Dus moest ze koste wat het kost een stap vóór zien te komen. De dood van haar eigen man verdoezelen om tijd te winnen. Een lijk begraven met melktanden en zelfgemaakte explosieven als onderdeel van een ijzingwekkend reserveplan.

Shane had aanvankelijk verklaard dat Tessa hem zondagochtend had gebeld met het verzoek haar in elkaar te slaan. Maar ze wisten nu dat Shane hoogstwaarschijnlijk deel had uitgemaakt van het probleem. Dat klopte wel: een vriend die een vriendin 'hielp' zou haar slechts een paar klappen verkopen; hij zou haar niet een hersenschudding bezorgen waardoor ze een nacht in het ziekenhuis moest blijven.

Dat betekende dat het Shanes idee was geweest om Tessa in elkaar te slaan. Hoe zou dat zijn gegaan? *Kom, we slepen het lijk van je man uit de garage naar boven om het te laten ontdooien. Dan sla ik je helemaal verrot, gewoon omdat ik daar zin in heb. Dan bel je de politie om te zeggen dat je die lul van een man van je hebt doodgeschoten omdat hij je wilde vermoorden.*

Ze hadden geweten dat ze gearresteerd zou worden. In elk geval had Shane moeten bedenken hoe zwak haar verhaal zou klinken, vooral omdat Sophie werd vermist en Brians lichaam was ingevroren.

Ze hadden gewild dat ze werd gearresteerd. Ze moest achter slot en grendel.

Weer dacht Bobby dat het allemaal om het geld ging. De vakbond was een kwart miljoen kwijt. Wie had dat geld gestolen? Shane Lyons? Iemand die zich hoger in de voedselketen bevond?

Iemand die slim genoeg was om te begrijpen dat ze vroeg of laat met een verdachte op de proppen moesten komen, voordat Interne Zaken te lastig werd.

Iemand die zich realiseerde dat een andere agent die in opspraak was geraakt, een vrouw, die was vastgelegd door de beveiligingscamera's van de bank – Tessa Leoni bijvoorbeeld – de perfecte zondebok zou zijn. Daar kwam nog bij dat haar man een gokprobleem had, wat haar een nog geschiktere kandidaat maakte.

Brian moest dood omdat zijn uit de hand gelopen gewoonte hem voor iedereen een bedreiging maakte. En Tessa werd met een keurige strik om overgedragen aan de autoriteiten en hield hen mooi uit de gevangenis. We zeggen dat zij het geld heeft gestolen, dat haar man het heeft vergokt, en dan hebben we overal een verklaring voor. Het onderzoek wordt afgesloten en we kunnen de zonsondergang tegemoet rijden, een kwart miljoen dollar rijker en geen haan die ernaar kraait.

Brian dood, Tessa achter de tralies, en Sophie...

Daar wilde Bobby nog niet over nadenken. Sophie was een blok aan het been. Misschien werd ze uiteindelijk nog even in leven gehouden, voor het geval Tessa niet meewerkte met het plan. Maar op lange termijn...

Tessa had groot gelijk om op het oorlogspad te zijn. Ze was al een dag kwijtgeraakt aan het beramen van plannen, een dag aan haar ziekenhuisopname en een dag aan gevangenschap. En dus was het nu of nooit. De tijd begon te dringen. In de komende paar uur zou ze haar dochter vinden, of ze zou omkomen terwijl ze dat probeerde.

Een eenzame staatsagente, die het opnam tegen criminelen die hun hand er niet voor omdraaiden om met geweld het huis van een agent binnen te dringen en haar echtgenoot dood te schieten.

Wie had de ballen om zoiets te doen?

De Russische maffia had Boston met zijn machtige tentakels in een wurgende greep genomen en stond erom bekend nog veel meedogenlozer te zijn dan hun Italiaanse tegenhangers. Ze ontpopten zich in hoog tempo tot de grote spelers in alles wat met corruptie, drugs en het witwassen van geld te maken had. Een kwart miljoen dat was ontvreemd van de vakbond van de staatspolitie klonk Bobby echter als peanuts in de oren.

De Russen gaven de voorkeur aan een groot risico en een hoge winst. Bij de meeste van hun ondernemingen was een kwart miljoen een afrondingsfoutje. En om nou te gaan stelen van de staatspolitie en moedwillig de toorn van een machtige wetshandhavingsinstantie over jezelf af te roepen...

Het kwam Bobby allemaal persoonlijker voor. Maffiosi zouden niet proberen te stelen van een politievakbond. Maar ze zouden wel een insider onder druk kunnen zetten die vervolgens vaststelde dat dat de beste manier was om aan het benodigde geld te komen. Een insider die bij het geld kon komen, maar ook over de kennis en de vooruitziende blik beschikte om zijn eigen sporen uit te wissen...

Opeens wist Bobby het. Het vervulde hem met afschuw. Het maakte hem doodsbang. En het klopte helemaal.

Hij hief zijn elleboog en stootte die door het raam aan de passagierskant van de geparkeerde auto. Het raam versplinterde. Het autoalarm ging af. Bobby negeerde beide geluiden. Hij stak zijn arm naar binnen, maakte het handschoenenkastje open en pakte het kentekenbewijs, waarop stond vermeld met welke nummerborden Tessa nu rondreed.

Toen liep hij snel terug naar D.D. en de garage, gewapend met nieuwe informatie en met de naam van hun laatste doelwit.

40

Mensen werden hiernaartoe gebracht om te sterven.

Dat wist ik alleen al door de stank. De doordringende, roestige geur van bloed, die zo diep in de betonnen vloer was doorgedrongen dat je die met geen enkele hoeveelheid bleekmiddel of limoen weg kon krijgen. Sommige mensen hadden in hun kelder een werkplaats. Kennelijk had John Stephen Purcell er een martelkamer.

Ik had licht nodig. Dat zou mijn nachtzicht verpesten, maar het zou ook criminelen desoriënteren die wachtten tot ze me konden aanvallen.

Aarzelend stond ik op de bovenste trede, met mijn hand aan het lichtknopje. Ik wist niet of ik wel licht in de kelder wilde. Ik wist niet of ik het wel wilde zien.

Na uren van gelukzalige verdoofdheid stond ik op instorten. De geur. Mijn dochter. De geur. Sophie.

Een klein meisje zouden ze niet martelen. Wat zouden ze daarmee opschieten? Wat zou Sophie hun in vredesnaam kunnen vertellen?

Ik sloot mijn ogen. Deed het lichtknopje omhoog. En toen stond ik in die diepe stilte die na middernacht valt en wachtte ik tot ik mijn dochter jammerend hoorde zeggen dat ze gered wilde worden, of op het geluid van iemand die op het punt stond me aan te vallen.

Ik hoorde helemaal niets.

Ik opende mijn rechteroog, telde tot vijf, en deed toen mijn linkeroog open. Het felle schijnsel van de kale gloeilamp deed minder pijn dan ik had verwacht. Met de riotgun tegen me aan gedrukt, en terwijl het bloed uit mijn gewonde rechterschouder druppelde, begon ik naar beneden te lopen.

Er lag nergens rommel in Purcells kelder. Geen tuinmeubels of dozen met troep of bakken kerstversiering voor een man die zulk werk deed als hij.

In de open ruimte stonden een wasmachine, een droger, een wasbak en een grote roestvrijstalen tafel. Om de tafel zat een goot, zoals je die in lijkenhuizen zag. De goot liep naar een plateau aan de onderkant van de tafel, waar je een slang aan kon bevestigen om de inhoud naar de aangrenzende wasbak te spoelen.

Kennelijk ging Purcell graag netjes te werk wanneer hij knieschijven brak en vingertoppen afsneed, maar te oordelen naar de grote roze vlek op de vloer was het onmogelijk dit soort dingen helemaal zonder knoeien te doen.

Naast de roestvrijstalen tafel stond een versleten klaptafeltje met verscheidene instrumenten erop die als het gereedschap van een chirurg lagen uitgestald. Alles was van roestvrij staal en recentelijk schoongemaakt, en het licht van de plafondlamp weerkaatste tegen de pas geslepen lemmeten.

Ik wilde wedden dat Purcell er een hoop tijd aan besteedde om zijn spullen precies op deze manier uit te stallen. Ik wilde wedden dat hij ervan genoot om zijn slachtoffers de hele verzameling instrumenten in zich te laten opnemen en ze doodsbang al op de zaken vooruit te laten lopen, zodat ze hem de helft van het werk uit handen namen. Dan zou hij ze vastbinden aan de tafel.

Ik stelde me zo voor dat de meesten al uit de school klapten voordat hij de eerste combinatietang oppakte. En ik wilde wedden dat ze daarmee niet gered waren.

Ik liep langs de tafel, de wasbak, de wasmachine en de droger. Achter de trap stuitte ik op de deur naar de bijkeuken. Ik ging ernaast staan, met mijn rug tegen de muur, en strekte mijn arm om de deur open te duwen.

Niemand die naar buiten kwam stormen. Geen kind dat een begroeting schreeuwde.

Nog schrikachtig van de zenuwen, vermoeidheid en een knagend gevoel van angst ging ik op mijn hurken zitten, bracht de riotgun op schouderhoogte en sprong toen het halfduister in.

Ik zag een olietank, een geiser, de elektriciteitskast en een paar kunststof planken die doorbogen onder het gewicht van allerlei schoonmaakartikelen, kabelbinders en rollen touw. En ook een dikke, opgerolde slang, perfect geschikt voor het wegspoelen van de laatste resten.

Ik kwam langzaam overeind, en tot mijn verbazing begon ik te wankelen en ging ik bijna van mijn stokje.

De vloer was nat. Ik keek omlaag en zag een plas van mijn eigen bloed. Het bloed gutste nu uit mijn arm.

Ik had hulp nodig. Ik moest naar de spoedeisende hulp. Ik moest...

Wat, de cavalerie te hulp roepen?

Mijn verbitterde gedachten brachten me weer bij zinnen. Ik verliet de kelder en ging terug naar boven, naar het donker. Maar nu deed ik alle lampen in het huis aan.

Zoals ik al had gedacht, trof ik in Purcells badkamer een royale hoeveelheid EHBO-spullen aan. Iemand die zulk werk deed als hij, hield ongetwijfeld rekening met verwondingen die hij niet kon melden, en daar had hij zijn medicijnkastje dan ook naar ingericht.

Ik kon de col van mijn zwarte trui niet over mijn hoofd trekken, dus knipte ik de trui door met een schaartje uit de verbanddoos. Toen ging ik boven de wasbak staan en goot het waterstofperoxide rechtstreeks in het bloedende gat.

Ik hapte naar adem van de pijn en beet toen hard op mijn onderlip.

Als ik een echte stoere jongen was – Rambo bijvoorbeeld – zou ik de kogel er met stokjes uit peuteren en de wond vervolgens dichtnaaien met flosdraad. Maar ik wist niet hoe die dingen werkten, dus stopte ik verbandgaas in de wond en plakte ik het bloederige geheel vast met pleisters.

Ik slikte drie ibuprofentabletten door met water en pakte toen een donkerblauw flanellen overhemd van Purcell uit de kast. Dat was twee maten te groot en rook naar wasverzachter en een mannengeurtje. Het viel niet mee om de mouwen op te rollen zodat ik mijn handen vrij zou hebben.

Ik had nog nooit een overhemd gedragen van een man die ik ging doden. Ik vond het op een merkwaardige manier intiem, zoiets als je uitrekken in bed met het dichtgeknoopte nette overhemd van je minnaar aan nadat je voor de eerste keer met hem naar bed was geweest.

Ik ben te ver gegaan, dacht ik. Ik ben een deel van mezelf kwijt. Ik was op zoek naar mijn dochter, maar wat ik vond was een duistere afgrond in mezelf waarvan ik nooit had geweten dat die bestond. Zou de pijn minder worden als ik Sophie terugvond? Zou het licht van haar liefde de duisternis weer verjagen?

Maakte het iets uit? Vanaf het moment dat ze werd geboren, zou ik mijn leven voor mijn kind hebben gegeven. Wat stelde een beetje geestelijke gezondheid dan voor?

Ik pakte de riotgun en liep weer naar buiten, waar Purcell nog altijd met gesloten ogen tegen het huis aan hing. Ik dacht dat hij buiten bewustzijn was, maar toen mijn voeten knerpten in de sneeuw, deed hij zijn ogen open.

Hij was bleek. Ondanks de vrieskou was zijn bovenlip bezweet. Hij had een hoop bloed verloren. Waarschijnlijk was hij stervende, en hij leek zich daarvan bewust te zijn, al scheen het hem niet te verbazen.

Purcell was van de oude stempel. Wie naar het zwaard grijpt, zal door het zwaard omkomen.

Dat zou mijn volgende opdracht moeilijker maken.

Ik hurkte naast hem neer.

'Ik zou je mee kunnen nemen naar de kelder,' zei ik.

Hij haalde zijn schouders op.

'Dan geef ik je een koekje van eigen deeg.'

Opnieuw haalde hij zijn schouders op.

'Je hebt gelijk, ik haal de spullen naar boven. Dat bespaart me de moeite om met je te gaan slepen.'

Weer die schouders. Opeens wilde ik dat Purcell een vrouw en kinderen had. Wat zou ik dan doen? Ik wist het niet, maar ik wilde hem net zoveel pijn doen als hij mij had aangedaan.

Ik legde de riotgun achter me, buiten bereik van Purcell. Toen schoof ik het mes uit de schede en bracht het langzaam omhoog.

Purcells ogen flitsten naar het lemmet, maar hij zei nog altijd niets.

'Je wordt afgemaakt door door een vrouw,' zei ik tegen hem, en eindelijk had ik het genoegen om te zien dat zijn neusgaten zich opensperden. Ego. Natuurlijk. Niets was zo pijnlijk voor een man als afgetroefd te worden door een vrouw.

'Weet je nog wat je die ochtend in de keuken tegen me zei?' fluisterde ik. 'Je zei dat niemand iets zou overkomen als ik meewerkte. Je zei dat je mijn man en mijn kind zou laten gaan als ik mijn dienstwapen aan je gaf. Toen draaide je je om en vermoordde je mijn man.'

Ik liet het mes langs de voorkant van zijn overhemd glijden. De eerste knoop kwam los, de tweede, de derde. Purcell droeg er een zwart T-shirt onder, met de onvermijdelijke gouden ketting.

Ik zette de punt van het mes op de bovenkant van het dunne katoen en begon te snijden.

Purcell staarde gefascineerd naar het lemmet. Ik kon zien dat zijn fantasie begon te werken en dat tot hem doordrong wat zo'n groot, scherp lemmet hem allemaal kon aandoen. Terwijl hij met gebonden handen in zijn eigen achtertuin zat. Hulpeloos. Kwetsbaar.

'Ik maak je niet dood,' zei ik terwijl ik het zwarte T-shirt verder opensneed.

Purcells ogen werden groot. Hij staarde me onzeker aan.

'Dat wil je toch? In het harnas sterven. Een gepast einde voor een respectabele gangster.'

De laatste knoop van het overhemd schoot los. Het laatste stukje van het T-shirt ging aan flarden.

Met het lemmet duwde ik de kledingresten naar achteren. Zijn buik was bleek, en een beetje gezet rond zijn middel, maar wel stevig. Het was duidelijk dat hij trainde. Hij was niet breed. Misschien een bokser. Fitnesstraining was belangrijk bij het soort werk dat hij deed. Je moest wel over enige spierkracht beschikken om bewusteloze lichamen naar de kelder te slepen en ze aan de tafel vast te binden.

Je moest wel een beetje stevig zijn om een tegenspartelend meisje van zes te kunnen ontvoeren.

Ik duwde het overhemd naar achteren met het mes en staarde gefascineerd naar zijn blote schouder. Naar het kippenvel van de kou dat zich over zijn huid verspreidde. Naar de manier waarop zijn tepel precies voor zijn hart een ronde knop vormde.

'Je hebt mijn man hier geraakt,' mompelde ik, en ik markeerde de plek met het lemmet. Bloed welde op en vormde een volmaakte X op Purcells huid. Het vlijmscherpe mes maakte een mooie, rechte snee. Shane had altijd veel zorg besteed aan zijn spullen.

'Daarna hier.' Ik bewoog het mes weer. Misschien sneed ik deze keer dieper, want Purcell siste en hij trilde.

'Het derde schot: hier.' Deze keer ging ik écht diep. Toen ik het legermes weer omhoog deed, druppelde er bloed van het lemmet op Purcells buik.

Bloed in de schone witte sneeuw.

Brian die stierf op de schone, glanzende keukenvloer.

De gangster schokte. Ik staarde hem recht aan. Ik liet hem de dood in mijn ogen zien. Ik liet hem de moordenaar zien die ik mede door hem was geworden.

'Dit is de deal,' deelde ik hem mee. 'Als je me vertelt waar mijn dochter is, maak ik je los. Ik ben niet zo gek om je een mes te geven, maar je mag een keer op me schieten. Misschien kun je van me winnen, dat is dan mijn eigen schuld. Misschien kun je dat niet. Maar in dat geval sterf je niet vastgebonden als een varken in je eigen achtertuin. Je krijgt vijf tellen de tijd om te beslissen. Eén.'

'Ik verlink niemand,' grauwde Purcell.

Ik haalde mijn schouders op en sneed, eigenlijk vooral omdat ik daar zin in had, een reusachtige lok van zijn dikke bruine haar af. 'Twee.'

Hij kromp in elkaar maar deinsde niet terug. 'Je maakt me godverdomme tóch af, trut.'

Nog een stuk haar, misschien zelfs een stukje oor. 'Drie.'

'Vieze kut.'

'Schelden doet geen zeer.' Ik pakte een vuist vol donker haar boven op zijn voorhoofd. Ik kreeg nu de smaak te pakken en gaf zo'n harde ruk dat ik zijn hoofdhuid omhoog zag komen. 'Vier.'

'Ik heb je dochter niet!' viel Purcell uit. 'Ik doe geen kinderen. Dat heb ik van het begin af aan tegen ze gezegd, ik doe geen kinderen.'

'Waar is ze dan?'

'Jíj bent de smeris. Vind je niet dat je dat zelf moet weten?'

Ik haalde uit met het mes. Ik nam een heleboel haar mee en ongetwijfeld ook een stukje hoofdhuid. Er borrelde bloed op. Het druppelde op de grond en werd roze in de sneeuw.

Ik vroeg me af of ik ooit nog een winter zou meemaken waarin ik geen braakneigingen zou krijgen van pas gevallen sneeuw.

Purcell brulde het uit en sidderde. 'Je vertrouwde alle verkeerde mensen en nu pak je mij? Ik heb je een dienst bewezen! Je man deugde voor geen meter. Die andere agent, die vriend van je, was nog erger. Hoe denk je dat ik ooit bij jullie binnen ben gekomen, stomme kut? Dacht je dat die kerel van je me gewoon binnen zou laten?'

Ik verstijfde en staarde hem aan. En op dat moment realiseerde ik me wat het ontbrekende puzzelstukje was. Ik was zo overweldigd geweest door het trauma van zaterdagochtend dat ik nooit had nagedacht over de logistiek. Ik had de gebeurtenissen nooit als agent geanalyseerd.

Zo wist Brian al dat hij in de problemen zat. Dat gewichtheffen van hem, de recente aanschaf van de Glock .40. Zijn schrikachtige, geagiteerde stemming en opvliegendheid. Hij wist dat hij heel diep in de shit zat. En inderdaad, hij zou nooit open hebben gedaan voor een man als John Stephen Purcell, en al helemaal niet met Sophie in huis.

Alleen was Sophie niet in het huis geweest toen ik thuiskwam.

Ze was al weg. Purcell had in zijn eentje in de keuken gestaan en Brian onder schot gehouden. Sophie was al meegenomen, door een tweede persoon die met Purcell moest zijn meegekomen. Iemand voor wie Brian open durfde te doen. Iemand die toegang had tot de pensioenen van de staatsagenten. Iemand die Shane kende. Iemand die zich machtig genoeg voelde om alle betrokken partijen in de hand te houden.

Ik werd vast bleek, want Purcell begon te lachen – een rochelend geluid in zijn borstkas.

'Zie je wel?' grauwde hij. 'Ik ben het probleem niet. Dat zijn de mannen in je leven.'

Purcell lachte opnieuw, terwijl het bloed van zijn gezicht droop, waardoor hij er net zo gestoord uitzag als ik me voelde. We konden elkaar een hand geven, realiseerde ik me opeens. Soldaten in een oorlog, die werden gebruikt, misbruikt en verraden door de generaals. Anderen namen de beslissingen. Wij betaalden alleen maar de prijs.

Ik legde het mes achter me neer, naast de riotgun. Mijn rechterarm bonsde. Ik had hem zo intensief gebruikt dat de schotwond weer was gaan bloeden. Ik kon vocht van mijn arm voelen druppelen. Nog meer roze vlekken in de sneeuw.

Ik wist dat ik weinig tijd meer had. En net als Purcell was ik niet bang. Ik berustte in mijn lot.

'Lyons is dood,' zei ik.

Purcell hield op met lachen.

'Jij blijkt hem twee uur geleden te hebben doodgeschoten.'

Purcell kneep zijn lippen samen. Hij was niet gek.

Van achter uit mijn broek haalde ik het .22 semiautomatische pistool tevoorschijn dat ik in Purcells badkamer had gevonden, vastgeplakt aan de achterkant van de spoelbak van de wc. Voor iemand als hij was het niet meer dan een reservewapen, maar het was goed genoeg om de klus mee te klaren.

'Volgens mij komt dit wapen van de zwarte markt,' zei ik. 'Het serienummer is eraf gevijld. Niet meer te achterhalen.'

'Je hebt een eerlijk gevecht beloofd,' zei Purcell.

'En jij hebt beloofd dat je mijn man zou laten gaan. Ik vrees dat we allebei leugenaars zijn.'

Ik boog me dicht naar hem toe. 'Van wie hou je?' fluisterde ik in de bloederige sneeuw.

'Van niemand,' antwoordde hij vermoeid. 'Nooit gedaan ook.'

Ik knikte. Het verbaasde me niet. Toen schoot ik hem neer. Twee schoten in de linkerslaap, precies zoals dat in de onderwereld gedaan werd. Vervolgens pakte ik het legermes en kerfde zonder omhaal met grote letters het woord 'rat' in de huid van de dode man. Ik moest de drie kruisen wegwerken die ik eerder in zijn borst had gemaakt, want als een gewiekste rechercheur als D.D. Warren die zag, zou ze binnen de kortste keren bij me op de stoep staan.

Mijn gezicht voelde vreemd aan. Hard. Meedogenloos, ik merkte het zelf. Ik herinnerde mezelf aan die keurige kelder met de vage geur van bleekmiddel en bloed, aan de pijn die Purcell mij met alle liefde had willen aandoen als hij de kans had gekregen. Het hielp niet. Ik was voorbestemd om agent te zijn, niet om mensen te doden. En bij elke daad van geweld verloor ik iets wat ik nooit meer terug zou krijgen.

Maar ik ging verder, want zoals elke vrouw was ik goed in zelf toegebrachte pijn.

De laatste details: ik haalde Brians Glock .40 uit mijn plunjezak en sloot Purcells hand om de kolf, om te zorgen dat zijn vingerafdrukken erop kwamen te staan. Purcells .22 verdween in mijn plunjezak, en ik zou het wapen in de eerste de beste rivier gooien die ik tegenkwam. De Glock .40 ging Purcells huis in en werd achter het toilet geplakt, net zoals Purcell dat met het eerste wapen had gedaan.

Kort na zonsopgang zou de politie Purcells lichaam vastgebonden aan het huis aantreffen, duidelijk gemarteld en bezweken aan de verwondingen. Ze zouden zijn huis doorzoeken, ze zouden zijn kelder ontdekken, en dat zou de helft van hun vragen beantwoorden – het was onvermijdelijk dat iemand met het werk van Purcell op een nare manier aan zijn einde kwam.

Tijdens het doorzoeken van Purcells huis zouden ze Brians Glock

.40 vinden. De kogel waarmee politieagent Shane Lyons om het leven was gebracht, zou overeenkomen met dat wapen, en dat zou leiden tot de theorie dat Purcell een keer mijn huis was binnengedrongen en het pistool van mijn man had gestolen, dat hij later had gebruikt om een respectabele staatsagent om het leven te brengen.

De moord op Purcell zou in de ijskast worden gezet – gewoon de zoveelste crimineel die op een gewelddadige manier om het leven was gekomen. Shane zou eervol worden begraven en zijn gezin zou een speciale uitkering krijgen.

Natuurlijk zou de politie naar het wapen zoeken waarmee Purcell was doodgeschoten. Ze zouden willen weten wie hem had vermoord. Maar niet elke vraag kreeg een antwoord.

Net zoals je niet iedereen kon vertrouwen.

Om 1.17 uur kwam ik wankelend overeind en liep ik terug naar de pick-up. Ik dronk twee flesjes water leeg en at twee energierepen. Mijn rechterschouder deed heel erg pijn. Mijn vingers tintelden. Onder in mijn buik had ik een hol gevoel. Mijn lippen voelden merkwaardig gevoelloos aan.

Toen was ik weer op weg, met de riotgun op mijn schoot en mijn bebloede handen aan het stuur.

Ik kom eraan, Sophie.

41

'Het is Hamilton,' zei Bobby. Hij trok D.D. mee uit Leoni's garage en rende naar hun auto.

'Hamilton?' D.D. kneep haar ogen samen. 'Luitenant-kolonel Hamilton van de staatspolitie?'

'Ja. Hij heeft de middelen en de gelegenheid en kent alle betrokkenen. Misschien is het allemaal in gang gezet met Brians gokprobleem, maar Hamilton was het brein achter de hele operatie. *Hebben jullie geld nodig? Hé, laat ik nou net een hele grote pot met geld weten te staan.*'

'Tussen hem en Shane...' mompelde D.D. Ze knikte en voelde het eerste sprankje spanning. Eindelijk hadden ze een naam, een verdachte, een doelwit. Ze stapte in de auto en meteen scheurde Bobby naar de snelweg.

'Precies,' zei hij. 'Zo moeilijk is het niet om een nepbedrijf op te zetten als je Hamilton hebt die intern aan de touwtjes trekt om de sporen uit te wissen. Alleen moet natuurlijk aan al het goede een einde komen.'

'Als het interne onderzoek eenmaal in gang wordt gezet...'

'Dan zijn ze de klos,' vulde Bobby aan. 'Er snuffelen rechercheurs van de staatspolitie rond en doordat Shane en Brian excessief blijven gokken, zijn er ook verscheidene criminelen die een deel van de buit willen. Hamilton maakt zich natuurlijk steeds meer zorgen. En Brian en Shane veranderen van handlangers in hoogst onbetrouwbare lastpakken.'

'Dus Hamilton heeft Brian vermoord en vervolgens Sophie ontvoerd, zodat Tessa zou zeggen dat ze haar eigen man had doodgeschoten en de schuld zou krijgen van de diefstal?' D.D. keek bedenkelijk en voegde er toen aan toe: 'Of een enforcer heeft het gedaan. Zo'n crimineel die Brian al tegen zich in het harnas had gejaagd. Zo'n gast die bereid was tot nog één smerig klusje om zijn geld terug te krijgen.'

'Zo'n gast die als waarschuwing foto's van Shanes vrouw en kinderen zou sturen,' zei Bobby instemmend.

'Dat is het probleem met de lui die de touwtjes in handen hebben,' zei D.D. hoofdschuddend. 'Ze hebben geweldige ideeën, maar ze maken niet graag hun handen vuil bij de uitvoering.' Ze aarzelde. 'Als we die logica volgen: waar is Sophie? Zou Hamilton het risico nemen om persoonlijk een meisje van zes vast te houden?'

'Weet ik niet,' zei Bobby. 'Maar ik wil wedden dat we daar achter kunnen komen als we hem overrompelen. Hij zou in de stad moeten zijn, op de plek waar Lyons is doodgeschoten, samen met de kolonel en de andere hoge piefen.'

D.D. knikte, maar toen pakte ze Bobby opeens bij zijn arm. 'Hij is niet in de stad, daar durf ik alles om te verwedden.'

'Waarom niet?'

'Omdat Tessa ontsnapt is. Dat weten wij, dat weet hij. Bovendien zal hij ondertussen wel gehoord hebben dat de riotgun en de M4 van Lyons worden vermist. Hij weet dus dat Tessa gewapend is, dat ze gevaarlijk is en koste wat het kost haar dochter wil vinden.'

'Hij is op de vlucht,' ging Bobby verder. 'Voor zijn eigen agente.' Maar toen was het zijn beurt om zijn hoofd te schudden. 'Nee, niet iemand die zo ervaren en doortrapt is als Hamilton. De aanval is de beste verdediging, nietwaar? Hij moet Sophie hebben. Als ze nog leeft, gaat hij haar halen. Zij is de laatste troef die hij nog kan uitspelen.'

'Dus de vraag is: waar is Sophie?' zei D.D. 'Er geldt al drie dagen in de hele staat een Amber Alert. Haar foto is niet weg te slaan van de tv, ze wordt beschreven op de radio. Als ze er nog is, zouden we intussen aanwijzingen moeten hebben.'

'Dat betekent dat ze ergens stevig is vastgebonden,' zei Bobby peinzend. 'Buiten de stad, zonder buren in de omgeving. Met iemand bij haar om ervoor te zorgen dat ze veilig opgeborgen blijft. Het is dus een plek die moeilijk bereikbaar maar wel goed bevoorraad is. Een locatie waarvan Hamilton erop vertrouwt dat hij er veilig is.'

'Hij zou Sophie nooit in zijn eigen huis opsluiten,' zei D.D. 'Dat is te dichtbij. Misschien zit ze bij vrienden? Of in een tweede huis? We hebben in zijn kantoor foto's van een hertenjacht gezien. Heeft hij ergens een jachthuisje, een hut in het bos?'

Plotseling glimlachte Bobby. 'Bingo. Hamilton heeft een huisje in de buurt van Mount Greylock, in West-Massachusetts. Op tweeënhalf uur rijden van het hoofdbureau van de staatspolitie, ergens in de uitlopers van de Berkshires. Afgelegen, overzichtelijk en ver genoeg om geloofwaardig te kunnen ontkennen – hij is dan wel de eigenaar, maar hij kan altijd zeggen dat hij er al dagen of weken niet is geweest, vooral met alle gebeurtenissen in Boston die nu zijn aandacht opeisen.'

'Weet je hoe we er moeten komen?' vroeg D.D. meteen.

Bobby aarzelde. 'Ik ben er een paar keer geweest, maar dat is jaren geleden. Hij nodigde wel eens agenten uit om een weekend te jagen, dat soort dingen. Ik zie de wegen wel voor me...'

'Phil,' zei D.D. terwijl ze haar mobieltje pakte. 'Rij jij maar naar de Pike, dan zorg ik voor een adres.'

Bobby zette het zwaailicht aan en reed met hoge snelheid naar de Mass Pike, de kortste route om de staat te doorkruisen. D.D. belde het hoofdbureau van de BPD. Het was al na middernacht, maar vannacht sliep er niemand van de Bostonse politie of van de staatspolitie. Phil nam meteen op.

'Heb je het al van Lyons gehoord?' vroeg Phil bij wijze van begroeting.

'Ben er al geweest. Ik heb een gevoelig verzoek voor je. Ik wil volledige achtergrondinformatie over Gerard Hamilton. Zoek ook onder namen van familieleden. Ik wil alle adressen die je maar kunt vinden, en daarna een volledig overzicht van zijn financiële situatie.'

Het bleef even stil. 'Bedoel je de luitenant-kolonel van de staatspolitie?' vroeg Phil voorzichtig.

'Ik zei toch dat het gevoelig lag?'

D.D. hoorde een tikkend geluid. De vingers van Phil vlogen al over het toetsenbord.

'Hmmm, als je off the record informatie wilt horen, niet eens koffiepraat, maar meer pisbakpraat...' begon Phil, terwijl hij verder tikte.

'Absoluut,' verzekerde D.D. hem.

'Ik heb gehoord dat Hamilton een minnares heeft. Een hete Italiaanse driftkop.'

'Hoe heet ze?'

'Geen idee. De jongen van wie ik het hoorde had het alleen maar over haar... achterste.'

'Mannen zijn varkens.'

'Zelf ben ik een varken dat verliefd is op zijn vrouw die vier kinderen moet zien te overleven, dus ik voel me niet aangesproken.'

'Dat is waar,' gaf D.D. toe. 'Begin maar te spitten, Phil. Vertel me alles wat ik weten moet, want we vermoeden dat hij Sophie Leoni heeft.'

D.D. hing op. Bobby naderde de afslag naar de Mass Pike. Hij raasde er met ruim honderd kilometer per uur op af en ze namen met piepende banden de bocht. De wegen waren eindelijk sneeuwvrij en er was op dit nachtelijke tijdstip weinig verkeer. Op de brede, rechte snelweg scheurde Bobby met honderdzestig kilometer per uur naar het westen van Massachusetts. Ze hadden ruim tweehonderd kilometer voor de boeg, en D.D. realiseerde zich dat ze die niet allemaal met dezelfde snelheid konden afleggen. Twee uur, concludeerde ze. Over twee uur konden ze eindelijk Sophie Leoni redden.

'Denk je dat ze een goede agent is?' vroeg Bobby opeens.

D.D. hoefde niet te vragen wie hij bedoelde. 'Dat weet ik niet.'

Bobby haalde even zijn blik van de weg om haar aan te kijken. 'Hoe ver zou jij gaan?' vroeg hij zacht, terwijl hij zijn ogen naar haar buik liet zakken. 'Als het jouw kind was, hoe ver zou je dan gaan?'

'Ik hoop dat ik daar nooit achter hoef te komen.'

'Want ik zou ze allemaal vermoorden,' zei Bobby vlak, terwijl hij zijn handen strekte en toen weer om het stuur klemde. 'Als iemand Annabelle zou bedreigen of Carina zou ontvoeren, dan zou er in de hele staat niet genoeg munitie zijn voor wat ik met die lui zou doen.'

D.D. twijfelde er geen seconde aan dat hij het meende, maar toch schudde ze haar hoofd.

'Dat is niet goed, Bobby,' zei ze zacht. 'Zelfs als je wordt getergd, zelfs als de ander is begonnen... Criminelen nemen hun toevlucht tot geweld. Wij zijn van de politie. Wij zouden beter moeten weten. Als wij al niet aan die norm kunnen voldoen... Nou ja, wie dan wel?'

Daarna reden ze zwijgend verder, luisterend naar het hese gebrom van de motor, die op volle toeren draaide, terwijl het licht van de lantaarnpalen als bliksemschichten voorbij schoot.

We komen eraan, Sophie, dacht D.D.

42

Luitenant-kolonel Hamilton was mijn bevelvoerend officier, maar ik zou nooit beweren dat ik hem goed kende. Ten eerste stond hij veel hoger in de hiërarchie. Ten tweede was hij heel erg op mannen gericht. Als hij al optrok met agenten, dan was het met Shane, en vaak betrok hij Shanes medeplichtige, Brian, er ook bij.

Ze keken dan samen naar een wedstrijd van de Red Sox, gingen soms een weekend jagen of brachten een bezoekje aan Foxwoods.

Achteraf klopte het allemaal precies. Shanes kleine excursies. Brian die hem vergezelde. Hamilton ook.

En dat betekende dat toen Brian te veel begon te gokken en tot over zijn oren in de schulden kwam te zitten... Wie kon er weten dat hij heel hard geld nodig had? Wie wist er een andere mogelijkheid om snel rijk te worden? Wie verkeerde er in de perfecte positie om te profiteren van de zwakte van mijn man?

Shane was nooit erg snugger geweest. Luitenant-kolonel Hamilton daarentegen... Hij wist hoe hij Shane en Brian mee kon krijgen. Hier een bedragje wegsluizen, daar een bedragje wegsluizen. Het is verbazingwekkend hoe mensen slechte dingen kunnen rationaliseren als ze in eerste instantie klein beginnen.

Zo was ik helemaal niet van plan om Shane te doden toen ik uit de gevangenis kwam, of om een crimineel te vermoorden die John Stephen Purcell heette, of om met een riotgun op schoot door de koude nacht naar de jachthut van mijn hoogste leidinggevende te rijden.

Misschien hadden Shane en Brian zichzelf wijsgemaakt dat ze het geld alleen maar 'leenden'. Als vakbondsvertegenwoordiger wist Shane natuurlijk alles van de rekening waar het pensioengeld op stond, en van het saldo. Hamilton wist waarschijnlijk wel hoe hij bij dat geld kon komen, wat voor nepbedrijf het meest geschikt was om gepensioneerde staatsagenten geld afhandig te maken. In dat mannenwereldje vol vriendjespolitiek was dat waarschijnlijk een kwestie van één telefoontje.

Ze zetten een niet-bestaand bedrijf op, stuurden rekeningen naar het pensioenfonds en konden verder met gokken.

Hoe lang hadden ze de bloemetjes buiten willen zetten? Een maand? Een halfjaar? Een jaar? Misschien dachten ze niet zo ver vooruit. Misschien kon het ze op dat moment niet schelen. Uiteindelijk had Interne Zaken de fraude natuurlijk ontdekt en was er een onderzoek gestart. Helaas voor Brian en Shane zou dat onderzoek pas worden afgerond als er antwoorden waren gevonden.

Was dat het moment waarop Hamilton had besloten mij tot zondebok te maken? Of had dat deel uitgemaakt van het domino-effect, dat was begonnen toen Brian en Shane steeds dieper in de schulden raakten, ook nadat ze geld hadden gestolen van gepensioneerde staatsagenten, en geld hadden geleend van de verkeerde spelers, tot zowel Interne Zaken als enforcers in hun nek hijgden?

Op een gegeven moment had Hamilton zich gerealiseerd dat Shane en Brian misschien wel zouden bezwijken onder de druk en hun wandaden zouden opbiechten om hun eigen hachje te redden en hem zodoende op een presenteerblaadje zouden aanbieden.

Van de twee vormde Brian ongetwijfeld het grootste risico. Misschien had Hamilton een ultieme deal weten te sluiten met de criminelen. Hij zou de laatste oninbare schulden van Brian en Shane betalen. In ruil daarvoor zouden zij Brian elimineren en helpen om mij de schuld van alle misdrijven in de schoenen te schuiven.

Shane zou blijven leven, maar hij zou te bang zijn om zijn mond open te doen, terwijl Hamilton en zijn trawanten hun illegale winst konden houden.

Brian zou dood zijn. Ik zou in de gevangenis zitten. Sophie... nou ja, als ik eenmaal alles had gedaan wat ze van me vroegen, zouden ze haar niet meer nodig hebben, of wel soms?

Mijn gezin zou dus kapot worden gemaakt om Shane te laten overleven en om Hamiltons hebzucht te bevredigen.

De woede hielp me om wakker te blijven terwijl ik drie uur lang in westelijke richting reed, naar Adams, waarvan ik wist dat Hamilton daar een tweede huisje had. Ik was er maar één keer geweest, een paar jaar geleden, in het najaar, voor een barbecue.

Ik herinnerde me dat de jachthut op een afgelegen plek had gelegen. Perfect om trektochten te maken, te jagen en kleine kinderen vast te houden.

De vingers van mijn rechterhand functioneerden niet meer. Het bloeden was uiteindelijk minder geworden, maar ik vermoedde dat de kogel pezen had beschadigd en misschien zelfs zenuwen. Nu was de wond ontstoken en ik kon geen vuist meer maken. Of een trekker overhalen.

Ik zou het met mijn linkerhand doen. Met een beetje geluk was Hamilton er niet. Een van zijn agenten was vanavond tijdens zijn dienst om het leven gekomen en dat betekende dat Hamilton in Allston-Brighton moest zijn, om zich bezig te houden met officiële aangelegenheden.

Ik zou de auto aan het begin van het lange weggetje naar de hut parkeren. Ik zou er door het bos naartoe lopen met de riotgun, die ik vanaf mijn heup met mijn linkerhand kon afschieten. Richten zou belabberd gaan, maar dat was het fijne van een riotgun: je bestreek zo'n groot gebied dat goed richten helemaal niet nodig was.

Ik zette alles nog een keer op een rijtje. Ik zou de hut observeren. Tot de conclusie komen dat die verlaten was. Met de kolf van de riotgun een raam inslaan. Naar binnen klimmen en mijn dochter diep in slaap aantreffen in een verduisterde kamer.

Ik zou haar redden en we zouden samen vluchten. Misschien konden we naar Mexico, al zou het het verstandigste zijn om linea recta naar het hoofdbureau van de BPD te rijden. Sophie kon getuigen dat

Hamilton haar had ontvoerd. Verder onderzoek naar de handel en wandel van de luitenant-kolonel zou aan het licht brengen dat er veel meer geld op zijn rekening stond dan hij kon verantwoorden. Hamilton zou gearresteerd worden. Sophie en ik zouden veilig zijn.

We zouden ons leven weer oppakken en hoefden nooit meer bang te zijn. Op een dag zou ze niet langer naar Brian vragen. En op een dag zou ik niet meer om hem rouwen.

Ik móést geloven dat het zo makkelijk zou gaan.

De mogelijkheid dat het anders kon lopen was te pijnlijk.

Om 4.32 uur vond ik het weggetje dat naar Hamiltons hut liep. Om 4.41 uur zette ik de auto achter een besneeuwd bosje.

Ik stapte uit.

Meende rook te ruiken.

Hief de riotgun.

En toen hoorde ik mijn dochter gillen.

43

Bobby en D.D. hadden de Mass Pike achter zich gelaten en reden over het donkere lint dat de landelijke US 20 vormde, toen D.D.'s mobieltje ging. Het geluid rukte haar uit haar versufte toestand. Ze nam op en hield de telefoon tegen haar oor. Het was Phil.

'D.D., rij je nog steeds naar het westen?'

'We zijn er al.'

'Oké, Hamilton heeft twee percelen. Eentje in Framingham, in de buurt van het hoofdbureau van de staatspolitie. Ik vermoed dat ze dat het vaakst gebruiken, want het staat zowel op naam van Gerard als van Judy Hamilton. Maar er is nog een tweede huisje, in Adams, en dat staat alleen op zijn naam. '

'Adres?' vroeg D.D. kortaf.

Phil dreunde het op. 'Maar moet je horen: op de politiescanner ving ik net de melding op van een brand in een woning in Adams, in de buurt van het Mount Greylock-reservaat. Zou het toeval zijn? Of anders staat het huisje van Hamilton misschien in brand.'

'Shit!' Opeens was D.D. klaarwakker. 'Phil, neem contact op met de plaatselijke autoriteiten. Ik wil ondersteuning. Roep iedereen op, maar geen staatspolitie.' Bobby wierp haar een blik toe, maar zei niets. 'Nu!' zei ze dringend, en vervolgens voerde ze het adres van Hamiltons huisje in in het navigatiesysteem.

'Phil heeft het adres voor ons gevonden en kennelijk woedt daar ergens in de buurt brand.'

'Verdomme!' Bobby beukte met zijn hand op het stuur. 'Hamilton is er al en hij is zijn sporen aan het wissen!'

'Niet als wij daar iets over te zeggen hebben.'

44

Sophie gilde weer, en ik kwam in actie. Ik pakte de riotgun en de karabijn en stopte mijn broekzakken vol munitie. De vingers van mijn rechterhand bewogen traag en er vielen meer patronen in de sneeuw dan er in mijn zakken belandden. Ik had geen tijd om ze op te rapen. Ik begon te lopen en vertrouwde op de adrenaline en de wanhoop waarmee ik de klus wilde klaren.

Zeulend met het gewicht van een klein wapenarsenaal rende ik zo hard ik kon het besneeuwde bos in, in de richting van de geur van rook en het gegil van mijn dochter.

Nog een gil. Een volwassene die vloekte. Het geknetter van nat hout dat vlam vatte.

Het huisje lag recht voor me. Ik sprong van de ene boom naar de andere, zoekend naar houvast in de verse sneeuw, en mijn ademhaling werd steeds oppervlakkiger. Ik wist niet hoeveel mensen ik zou aantreffen. Als ik hier met Sophie doorheen wilde komen, zou ik ze moeten verrassen. Ik mocht mijn positie niet verraden en moest een hoger gelegen stuk grond vinden.

Door mijn professionele training zei mijn verstand dat ik het strategisch moest benaderen, terwijl mijn moederinstinct het uitschreeuwde dat ik moest aanvallen en mijn dochter moest halen, *nu, nu, nu*. De rook begon dikker te worden. Ik hoestte en voelde mijn ogen branden toen ik eindelijk de top van een heuveltje aan de linkerkant van het terrein bereikte. Ik zag dat Hamiltons huisje in brand stond en dat mijn dochter worstelde met een vrouw in een dikke zwarte parka. De vrouw probeerde Sophie een SUV in te sleuren. Mijn dochter, die alleen de dunne pyjama aanhad waarin ik haar vier avonden geleden in bed had gestopt en die nog altijd haar lievelingspop Gertrude tegen zich aan klemde, sloeg en schopte wild om zich heen.

Sophie beet in de pols van de vrouw. Die haalde met haar arm uit naar achteren en sloeg Sophie in haar gezicht. Het hoofd van mijn dochter klapte opzij. Ze struikelde en viel languit in de sneeuw, heftig hoestend van de rook.

'Nee, nee, nee,' huilde ze. 'Laat me gaan. Ik wil naar mama. *Ik wil naar mama*!'

Ik legde mijn riotgun op de grond – ik kon geen risico nemen met mijn kind zo dicht bij het doelwit. In plaats daarvan pakte ik de karabijn en rommelde in mijn linkerbroekzak. Ik wist nog wat ik op mijn opleiding had geleerd: laad een M4 karabijn altijd met twee kogels minder dan erin passen, om haperingen in de toevoer te voorkomen.

Maak ze allemaal af, brulde mijn moederinstinct.

Ik tilde de karabijn op en stopte de eerste patroon erin.

Er sijpelde weer bloed uit mijn schouder. Met moeite spande ik mijn stijve vingers om de trekker.

De vrouw boog zich over Sophie heen. 'Ga die auto in, stom rotkind!' krijste ze.

'Laat me gaan!'

Weer een gil. Weer een klap.

Ik klemde de kolf van de karabijn tegen mijn bloedende schouder en richtte op de donkerharige vrouw die nu mijn kind sloeg.

Sophie huilde, met haar armen om haar hoofd geslagen in een poging de klappen af te weren.

Ik stapte tussen de bomen uit, nog steeds richtend op mijn doelwit.

'Sophie!' riep ik zo hard ik kon, om boven het geknetter uit te komen en door de bijtende rook heen. 'Rennen, Sophie!'

Zoals ik had gehoopt, richtten ze allebei hun aandacht op het onverwachte geluid van mijn stem. Sophie draaide zich om. De vrouw ging met een ruk overeind staan en probeerde de indringer te lokaliseren.

Ze keek me recht in de ogen. 'Wie...'

Ik haalde de trekker over.

Sophie keek niet om. Niet naar het lichaam dat opeens viel, niet naar het hoofd dat door de inslag van een .223 patroon uit elkaar spatte en in een plas karmozijnrode sneeuw veranderde.

Mijn dochter draaide zich niet meer om. Ze had mijn stem gehoord en rende naar me toe.

En op hetzelfde moment werd bij mijn oor de haan van een vuurwapen gespannen en zei Gerard Hamilton: 'Vuile trut.'

D.D. en Bobby volgden de aanwijzingen van het navigatiesysteem door een kronkelend doolhof van plattelandswegen tot ze bij een smalle, onverharde weg kwamen met aan weerszijden brandweerwagens en grimmig kijkende brandweermannen. Bobby zette de lampen uit. Hij en D.D. stapten zo snel ze konden uit en lieten hun politiepenning zien.

Het nieuws was kort en slecht.

Toen de eerste brandweermannen waren gearriveerd, hadden ze gegil gehoord, gevolgd door schoten. Tweehonderd meter verderop stond midden in het bos een huis waar mensen woonden. Te oordelen naar de rook en de hitte stond het gebouw in lichterlaaie. De brandweermannen wachtten nu op de politie zodat ze hun werk konden doen. Ze waren geen van allen erg goed in wachten, en al helemaal niet omdat een van de jongens er stellig van overtuigd was dat het gegil afkomstig was geweest van een kind.

Bobby zei tegen D.D. dat ze in de auto moest blijven.

Als reactie liep D.D. naar de achterkant van de auto, waar ze haar kogelvrije vest aantrok en vervolgens de riotgun uit de kofferbak haalde. De karabijn gaf ze aan Bobby, aangezien hij de voormalige sluipschutter was.

'Ik ga eerst op verkenning uit,' zei hij kortaf.

'Ik geef je zes minuten,' antwoordde ze op even scherpe toon.

Bobby trok zijn kogelvrije vest aan, laadde de karabijn en liep naar de rand van het steile terrein. Een halve minuut later verdween hij in het besneeuwde bos. En drie minuten daarna ging D.D. achter hem aan.

Nog meer sirenes in de verte.

Agenten uit de omgeving die eindelijk ter plaatse kwamen.

D.D. concentreerde zich op het volgen van Bobby's voetstappen.

Rook, hitte, sneeuw. Een winters inferno.

Het was tijd om Sophie te vinden. Tijd om de klus te klaren.

Hamilton rukte de karabijn weg van mijn gewonde arm. Het wapen viel uit mijn krachteloze hand en hij raapte het op. De riotgun lag bij mijn voeten, en hij droeg me op die op te pakken en aan hem te geven.

Van boven op het heuveltje zag ik Sophie naar me toe komen rennen. Ze sprintte over het terrein dat werd omlijst door witte bomen en felrode vlammen.

En ondertussen drukte de loop van Hamiltons pistool in de gevoelige holte achter mijn oor.

Ik begon naar beneden te buigen. Hamilton ging een paar centimeter naar achteren om me ruimte te geven, en ik stortte me achterwaarts op hem terwijl ik uitzinnig schreeuwde: 'Wegwezen, Sophie! Ren naar het bos. Weg, weg, weg!'

'Mama!' gilde ze, een kleine honderd meter achter me.

Hamilton haalde uit met de kolf van zijn Sig Sauer. Ik sloeg opzij en viel met mijn rechterarm onder me op de grond. Nog meer brandende pijn. Hoorde ik iets scheuren? Ik had geen tijd om me te herstellen. Hamilton sloeg me opnieuw en boog zich dreigend over me heen. Hij sneed in mijn wang en in mijn voorhoofd. Het bloed stroomde over mijn gezicht en verblindde me terwijl ik me opkrulde in de sneeuw.

'Je had moeten doen wat je werd verteld!' gilde hij. Hij droeg zijn gala-uniform, met daaroverheen een zwarte wollen jas die tot zijn knieën kwam. Zijn hoed met de brede rand hing diep over zijn voorhoofd. Waarschijnlijk had hij zich zo mooi aangekleed toen hij te horen had gekregen dat er een agent was omgekomen. Toen hij zich echter had gerealiseerd dat het Shane was en dat ik was ontsnapt en nog niet gepakt was...

Hij was gekomen voor mijn dochter. Gekleed in het officiële uniform van de luitenant-kolonel van de staatspolitie van Massachusetts was hij hierheen gekomen om een kind kwaad te doen.

'Je was een getrainde politieagent,' beet hij me nu toe, terwijl hij dreigend over me heen stond en de bomen, het vuur en de nachtelijke lucht aan het zicht onttrok. 'Als je gewoon had gedaan wat je was opgedragen, zou niemand iets zijn overkomen!'

'Behalve Brian dan,' wist ik uit te brengen. 'Jij hebt zijn dood georganiseerd.'

'Hij had zijn gokprobleem niet meer in de hand. Ik heb je een dienst bewezen.'

'Je hebt mijn dochter ontvoerd. Je hebt ervoor gezorgd dat ik in de gevangenis terechtkwam. Alleen maar om een paar dollar te verdienen.'

Als antwoord gaf mijn bevelvoerend officier me een keiharde trap in mijn linkernier, een trap waar ik bloed van zou gaan plassen, als ik daar lang genoeg voor zou blijven leven.

'Mama, mama!' schreeuwde Sophie weer. Vol afgrijzen drong tot me door dat haar stem nu dichterbij klonk. Ze rende nog steeds op mijn stem af en klauterde nu over de sneeuwbank.

Nee, wilde ik schreeuwen. *Red jezelf, maak dat je wegkomt.*

Maar mijn stem deed het niet meer. Hamilton had alle lucht uit mijn longen geslagen. Mijn ogen brandden van de rook, en de tranen stroomden over mijn gezicht terwijl ik naar adem hapte en kokhalsde met mijn gezicht tegen de sneeuw. Mijn schouder brandde. Ik had kramp in mijn maag.

Er dansten zwarte stippen voor mijn ogen.

Ik moest in beweging komen. Ik moest vechten. Voor Sophie.

Hamilton deed zijn voet weer naar achteren. Hij haalde uit om me midden tegen mijn borstkas te raken. Deze keer liet ik mijn rechterarm zakken, greep zijn voet terwijl hij uithaalde en rolde opzij. Tot zijn verrassing werd Hamilton naar voren getrokken, en hij viel op één knie in de sneeuw.

Hij sloeg me niet langer met de Sig Sauer, maar haalde de trekker over.

Het geluid was oorverdovend. Ik voelde meteen een verschroeiende hitte, direct gevolgd door een brandende pijn. Mijn linkerzij. Mijn hand viel omlaag en ik greep naar mijn middel terwijl ik omhoogkeek, naar mijn bevelvoerend officier, een man die ik had leren vertrouwen.

Hamilton zag er verbijsterd uit. Misschien was hij zelfs een beetje overstuur, maar hij herstelde zich meteen en spande zijn vinger weer om de trekker.

Op hetzelfde moment bereikte Sophie de top van het heuveltje en zag ze ons.

Ik had een visioen. Het bleke, lieve gezicht van mijn dochter. Haar haren één wilde kluwen van klitten. Haar ogen, stralend blauw terwijl onze blikken zich met elkaar verstrengelden. Toen rende ze, zoals alleen een kind van zes dat kan. Hamilton bestond niet voor haar en het bos bestond niet voor haar, en ook het enge vuur niet, of de dreiging van de nacht of de onbekende verschrikkingen die haar dagenlang gekweld moesten hebben.

Ze was een klein meisje dat eindelijk haar moeder had gevonden en vloog recht op me af, met in de ene hand Gertrude geklemd terwijl ze haar andere arm opende en zich op me gooide, en ik kreunde van zowel de pijn als de blijdschap die opwelde in mijn borst.

'Ik hou van je, ik hou van je, ik hou van je,' wist ik fluisterend uit te brengen.

'Mama, mama, mama, mama, mama.'

'Sophie, Sophie, Sophie…'

Ik voelde haar warme tranen op mijn gezicht. Het deed pijn, maar toch deed ik mijn hand omhoog en pakte ik de achterkant van haar hoofd vast. Ik keek naar Hamilton en drukte toen het gezicht van mijn dochter in mijn hals. 'Sophie,' fluisterde ik, terwijl ik naar hem bleef staren, 'doe je ogen dicht.'

Mijn dochter klampte zich aan me vast, twee helften van één geheel, eindelijk weer samen.

Ze deed haar ogen dicht.

En ik zei met de helderste stem die ik kon opbrengen: 'Doe het.'

Het duister achter Hamilton nam de gestalte aan van een man. Op mijn bevel hief hij zijn karabijn. Precies op het moment dat Hamilton de loop van zijn Sig Sauer tegen mijn linkerslaap zette.

Ik concentreerde me op het lichaam van mijn dochter dat tegen me aan drukte, op de puurheid van haar liefde. Iets wat ik mee kon nemen de afgrond in.

'Je had moeten doen wat ik zei,' beet Hamilton me toe.

En meteen daarna haalde Bobby Dodge de trekker over.

45

Tegen de tijd dat D.D. de top van het heuveltje had bereikt, lag Hamilton al op de grond en stond Bobby over het lichaam van de luitenant-kolonel heen gebogen. Hij keek op toen ze aan kwam lopen en schudde zijn hoofd.

Toen hoorde ze iemand huilen.

Sophie Leoni. Het duurde even voordat D.D. de kleine, in het roze geklede gestalte van het meisje in het oog kreeg. Sophie lag op de grond, op een andere, donker geklede gestalte. Het meisje had haar magere armpjes om de nek van haar moeder heen geslagen en huilde onbedaarlijk.

Bobby ging op een knie naast het tweetal zitten terwijl D.D. naar ze toe kwam lopen.

'Sophie,' zei hij zacht. 'Sophie, ik wil dat je me aankijkt. Ik ben van de staatspolitie, net als je moeder. Ik ben hier om haar te helpen. Wil je me alsjeblieft aankijken?'

Eindelijk hief Sophie haar betraande gezicht op. Toen ze D.D. zag, opende ze haar mond, alsof ze wilde gillen. D.D. schudde haar hoofd.

'Alles is goed. Ik heet D.D. en ik ben een vriendin van je moeder. Je moeder heeft ons hiernaartoe laten komen om je te helpen.'

'Mama's baas heeft me meegenomen,' zei Sophie met heldere stem. 'Mama's baas gaf me aan die stoute mevrouw. Ik zei nee. En ik zei dat ik naar huis wou! Ik zei dat ik naar mama wou!'

Haar gezicht betrok weer. Ze begon te huilen, deze keer geluidloos, terwijl ze zich nog steeds tegen het roerloze lichaam van haar moeder aan drukte.

'Dat weten we,' zei D.D. Ze ging op haar hurken naast het meisje zitten en legde onzeker een hand op haar rug. 'Maar de baas van je moeder en die stoute mevrouw kunnen je nu geen pijn meer doen. Goed, Sophie? Wij zijn hier en je bent nu veilig.'

Aan de blik op Sophies gezicht te zien geloofde ze er niks van. D.D. kon het haar niet kwalijk nemen.

'Ben je gewond?' vroeg Bobby.

Het meisje schudde haar hoofd.

'En je moeder?' vroeg D.D. 'Mogen we even kijken of alles goed is?'

Sophie schoof een beetje opzij zodat D.D. de donkere vlek aan de linkerkant van Tessa's donkere flanellen overhemd en het bloed in de sneeuw kon zien. Sophie zag het ook. Haar onderlip begon te trillen. Ze zei niets meer. Roerloos lag ze in de sneeuw naast haar bewusteloze moeder en hield haar hand vast.

Toen zei ze verdrietig: 'Kom terug, mama. Ik hou van je. Kom terug.'

Bobby haastte zich het heuveltje af om de ambulanceverpleegkundigen te halen, terwijl D.D. haar jas uittrok en die over moeder en kind heen legde.

Tessa kwam weer bij bewustzijn toen het ambulancepersoneel de brancard de ambulance in wilde rijden. Haar ogen schoten open, ze hapte naar adem en stak toen met een wilde beweging haar armen uit. De verpleegkundigen probeerden haar in bedwang te houden. Dat bracht D.D. ertoe het meest logische te doen: ze pakte Sophie op en tilde het kind op de rand van de brancard.

Tessa greep de arm van haar dochter en kneep er hard in. D.D. dacht dat Tessa huilde, maar het konden ook de tranen in haar eigen ogen zijn. Het viel niet te zeggen.

'Ik hou van je,' fluisterde Tessa tegen haar dochter.

'Ik hou nog meer van jou, mama. Ik hou nog meer van jou.'

De ambulanceverpleegkundigen wilden niet dat Sophie op de brancard bleef. Tessa had dringend medische verzorging nodig en het kind zou alleen maar in de weg zitten. Na een halve minuut onderhandelen werd besloten dat Sophie voor in de ambulance zou meerijden terwijl haar moeder achterin verzorgd werd. Snel werd het meisje naar de voorkant van de wagen gedirigeerd.

Ze wrong zich langs hen heen om terug te rennen naar haar moeder en iets naast haar op de brancard te leggen. Toen rende ze naar de passagiersstoel.

Toen D.D. weer keek, lag Sophies eenogige pop naast Tessa's roerloze gestalte. Ze werd de ambulance in gereden.

De wagen stoof weg.

D.D. stond midden in de sneeuw, aan het begin van een nieuwe dag, met haar hand op haar eigen buik. Ze rook de geur van rook. Ze proefde tranen.

Ze keek omhoog naar de bomen, waarachter nu een vuur doofde – Hamiltons laatste poging om zijn sporen te wissen, wat zowel hem als zijn vrouwelijke metgezel het leven had gekost.

D.D. zou zich triomfantelijk willen voelen. Ze hadden het meisje gered, ze hadden de vijand verslagen. Nu zouden ze, afgezien van een paar dagen vreselijk papierwerk, tevreden de ondergaande zon tegemoet moeten rijden.

Het was niet genoeg.

Voor de eerste keer in twaalf jaar had D.D. met succes een zaak afgerond en was het niet genoeg. Ze had er helemaal geen zin in om het nieuws aan haar leidinggevenden te vertellen, of om zelfgenoegzame antwoorden aan de pers te geven, en zelfs niet om een paar biertjes te pakken en onderuit te zakken met haar taskforce.

Ze wilde naar huis. Ze wilde tegen Alex aan kruipen en de geur van zijn aftershave inhaleren, zijn vertrouwde, troostende armen om zich heen voelen. En ze wilde hem, de hemel sta haar bij, nog steeds bij zich hebben als de baby voor de eerste keer bewoog, en hem in de ogen kijken als ze de eerste wee voelde, en zijn hand vasthouden wanneer de baby de wereld in kwam glijden.

Ze wilde een meisje of een jongetje dat net zoveel van haar zou houden als Sophie zo overduidelijk van haar moeder hield. En ze wilde die liefde tienvoudig teruggeven, voelen hoe die liefde elk jaar weer groter werd, precies zoals Tessa had gezegd.

D.D. wilde een gezin.

Ze moest tien uur wachten. Bobby kon niet werken – omdat hij iemand had doodgeschoten, was hij gedwongen om vanaf de zijlijn toe te kijken en te wachten tot het vuurwapengebruik officieel werd onderzocht. Dat betekende dat D.D. er alleen voor stond toen ze haar baas op de hoogte stelde van de laatste ontwikkelingen en vervolgens de plaats delict afgrendelde en de buitenste randen begon af te werken, terwijl ze wachtte tot de laatste sintels waren afgekoeld. Er arriveerden meer agenten en forensisch experts. Meer vragen om te beantwoorden, meer lichamen om af te handelen.

Ze at met lange tanden haar ontbijt. Bobby bracht haar yoghurt en een boterham met pindakaas voor de lunch. Ze werkte. Ze rook naar bloed en zweet, naar rook en as.

Het was tijd voor het avondeten en toen was het avondeten weer voorbij. De zon ging weer onder. Het leven van een rechercheur van de afdeling Moordzaken.

Ze deed wat er moest gebeuren.

En toen was ze eindelijk klaar.

Alle sporen waren veiliggesteld, Tessa was per helikopter naar een ziekenhuis in Boston gebracht en Sophie week niet van de zijde van haar moeder.

D.D. stapte in haar auto en reed terug naar de Mass Pike.

Ze belde Alex toen ze Springfield bereikte. Hij maakte kip met parmaham klaar en was opgetogen toen hij hoorde dat ze eindelijk thuiskwam.

Ze vroeg of hij de kip met parmaham kon vervangen door een aubergineschotel.

Hij wilde weten waarom.

Daar moest ze om lachen, en toen moest ze huilen, en ze kreeg de woorden niet uit haar mond. Dus zei ze tegen hem dat ze hem miste, en hij beloofde haar alle aubergines in de wereld, en dat vond D.D. liefde. Zijn liefde. Haar liefde. Hun liefde.

'Alex,' wist ze ten slotte met veel moeite uit te brengen. 'Hé Alex, vergeet het eten. Ik moet je iets vertellen...'

Ik bleef bijna twee weken in het ziekenhuis. Ik had geluk. Hamiltons schot was dwars door mijn lichaam heen gegaan en had de meeste belangrijke organen gemist. Purcell daarentegen was tot het bittere einde een professionele huurmoordenaar gebleven. Hij had de pezen en spieren van mijn schouder verwoest, wat resulteerde in vele operaties en maandenlange fysiotherapie. Ik heb te horen gekregen dat ik mijn rechterschouder nooit meer helemaal zal kunnen bewegen, maar dat mijn vingers weer zouden moeten gaan functioneren naarmate de zwelling afneemt.

We zullen wel zien.

Sophie bleef bij me in het ziekenhuis. Eigenlijk mocht dat niet. Volgens het ziekenhuisbeleid mochten kinderen alleen tijdens het bezoekuur aanwezig zijn. Binnen een paar uur na mijn opname had mevrouw Ennis het nieuws gehoord en was ze gekomen om te helpen. Maar ze kon Sophie niet van me af krijgen, en na nog eens tien minuten vergeefse pogingen had de hoofdverpleegster haar weggestuurd.

Sophie had haar moeder nodig. Ik had Sophie nodig.

En dus lieten ze ons onze gang maar gaan, twee meiden in hun eigen kamer, een ongelooflijke luxe. We sliepen samen, we aten samen en we keken samen *SpongeBob Squarepants*. Onze eigen vorm van therapie.

Op de negende dag of zo liepen we samen het stukje naar mijn vorige ziekenhuiskamer, waar we, helemaal achter in de onderste la, zowaar Gertrudes ontbrekende oog vonden.

Ik naaide de knoop die middag met operatiedraad aan, en Sophie maakte voor Gertrude haar eigen ziekenhuisbed om in te herstellen.

Ernstig deelde ze me mee dat met Gertrude alles goed zou komen. Gertrude was een heel dapper meisje geweest.

Daarna keken we nog meer *SpongeBob*, en ik hield mijn arm om mijn meisje heen geslagen en liet haar hoofd tegen mijn schouder leunen, ook al deed het pijn.

Het ziekenhuis regelde dat er een kinderpsycholoog bij Sophie langskwam. Sophie wilde niet praten over haar gevangenschap en ze had Brians naam nog niet één keer genoemd. De psycholoog raadde me aan de 'communicatiekanalen' open te houden en te wachten tot Sophie naar mij toe kwam. Als ze er aan toe was, zou ze praten. En als dat gebeurde, moest ik neutraal blijven kijken en begripvolle opmerkingen maken.

Ik vond dat grappig advies voor een vrouw die drie moorden had gepleegd om haar dochter te redden, maar dat zei ik maar niet.

Ik hield Sophie vast. Zonder dat we dat met elkaar hadden afgesproken sliepen we met het licht aan, en wanneer ze tekeningen maakte vol zwarte nachten, rode vlammen en knallende pistolen, gaf ik haar een compliment voor haar gedetailleerdheid en beloofde ik dat ik haar zou leren schieten zodra mijn arm genezen was.

Dat vond Sophie een heel goed idee.

Rechercheurs D.D. Warren en Bobby Dodge kwamen terug. Ze brachten mevrouw Ennis mee, die met Sophie naar het ziekenhuisrestaurant ging zodat ik hun laatste vragen kon beantwoorden.

Nee, Brian had me nooit geslagen. Ik had echt mijn ribben gekneusd doordat ik van een bevroren trap was gevallen, en omdat ik al laat was voor mijn surveillancedienst had ik de verwondingen zelf verzorgd. Shane had me echter wel degelijk op zondagochtend in elkaar geslagen, in een poging Brians dood een geval van noodweer te laten lijken.

Nee, ik wist niet dat Shane Lyons was doodgeschoten. Wat een vreselijke tragedie voor zijn gezin. Hadden ze deze keer wel aanwijzingen?

Ze lieten me foto's zien van een man met een mager gezicht, vurige donkere ogen en dik bruin haar. Ja, ik herkende hem als de man die ik zaterdagochtend in mijn keuken had aangetroffen en die mijn man onder schot had gehouden. Hij had gezegd dat niemand iets zou overkomen als ik meewerkte. En dus had ik mijn politieriem afgedaan. Meteen had hij mijn Sig Sauer gepakt en mijn man drie keer in zijn borst geschoten.

Vervolgens had Purcell duidelijk gemaakt dat ik precies moest doen wat hij zei als ik mijn dochter levend terug wilde zien.

Nee, ik had Purcell nooit eerder gezien, en ik wist niets van zijn reputatie als professionele huurmoordenaar, en ook niet waarom hij mijn man onder schot had gehouden of wat er met Sophie was gebeurd. Ja, ik wist wel dat mijn man een gokprobleem had, maar ik had me niet gerealiseerd dat het zo uit de hand was gelopen dat er een enforcer was ingeschakeld om het probleem op te lossen.

Toen Purcell Brian had neergeschoten, had ik hem vijftigduizend dollar geboden in ruil voor meer tijd voordat Brians dood werd gemeld. Ik had uitgelegd dat ik Brians lichaam kon invriezen en het dan weer kon ontdooien, en dat ik dan zondagochtend de politie zou bellen. Ik zou nog steeds doen wat Purcell van me vroeg, maar ik had gewoon een dag de tijd nodig om Sophies terugkeer voor te bereiden, aangezien ik in de gevangenis terecht zou komen voor het doden van mijn man.

Purcell was akkoord gegaan, en die zaterdagmiddag had ik Brians lichaam met sneeuw bedekt en vervolgens het lijk van de hond onder het terras vandaan gehaald en een paar bommen in elkaar gezet. Ik probeerde ze zo af te stellen dat ze achterwaarts zouden ontploffen, zodat er niemand gewond zou raken.

Ja, ik had mijn ontsnapping uit de gevangenis gepland. En nee, het had me niet veilig geleken om aan iemand te vertellen wat er aan de hand was, zelfs niet aan de rechercheurs uit Boston. Een van de redenen daarvoor was dat ik niet wist wie Sophie had ontvoerd en dat ik echt vreesde voor haar leven. Daar kwam nog bij dat ik wist dat minstens één andere agent, Shane Lyons, erbij betrokken was. Hoe kon ik dan weten of er ook niet agenten van de BPD bij betrokken waren? Of, zoals later zou blijken, een leidinggevende?

Ik had in die dagen intuïtief gehandeld en probeerde nauwgezet te doen wat me was opgedragen, terwijl ik me ook realiseerde dat als ik niet ontsnapte en zelf mijn dochter vond, de kans groot was dat ze ten dode was opgeschreven.

D.D. wilde weten wie me een lift had gegeven vanaf de plek waar ze naar Sophies lichaam hadden gezocht. Ik keek haar recht in de ogen en zei dat ik had gelift. Ze wilde een beschrijving van de auto. Helaas kon ik me die niet meer herinneren.

Maar ik was wel naar de garage van mijn vader gegaan, waar ik zelf voor een auto had gezorgd. Mijn vader was buiten westen en niet in staat om in te stemmen of te protesteren.

Toen ik eenmaal de beschikking had over de pick-up, was ik rechtstreeks naar West-Massachusetts gereden om de confrontatie met Hamilton aan te gaan en Sophie te redden.

Nee, ik wist niet wat er die avond met Shane was gebeurd, of hoe het kon dat hij was neergeschoten met Brians Glock .40. Maar als ze dat wapen in het huis van de huurmoordenaar hadden gevonden, impliceerde dat dan niet dat Purcell het had gedaan? Misschien zag iemand Shane gewoon als een zaak die nog even moest worden afgehandeld. Arme Shane. Ik hoopte dat zijn vrouw en kinderen het goed maakten.

D.D. keek me kwaad aan. Bobby zei niets. We hadden iets met elkaar gemeen, hij en ik. Hij wist donders goed wat ik had gedaan. En ik denk dat hij ermee kon leven dat een vrouw die al drie mensen om het leven had gebracht, niet op een magische manier opeens zou breken en alles zou opbiechten, zelfs niet als zijn partner haar kwade stem opzette.

Wat de luitenant-kolonel betreft… Door hem dood te schieten had Bobby Dodge mijn leven gered, deelde ik D.D. mee. En daar wilde ik een officiële verklaring over afleggen. Als staatsrechercheur Bobby Dodge er niet was geweest, zouden Sophie en ik waarschijnlijk allebei dood zijn.

‘Er is onderzoek gedaan en ik ben vrijgesproken,’ deelde Bobby me mee.

‘En terecht. Dank je wel.’

Hij bloosde een beetje, omdat hij niets moest hebben van de aandacht. Of misschien wilde hij gewoon niet bedankt worden omdat hij iemand had gedood.

Ik denk daar zelf ook niet veel over na. Ik zou niet weten waar dat goed voor is.

En dus heb ik de zaak voor D.D. afgerond. Mijn man sloeg zijn vrouw niet en was geen kindermishandelaar. Hij was gewoon een gokverslaafde die tot over zijn oren in de shit zat. En misschien had ik daar eerder iets aan moeten doen. Hem moeten tegenhouden. Hem het huis uit moeten schoppen.

Ik had niets geweten van de creditcards die hij op naam van Sophie had aangevraagd. Ik had niet geweten dat hij vakbondsgeld had verduisterd. Er was een heleboel dat ik niet had geweten, maar daarmee was ik nog niet schuldig. Ik was gewoon een typische echtgenote die tevergeefs hoopte dat haar man wegliep van de speeltafel en naar huis kwam, naar zijn vrouw en kind.

'Sorry,' had hij tegen me gezegd toen hij stierf in onze keuken. 'Tessa... ik hou nog meer van jou.'

Ik droom van hem, weet je. Zoiets vertel ik rechercheur Warren niet. Maar ik droom van mijn man, alleen is hij deze keer de goede Brian en houdt hij mijn hand in de zijne en fietst Sophie voor ons uit. We wandelen. We praten. We zijn gelukkig.

Ik word huilend wakker, en daarom is het maar goed dat ik tegenwoordig weinig meer slaap.

Wil je weten hoeveel de luitenant-kolonel uiteindelijk verdiende? Volgens D.D. trof Interne Zaken honderdduizend dollar aan op zijn rekening. Ironisch genoeg was dat maar een fractie van wat hij zou hebben gekregen aan legitieme pensioenuitkeringen als hij gewoon plichtsgetrouw zijn werk had gedaan en daarna lekker was gaan vissen in Florida.

De rest van het geld is niet teruggevonden. Op Shanes rekening was niets te vinden, en ook niet op die van Brian. Volgens D.D. vermoedde Interne Zaken dat beide mannen hun onrechtmatig verkregen geld hadden vergokt in het casino, terwijl Hamilton zijn deel van de buit op de bank had gezet. Het ironische was dat Shane en Brian nooit in staat van beschuldiging zouden worden gesteld voor hun aandeel in het misdrijf, terwijl Hamilton en zijn vriendin Bonita – die was herkend als de vrouw die de bankrekening van het nepbedrijf had opgeheven – postuum als schuldigen werden aangewezen.

Goed nieuws voor Shanes weduwe, dacht ik, en ook goed nieuws voor mij.

Later hoorde ik dat Shane met eerbetoon was begraven. De politie kwam tot de conclusie dat Shane had ingestemd om Purcell in het steegje te ontmoeten. Purcell had hem overweldigd en vervolgens om het leven gebracht, misschien om Shane te elimineren, net zoals hij dat met Brian had gedaan.

Ik heb begrepen dat de moord op Purcell onopgehelderd blijft, omdat het wapen nog niet is gevonden.

Zoals ik al aan rechercheur D.D. Warren duidelijk heb gemaakt, weet ik van niets, en laat niemand je iets anders wijsmaken.

Sophie en ik wonen nu in een tweekamerappartement vlak bij mevrouw Ennis. We zijn nooit meer teruggegaan naar het vorige huis. Dat heb ik binnen drie uur verkocht, want ook al was er een moord gepleegd, het heeft wel een van de grootste tuinen in Boston.

Sophie vraagt niet meer naar Brian en heeft het nooit over hem. En ook niet over de ontvoering. Ik denk dat ze het gevoel heeft dat ze me beschermt. Wat moet ik zeggen – ze lijkt op haar moeder. Ze gaat één keer per week naar een psycholoog. Die adviseert me om geduld te hebben, dus dat doe ik. Ik zie het nu als mijn taak om een plek te creëren waar mijn dochter veilig kan landen als ze vroeg of laat haar vleugels uitslaat.

Ze zal vallen, en dan zal ik haar opvangen. Van harte.

Brians begrafenis heb ik in mijn eentje geregeld. Hij ligt begraven met een eenvoudige granieten grafsteen waar zijn naam op staat en zijn geboorte- en sterfdatum. En misschien was het zwak van me, maar gezien het feit dat hij stierf voor Sophie, dat hij daar zo in de keuken stond en wist welke beslissing ik zou moeten nemen, voegde ik er nog een laatste woord aan toe. Het grootste compliment dat je een man kunt geven. Onder zijn naam had ik laten graveren: PAPA.

Misschien zoekt Sophie hem een keer op. En misschien kan ze zich, als ze dat woord ziet, zijn liefde herinneren en hem zijn fouten vergeven. Ouders zijn namelijk niet volmaakt. We proberen het gewoon zo goed mogelijk te doen.

Ik moest weg bij de staatspolitie. Hoewel D.D. en Bobby me tot nu toe niet in verband hebben gebracht met de dood van Shane Lyons en John Stephen Purcell, staat nog wel het kleinigheidje overeind dat ik ben ontsnapt uit de gevangenis en dat ik een collega heb aangevallen. Mijn advocaat voert aan dat ik onder extreme emotionele dwang heb gehandeld, aangezien mijn leidinggevende mijn kind had ontvoerd, en dat ik niet toerekeningsvatbaar was. Cargill blijft optimistisch dat de aanklager, die wil voorkomen dat de staatspolitie veel negatieve publiciteit krijgt, zal instemmen met het verzoek om een voorwaardelijke straf op te leggen, of in het ergste geval huisarrest.

Hoe het ook zij, ik begrijp dat mijn dagen als politieagent geteld zijn. Eerlijk gezegd moet een vrouw die dingen heeft gedaan als ik niet gewapend rondlopen om burgers te beschermen. En ik weet het niet, misschien is er wel wat aan de hand met me, misschien ontbreekt er een essentiële grens, waardoor ik, terwijl andere moeders huilend om hun kind zouden schreeuwen, tot de tanden toe bewapend jacht maakte op de mensen die haar hadden ontvoerd.

Soms word ik bang van wat ik in de spiegel zie. Mijn gezicht is te hard, en ik ben me ervan bewust dat het lang geleden is dat ik heb gelachen. Mannen vragen me niet uit. Onbekenden beginnen geen praatje met me in de metro.

Bobby Dodge heeft gelijk: iemand doden is niet iets om dankbaar voor te zijn. Het is een noodzakelijk kwaad dat je een deel van jezelf en een stuk verbondenheid met de rest van de mensheid kost dat je nooit meer terugkrijgt.

Maar je hoeft geen medelijden met me te hebben.

Ik ben een tijdje geleden begonnen bij een beveiligingsbedrijf, waar ik meer verdien en betere werktijden heb. Mijn baas had mijn verhaal in de krant gelezen en me gebeld om me een baan aan te bieden. Hij zegt dat hij bijna niemand kent die zo strategisch kan denken als ik en dat ik een griezelig goed vermogen heb om obstakels te voorzien en te anticiperen op de juiste stappen. Er is vraag naar dat soort vaardigheden, vooral in deze tijd, en ik heb al twee keer promotie gemaakt.

Nu zet ik Sophie elke ochtend af bij school. Ik ga naar mijn werk. Mevrouw Ennis haalt Sophie om drie uur op. Ik voeg me om zes uur bij hen. We eten samen en dan neem ik Sophie mee naar huis.

We houden samen het appartement schoon en doen samen huiswerk. Om negen uur gaan we naar bed. We slapen op dezelfde kamer. Geen van ons beiden slaapt veel, en zelfs na drie maanden hebben we nog steeds moeite met het donker.

Meestal gaan we lekker tegen elkaar aan liggen, met Gertrude tussen ons in.

Sophie vindt het fijn om haar hoofd tegen mijn schouder te leggen en haar vingers uit te spreiden in mijn hand.

Elke avond weer zegt ze tegen me: 'Ik hou van je, mama.'

En ik zeg, met mijn wang tegen haar donkere haar gedrukt: 'Ik hou nog meer van jou, schatje. Ik hou nog meer van jou.'

Opmerking van de auteur en woord van dank

Met alle respect voor rechercheur D.D. Warren, maar als ik aan een nieuw boek begin, verheug ik me er niet het meest op om tijd door te brengen met vertrouwde personages, maar om onderzoek te doen naar nieuwe en inventieve manieren om te moorden en te verminken. O, eh, en ook om kwaliteitstijd door te brengen met mensen die bij de politie werken en die me eraan herinneren waarom het echt geen goed idee is om een leven als crimineel te gaan leiden, en dat ik daarom maar beter kan blijven hopen dat al mijn geschrijf iets oplevert.

Voor *Korte metten* heb ik een van de dingen kunnen doen waar ik al mijn leven lang van droom, namelijk research doen aan de University of Tennessee Anthropology Research Facility, oftewel de *Body Farm*. Ik ben veel dank verschuldigd aan dr. Lee Jantz, een van de slimste mensen die ik ken en iemand met een van de coolste banen die er maar bestaan. Zij kan naar een hoopje gecremeerde botten kijken en je binnen een halve minuut ongeveer alles over de betreffende persoon vertellen, inclusief het geslacht, de leeftijd, chronische gezondheidsproblemen en wat voor tandflos hij of zij gebruikte. Ik heb heel veel momenten met dr. Jantz meegemaakt die ik in dit boek graag had willen gebruiken, maar volgens mij zou niemand me geloofd hebben.

Lezers die geïnteresseerd zijn in morbide zaken als ontbinding, het identificeren van overblijfselen van een geraamte en de activiteiten van insecten nadat de dood is ingetreden, moeten absoluut *Death's*

Acre lezen van dr. Bill Bass, de schepper van de Body Farm, en medeauteur Jon Jefferson. Op mijn Facebookpagina kun je foto's bekijken van mijn zeer verhelderende researchbezoek.

O, dit is het gedeelte waar ik erbij zeg dat antropologen opgeleide professionals zijn terwijl ik slechts mijn brood verdien met typen, wat betekent dat ik volledig verantwoordelijk ben voor alle fouten in dit boek. Bovendien zou ik dr. Jantz, die een T-shirt heeft met het opschrift *Maak me niet kwaad – ik heb bijna geen plekken meer over om de lijken te verstoppen*, nooit beschuldigen van het maken van fouten. 't Is maar dat je het weet.

Ik ben ook Cassondra Murray van de Southern/Western Kentucky Canine Rescue & Recovery Task Force heel veel dank verschuldigd, voor wat ze me heeft geleerd over het trainen van lijkenhonden en het leven van hondengeleiders. Ik had er geen idee van dat de meeste Amerikaanse zoekteams met vrijwilligers werken. Deze mensen en hun honden doen geweldig werk, en we staan bij ze in het krijt voor hun harde werk, hun toewijding en de offers die ze brengen.

Ook hier geldt dat alle fouten mijn verantwoordelijkheid zijn.

De volgende in de rij is agent Penny Frechette, plus verscheidene andere vrouwelijke politieagenten die liever niet genoemd werden. Ik waardeer de hoeveelheid tijd die deze vrouwen voor me hebben genomen alsmede hun openhartigheid, en ik heb genoten van mijn eerste rit in een surveillancewagen. Ik was hartstikke zenuwachtig! Zij niet. Voor degenen die weten hoe het er bij de politie aan toe gaat: de ervaringen van mijn personage Tessa Leoni zijn een samensmelting van verschillende jurisdicties en ze zijn niet zonder meer representatief voor het leven van een agent van de staatspolitie. De staatspolitie van Massachusetts is een voortreffelijke organisatie en ik ben erkentelijk voor hun geduld ten opzichte van auteurs van spannende boeken die zich allerlei literaire vrijheden veroorloven.

Naast andere zenuwslopende en opmerkelijke ervaringen moet ik directeur Gerard Horgan en onderdirecteur Brian Dacey bedanken voor een leuke dag in de Suffolk County Jail. Ik rijd niet iedere dag helemaal naar Boston om te worden opgesloten in een cel, maar o jongens, wat heb ik er veel van geleerd (in de eerste plaats dat ik het moet houden bij het schrijven van spannende fictie, want laat ik je verzekeren dat ik het nog geen dag achter de tralies zou uithouden). Ze hebben me laten zien hoe professioneel het er allemaal aan toe gaat. Natuurlijk heb ik de gevangenis gebruikt voor meer moord en verminking, want hé, daar ben ik nou eenmaal het beste in.

Ook wil ik mijn grote waardering uitspreken voor de heer Wayne Rock, voor zijn juridische adviezen en voor wat hij me allemaal over de BPD heeft geleerd. Wayne is een gepensioneerde Bostonse rechercheur en beantwoordt mijn vragen altijd heel geduldig. Hij lijkt niet meer te schrikken als ik met de deur in huis val met uitspraken als: *Zo, ik wil iemand dood hebben, maar zonder dat ik daar de schuld van krijg. Hoe kan ik dat het beste aanpakken?* Dank je, Wayne!

Ik ben ook dank verschuldigd aan Scott Hale, die bij de koopvaardij werkt, net zoals zijn vader en grootvader dat deden, en die me veel heeft geleerd over het leven in de koopvaardij. Hij was bereid me te helpen, ook nadat hij erachter was gekomen dat ik het personage dat bij de koopvaardij werkte ging vermoorden. Dank je, Scott!

En als afsluiting van het onderzoeksgedeelte wil ik de begiftigde dokter en collega-schrijver van spannende boeken C.J. Lyons heel hartelijk bedanken voor haar medische expertise en adviezen. Laten we eerlijk zijn, niet iedereen zal reageren op e-mails met een onderwerp als: 'Advies gevraagd op het gebied van verminking'. Dank je, C.J.!

Omdat je bij het schrijven van boeken niet alleen maar gevangenissen bezoekt en ritjes maakt met agenten, moet ik ook David J. Hallett en Scott C. Ferrari bedanken, omdat ze me toestonden hun soft coated wheaten terriërs Skyler en Kelli in dit boek te laten opdraven. Ik hoop dat de lezers zullen genieten van Skyler en Kelli, twee sterren in de dop.

Ik kan dieren niet alle pret laten hebben. Mijn felicitaties voor Heather Blood, vanwege het winnen van alweer de zesde Kill a Friend, Maim a Buddy-wedstrijd door Erica Reed voor te dragen om te sterven. En ook felicitaties voor de Canadese Donna Watters, vanwege het winnen van de internationale versie, Kill a Friend, Maim a Mate. Zij offerde haar zus, Kim Watters, om op een grootse manier aan haar einde te komen.

Ik hoop dat jullie hebben genoten van jullie literaire onsterfelijkheid. En de lezers die in hun voetsporen hopen te treden, kunnen een kijkje nemen op www.LisaGardner.com.

Natuurlijk had ik dit niet kunnen doen zonder mijn gezin. Van mijn eigen lieve kind, dat elke dag weer van me wilde weten of ik dat kleine meisje nou al had gered, tot mijn uitermate geduldige echtgenoot, die er zo aan gewend is geraakt dat hij een vrouw heeft die 's morgens naar de gevangenis vertrekt, dat hij niet eens meer vraagt hoe laat ik thuis ben. Dát is liefde, zeg ik je.

Ten slotte Team Gardner. Mijn agent, Meg Ruley, op wie ik altijd kan rekenen; mijn briljante redacteur, Kate Miciak; en mijn hele team bij uitgever Random House. Je hebt er geen idee van hoeveel getalenteerde en hardwerkende mensen ervoor nodig zijn om een boek te verwezenlijken. Ik ben iedereen stuk voor stuk dank verschuldigd. Bedankt voor jullie steun, en voor jullie hulp bij het mogelijk maken van de magie.

Dit boek draag ik in liefdevolle herinnering op aan mijn oom Darrell en tante Donna Holloway, die ons lachen, liefde en natuurlijk cribbagestrategieën hebben geleerd.

En ook aan Richard Myles, oftewel oom Dick, wiens liefde voor geweldige boeken, mooie tuinen en een lekkere Manhattancocktail nooit vergeten zal worden.

We houden van je, en we blijven aan je denken.